# A tirania do mérito

*Michael J. Sandel*

# A tirania do mérito

## O que aconteceu com o bem comum?

**Tradução de**
Bhuvi Libanio

1ª edição

CIVILIZAÇÃO BRASILEIRA
Rio de Janeiro
2025

Título original em inglês: *The tyranny of merit: what´s become of the common good?*

CIP-BRASIL. CATALOGAÇÃO NA FONTE
SINDICATO NACIONAL DOS EDITORES DE LIVROS, RJ

Sandel, Michael J.
S198t A tirania do mérito : o que aconteceu com o bem comum? / Michael J. Sandel ; tradução Bhuvi Libanio. - 1. ed. - Rio de Janeiro : Civilização Brasileira, 2025.

Tradução de: The tyranny of merit : what's become of the common good?

ISBN 978-65-5802-170-4

1. Polarização (Ciências sociais). 2. Populismo - Estados Unidos. 3. Mérito (Ética) - Aspectos sociais - Estados Unidos. 4. Interesse público - Estados Unidos. 5. Mobilidade social - Estados Unidos. 6. Globalização - Aspectos políticos - Estados Unidos. 7. Estados Unidos - Condições sociais. I. Libanio, Bhuvi. II. Título.

CDD: 305.50973
25-97475.0 CDU: 316.344(73)

Gabriela Faray Ferreira Lopes - Bibliotecária - CRB-7/6643

---



Texto revisado segundo o novo Acordo Ortográfico da Língua Portuguesa.

Reservam-se os direitos desta tradução à
EDITORA CIVILIZAÇÃO BRASILEIRA
Um selo da
EDITORA JOSÉ OLYMPIO LTDA.
Rua Argentina, 171 – 20921-380 – Rio de Janeiro, RJ – Tel.: (21) 2585-2000.



Impresso no Brasil
2025

*Para Kiku, com amor*

# Sumário

# Prólogo

Quando começou a pandemia do coronavírus, em 2020, os Estados Unidos, assim como vários países, estavam despreparados. Apesar dos avisos, no ano anterior, de especialistas em saúde pública acerca do risco de uma epidemia viral global, e até mesmo enquanto a China lutava contra o surto em janeiro, os Estados Unidos não estavam de prontidão para conduzir a testagem em massa que talvez pudesse conter a doença. Enquanto o surto se espalhava, o país mais rico do mundo se via incapaz de proporcionar até mesmo as máscaras e outros equipamentos de proteção que os profissionais de saúde precisavam para tratar a enxurrada de pacientes infectados.

Além da falta de organização logística, o país não estava moralmente preparado para a pandemia. Os anos anteriores à crise foram tempos de profunda divisão – econômica, cultural e política. O efeito de décadas de desigualdade em crescimento e de ressentimento cultural foi uma reação populista furiosa em 2016, que resultou na eleição de Donald Trump. A divisão partidária persistiu enquanto a crise se desdobrava. Poucos republicanos (apenas 7%) confiavam nas notícias dos jornais para ter informações sobre o coronavírus; poucos democratas (4%) confiavam na informação que Trump comunicava.[1]

Em meio ao rancor partidário e à desconfiança, chegou uma praga que demandava um tipo de solidariedade que poucas sociedades conseguem mobilizar, a não ser em tempos de guerra. Em todo o mundo, implorava-se às pessoas, muitas vezes em tom de exigência, que respeitassem o distanciamento social, que abandonassem o trabalho e ficassem em casa. Quem não tinha possibilidade de trabalhar remotamente ou encarou a perda de salário e o desaparecimento de empregos, ou enfrentou trabalhos que colocaram a própria saúde e a vida em risco, nos lugares onde era difícil evitar o vírus.

Moralmente, a pandemia nos lembrou de nossa vulnerabilidade, de nossa dependência mútua: *We are all in this together*, "Estamos todos nisso juntos". Dirigentes do poder público e publicitário lançaram mão, de forma instintiva, desse *slogan*. Mas essa frase entusiasmada logo soou vazia. Ela não descrevia o senso de comunidade necessário para a prática em andamento de ajuda mútua e sacrifício compartilhado. A pandemia deixou isso explícito. A covid abateu-se com mais intensidade sobre pessoas não brancas, que, de forma desproporcional, tinham emprego que expunha trabalhadores e trabalhadoras a grandes riscos. A taxa de mortalidade entre os latinos era 22% mais alta do que entre os brancos; entre americanos negros, a taxa de mortalidade devido à covid era 40% mais alta do que entre americanos brancos.[2]

Esses registros sombrios de mortes refletiram condições preexistentes de privilégio e privação. O mesmo projeto de globalização orientado pelo mercado, que deixou os Estados Unidos sem acesso à produção nacional de máscaras cirúrgicas e de medicamentos, aprofundou desigualdades, tirou uma grande quantidade de trabalhadores de cargos com bons salários e refreou a vida social.

Enquanto isso, aqueles que colheram a recompensa econômica dos mercados globais, da gestão de cadeias logísticas e do fluxo de capital passaram a contar cada vez menos com os estimados cidadãos como produtores ou consumidores. As perspectivas econômicas e as identidades deles já não dependiam de comunidades locais ou nacionais. À medida que os vitoriosos da globalização se afastavam dos derrotados, eles praticavam seu próprio tipo de distanciamento social.

A divisão política que importava, os vencedores explicaram, não era mais esquerda versus direita, mas aberto versus fechado. Em um mundo aberto, o sucesso depende de educação, de se preparar para competir e vencer em uma economia global. Isso significa que governos nacionais devem assegurar a todo mundo oportunidades iguais de receber a educação da qual depende o sucesso. Contudo, isso também significa que aqueles que chegam ao topo passam a acreditar que merecem o sucesso. Ademais, se oportunidades são mesmo iguais, pode-se dizer que aqueles deixados para trás também são merecedores daquele destino.

Essa maneira de pensar sobre o sucesso faz com que seja difícil acreditar que "estamos todos nisso juntos". Ela convida as elites credenciadas a acreditar que o sucesso é resultado de suas ações e provoca os trabalhadores a sentirem que o andar de cima olha para baixo com desdém. Isso ajuda a explicar por que os deixados para trás pela globalização ficariam irritados e ressentidos, e por que se sentem atraídos por populistas autoritários que atacam as elites e prometem reafirmar as fronteiras nacionais com vingança.

Quando Joe Biden ganhou a disputa pela indicação dos Democratas em 2020, ele se tornou o primeiro candidato democrata a presidente em 36 anos sem diploma de uma das universidades da Ivy League. Isso talvez tenha ajudado Biden a se conectar com os operários que seu partido se esforçou para atrair nos últimos anos. No entanto, esse aspecto singular de sua candidatura deveria nos levar a refletir sobre o preconceito credenciado que sempre teve lugar na nossa vida pública. O preconceito não apenas restringiu as escolhas por candidatos a cargos oficiais; mas também moldou a forma como líderes políticos de todo o tipo reagiram à estagnação da desigualdade e dos salários em décadas recentes – eles diziam aos trabalhadores para conseguirem um diploma universitário.

Quem ofereceu a crítica mais dura ao impulso credenciado na política contemporânea foi o político James Clybur, da Carolina do Sul, o afro-americano com a posição mais alta no congresso. Clyburn – cujo apoio nas primárias da Carolina do Sul salvou a difícil candidatura de Biden e o colocou no caminho da indicação – viu que Joe Biden representava uma alternativa ao implacável credencialismo que alienou trabalhadores do Partido Democrata. "Nosso problema", disse Clyburn, "é que muitos candidatos gastam tempo tentando fazer com que as pessoas saibam o quanto são inteligentes, em vez de tentar se aproximar delas". Ele achava que os democratas deram ênfase demais em educação universitária. O que vem à mente "quando um candidato diz que você precisa ter condições de mandar seus filhos para a universidade? E quantas vezes você já escutou isso? Detesto escutar isso... Não preciso escutar isso. Porque temos pessoas que querem ser eletricistas, querem ser bombeiros hidráulicos, querem ser barbeiros".[3] Apesar de ele não ter falado bem assim, Clyburn se posicionava contra o projeto político meritocrático que involuntariamente desprezou eleitores da classe trabalhadora e abriu caminho para o Trump.

Depois de uma invasão violenta ao Capitólio por apoiadores de Trump que queriam reverter o resultado das eleições, Biden assumiu a presidência e prometeu unir o país novamente. Não seria fácil. Trump fora derrotado, mas não repudiado. Mesmo depois de ver o presidente se atrapalhar com a pandemia, acalorar tensões raciais e ridicularizar normas constitucionais, 74 milhões de americanos votaram nele. Alguns eram eleitores tradicionais, republicanos ricos e conservadores que gostaram dos cortes nos impostos.

Mas muitos eleitores, trabalhadores rurais e urbanos, foram atraídos pela sua política ofensiva. Sua animosidade contra as elites políticas e culturais dialogava com o ressentimento, com a sensação de humilhação presente. As políticas públicas pouco fizeram para ajudá-los; no entanto, sentiam que Trump estava do lado deles. Sem dúvida, a animosidade de Trump estava enredada no racismo, e os supremacistas brancos atenderam ao chamado. Entretanto, sua política ofensiva ecoou por questões além de raça. Durante décadas, a divisão entre vencedores e perdedores se intensificou, envenenando nossa política e nos dividindo.

Quando Biden assumiu o cargo, o país estava polarizado de tal maneira que uma presidência de restauração não cicatrizaria. A fim de dissipar o rancor, os partidos principais, assim como seus parceiros no mundo, teriam que repensar sua missão e seu propósito. Teriam que enxergar como a ética meritocrática orientada pelo mercado que eles defenderam alimentou o ressentimento e provocou essa reação. Qualquer esperança de renovar nossa vida moral e cívica depende de compreender como, ao longo das últimas quatro décadas, nossos laços sociais e o respeito que temos uns pelos outros colapsaram. Este livro tem por objetivo explicar como isso aconteceu e pensar em como podemos encontrar um caminho para a política do bem comum.

*Fevereiro de 2021*
*Brookline, Massachusetts*

## Notas

1. Margot Sanger-Katz. "On Coronavirus, Americans Still Trust the Experts" [Sobre o coronavírus: americanos ainda confiam nos especialistas], *The New York Times*, Nova York, 27 jun. 2020. <https://www.nytimes.com/2020/06/27/upshot/coronavirus-americans-trust-experts.html>.
2. The COVID Tracking Project [Projeto de rastreamento da covid]. <https://covidtracking.com/race>. Dados referentes a 21 fev. 2021. As categorias de raça podem coincidir com a etnia hispânica/latina.
3. James Clyburn em entrevista ao FiveThirtyEight, 26 fev. 2020. <https://abcnews.go.com/fivethirtyeight/video/rep-james-clyburn-settled-endorsing-joe-biden-president-69231417>. Sou grato a Elizabeth Anderson por ter chamado minha atenção para a fala de Clyburn.

# Introdução Ingressar

Em março de 2019, enquanto estudantes do ensino médio aguardavam o resultado da inscrição para entrada na universidade, promotores de justiça fizeram uma declaração assustadora. Acusaram 33 pais e mães ricos de envolvimento em um elaborado esquema de fraude para que seus filhos e filhas fossem aceitos em universidades de elite, como Yale, Stanford, Georgetown e a Universidade do Sul da Califórnia.[1]

No centro de todo o esquema estava um inescrupuloso consultor educacional chamado William Singer, que administrava um negócio para atender a pais e mães abastados e ansiosos. A empresa de Singer se especializou em manipular o sistema intensamente competitivo de ingresso a universidades, que há algumas décadas havia se tornado a principal porta de entrada para prosperidade e prestígio. Para estudantes que não tinham as brilhantes credenciais exigidas pelas melhores universidades, Singer oferecia soluções alternativas corruptas – pagava inspetores dos exames de seleção, como SAT e ACT,* para aumentar a nota dos estudantes, corrigindo o gabarito, e subornava treinadores para que indicassem candidatos como atletas recrutados, ainda que os estudantes não praticassem o esporte em questão. Ele até mesmo fornecia credenciais para falsos atletas, usando o *Photoshop* para colocar o rosto de candidatos em fotografias de atletas reais em movimento.

O serviço ilícito de admissão oferecido por Singer não era barato. Um prestigioso presidente de uma empresa de advocacia pagou US$ 75 mil para sua filha fazer exame de ingresso à universidade em um

* SAT e ACT são exames nacionais padronizados. A exemplo do brasileiro ENEM, o resultado desses exames é critério para ingresso em universidades dos Estados Unidos. (*N. da T.*)

centro supervisionado por um inspetor pago por Singer, para garantir que a estudante obtivesse a nota de que precisava. Certa família pagou a Singer US$ 1,2 milhão para que a filha fosse admitida em Yale como jogadora de futebol recrutada, apesar de ela não jogar futebol. Singer usou US$ 400 mil do pagamento para subornar o prestativo treinador de futebol de Yale, que também foi indiciado. Uma atriz de televisão e seu marido, designer de moda, pagaram a Singer US$ 500 mil para que as duas filhas do casal fossem aceitas na USC [Universidade do Sul da Califórnia] como falsas recrutas do time de remo. Outra celebridade, a atriz Felicity Huffman, conhecida por seu papel na série de televisão *Desperate Housewives*, de alguma maneira conseguiu um preço promocional; por apenas US$ 15 mil, Singer deu um jeitinho no SAT da filha dela.[2]

Ao todo, Singer recebeu US$ 25 milhões ao longo de oito anos administrando seu esquema de ingresso em universidades.

O escândalo provocou indignação universal. Em tempos de polarização, quando estadunidenses raramente conseguiam concordar em qualquer coisa, isso resultou em cobertura e condenação massiva no espectro político, nos canais de televisão Fox News e MSNBC, nos jornais *The Wall Street Journal* e *The New York Times*. Todo mundo concordou que subornar e trapacear para ser admitido em uma faculdade de elite era repreensível. Mas a indignação expressava algo ainda mais profundo do que raiva de pais privilegiados que usavam métodos ilícitos para ajudar filhos e filhas a entrarem em universidades de prestígio. Por motivos que as pessoas verbalizavam com dificuldade, foi um escândalo emblemático, tal que levantou questões maiores sobre quem sai na frente e por quê.

Inevitavelmente, as expressões de indignação foram articuladas de forma política. Representantes do presidente Trump foram ao Twitter e à Fox News para provocar os liberais de Hollywood enredados no esquema. "Observem quem são essas pessoas", Lara Trump, nora do presidente, disse no canal Fox. "As elites de Hollywood, as elites liberais que sempre falaram em igualdade para todo mundo e que todas as pessoas deveriam ter chances iguais; pois aqui está a maior hipocrisia de todas: estão preenchendo cheques para trapacear e colocar filhos e filhas nessas escolas – quando as vagas deveriam realmente ter sido preenchidas por jovens que de fato as mereciam."[3]

Quanto aos liberais, estes concordaram que o esquema privava jovens qualificados de estar onde mereciam. Mas viram o escândalo como um evidente instante de uma injustiça ainda maior: o papel da riqueza e do privilégio no ingresso em uma universidade, mesmo quando não havia ilegalidade envolvida. Ao anunciar o indiciamento, o promotor de justiça declarou o que considerou ser a principal questão em jogo: "Não pode haver nenhum sistema de ingresso à universidade separado para os ricos."[4] No entanto, colunistas e críticos foram rápidos em chamar atenção ao fato de que, como rotina, dinheiro atua no sistema de admissão, mais explicitamente na atenção especial que universidades estadunidenses concedem a filhos e filhas dos generosos ex-alunos doadores.

Em resposta às tentativas dos apoiadores de Trump de culpar as elites liberais pelo escândalo no ingresso à universidade, liberais citaram relatos publicados sobre Jared Kushner, genro do presidente, ter ingressado em Harvard apesar de seu fraco histórico escolar, depois que seu pai, um rico incorporador de imóveis, doou US$ 2,5 milhões à universidade. O próprio Trump supostamente doou US$ 1,5 milhão para a Escola de Finança Wharton, da Universidade da Pensilvânia, na mesma época em que seu filho, Donald Jr., e sua filha, Ivanka, frequentaram aquela faculdade.[5]

## A ÉTICA DA ADMISSÃO

Singer, o mentor do esquema de ingresso em universidades, reconheceu que uma doação grande algumas vezes coloca candidatos de qualificações medíocres para dentro, pela "porta dos fundos". Mas ele apresentou a própria técnica, que apelidou de "porta lateral", como uma alternativa de bom custo-benefício. Disse aos clientes que as abordagens padrão do tipo "porta dos fundos" eram "dez vezes mais caras" do que seus esquemas de trapaça, e menos eficazes. Uma grande doação para a faculdade não oferecia garantia de ingresso, enquanto sua "porta lateral" de propinas e notas falsas, sim. "Minhas famílias querem uma garantia", ele explicou.[6]

Apesar de dinheiro comprar acesso tanto ao ingresso pela "porta dos fundos" quanto pela "porta lateral", essas maneiras de entrar não são moralmente idênticas. Primeiro porque a porta dos fundos é legal e a lateral não é. O promotor de justiça dos EUA explicou isso: "Não estamos falando de doar um prédio para que seja mais provável determinada escola aceitar seu filho ou filha. Estamos falando em enganação e fraude, notas falsas em exames, credenciais falsas para atletas, fotografias falsas, profissionais universitários subornados."[7]

Ao processar Singer, seus clientes e os treinadores que aceitaram propina, a justiça federal não estava dizendo às universidades que elas não podiam vender vagas em salas de aula para calouros; estavam simplesmente quebrando um esquema fraudulento. Legalidade à parte, a porta dos fundos e a porta lateral são diferentes neste aspecto: quando pais e mães compram a vaga do filho ou filha por meio de uma grande doação, o dinheiro vai para a faculdade, que pode utilizá-lo para melhorar a educação oferecida a todos os estudantes. Com o esquema de Singer, o dinheiro vai para terceiros, portanto, faz pouco ou nada em prol da própria universidade. (Pelo menos, um dos treinadores que Singer subornou, o treinador do time de vela em Stanford, aparentemente utilizou a propina para financiar o programa de vela. Outros embolsaram o dinheiro.)

Do ponto de vista de justiça, no entanto, é difícil distinguir entre a "porta dos fundos" e a "porta lateral". Ambas oferecem vantagem a filhos e filhas de pai e mãe ricos que ingressam no lugar de candidatos mais qualificados. Ambas permitem que o dinheiro supere o mérito.

O ingresso com base no mérito define a entrada pela "porta da frente". Conforme afirmou Singer, a porta da frente "significa que você entra por conta própria". Essa forma de ingressar é a que a maioria das pessoas considera justa; candidatos deveriam ser admitidos com base no próprio mérito, não no dinheiro do pai e/ou da mãe.

Na prática, obviamente, não é tão simples assim. Dinheiro paira sobre a porta da frente, assim como sobre a dos fundos. É difícil dissociar a medida do mérito de vantagens econômicas. Os exames padronizados, como o SAT, supostamente medem somente o mérito, de maneira que estudantes vindos de contextos modestos possam demonstrar promessa intelectual. Na prática, entretanto, a nota do SAT vem no rastro da renda familiar. Quanto mais rica for a família de um ou uma estudante, mais alta provavelmente será a nota dele ou dela.[8]

Pais e mães ricos matriculam filhos e filhas em cursos preparatórios para o SAT, contratam consultores educacionais particulares para incrementar suas candidaturas e os inscrevem em aulas de dança e música, em treinamentos para esportes de elite, tais como esgrima, squash, golfe, tênis, remo, lacrosse e vela – o que for melhor para que sejam qualificados para o recrutamento em times universitários –, além de os mandarem a lugares distantes para que executem boas ações que aparentem preocupação com os oprimidos. Esses estão entre os meios caros pelos quais pais e mães abastados e ambiciosos preparam sua progênie para competir por uma vaga.

E então vem a mensalidade. Em quase todo o punhado de faculdades ricas o suficiente para aceitar estudantes sem considerar a capacidade de pagar, as pessoas que não precisam de ajuda financeira têm mais probabilidade de entrar do que seus colegas carentes.[9]

Com tudo isso, não é surpreendente que mais de dois terços dos estudantes em faculdades da Ivy League* venham dos 20% no topo da escala de renda. Em Princeton e em Yale, há mais estudantes no 1% do topo do que entre os 60% da base do país.[10] Essa impressionante desigualdade no acesso é devido, em parte, ao ingresso por legado e à valorização de um doador (a porta dos fundos), mas também a vantagens que propelem filhos e filhas de famílias ricas porta da frente adentro.

Críticos indicam essa desigualdade como prova de que a educação superior não é a meritocracia que afirma ser. Desse ponto de vista, o escândalo do ingresso em universidades é uma situação específica dentro da mais ampla e difusa injustiça que impede a educação superior de se adequar aos princípios meritocráticos que ela professa.

* Ivy League, ou Liga Ivy, é um grupo formado pelas universidades particulares estadunidenses mais prestigiadas. São elas: Universidade de Yale, Universidade de Harvard, Universidade da Pensilvânia, Universidade Brown, Universidade de Princeton, Universidade de Colúmbia, Dartmouth College, e Universidade de Cornell. (*N. da T.*)

Apesar de suas divergências, aqueles que consideram o escândalo da trapaça um chocante desvio das práticas padrão e aqueles que consideram isso um exemplo extremo de tendências já predominantes no sistema de ingresso em universidades compartilham uma mesma premissa: a admissão de estudantes em universidades deveria ser baseado em suas próprias habilidades e talentos, não em fatores dos quais não têm controle. Em outras palavras, eles concordam que a entrada deveria ser condicionada ao mérito. Eles também concordam, pelo menos é o que está implícito, que aqueles que ingressam por mérito se esforçaram para ser aceitos, portanto, merecem os benefícios que resultam disso.

Se essa visão familiar estiver correta, então o problema da meritocracia não está em seus princípios, mas sim em não conseguirmos segui-los. Discussões políticas entre conservadores e liberais reforçam isso. Nossos debates políticos não são sobre meritocracia, propriamente dita, mas sobre como alcançá-la. Por exemplo, conservadores argumentam que políticas de ações afirmativas que consideram raça e etnia fatores para ingresso correspondem à traição do sistema baseado em mérito; liberais defendem ações afirmativas como forma de remediar injustiças persistentes e afirmam que uma verdadeira meritocracia pode ser alcançada somente quando se acabar com as desigualdades existentes entre pessoas privilegiadas e pessoas em desvantagens.

Mas esse debate ignora a possibilidade de o problema com a meritocracia ser mais profundo.

Pense novamente no escândalo do ingresso em universidades. A indignação, em sua maioria, teve foco na trapaça e na sua injustiça. Igualmente incômodos, no entanto, foram os comportamentos que alimentaram a trapaça. O que estava por trás do escândalo era o pressuposto, atualmente tão familiar que raramente é notado, de que uma vaga em universidade de elite é recompensa amplamente procurada. O escândalo chamou atenção não somente por implicar celebridades e magnatas do *private equity*, o investimento de capital privado, mas também pelo fato de o acesso que tentaram comprar ser tão amplamente desejado e objeto de ambição febril.

E por que isso? Por que ingressar em uma universidade de prestígio tornou-se algo procurado com tanta ferocidade, a ponto de pais e mães privilegiados cometerem fraude para colocar filhos e filhas dentro? Ou, fora a fraude, gastar dezenas de milhares de dólares em consultores educacionais particulares e cursos preparatórios para aumentar as chances de filhos e filhas, transformando os anos de ensino médio em uma série estressante de aulas pré-vestibulares, de elaboração de currículo e de um esforço carregado de pressão? Por que o ingresso em universidades de elite passou a ser uma ameaça tão grande em nossa sociedade, a ponto de o FBI dedicar tanto recurso legal para desvendar o esquema e de as notícias sobre o escândalo serem manchete e chamarem atenção do público por meses, do indiciamento à condenação dos criminosos?

A obsessão por ingressar na universidade tem sua origem na crescente desigualdade de décadas recentes. Reflete o fato de que há muito em jogo em relação a quem entra onde. À medida que os 10% mais ricos se afastaram do restante, o preço a se pagar para ingressar em uma universidade de prestígio aumentou. Há cinquenta anos, era menos pesado se inscrever em uma universidade. Menos de um em cada cinco estadunidenses frequentaram um curso universitário com quatro anos de duração, e aqueles que o fizeram em geral se matricularam em um lugar próximo de casa. O ranking das universidades importava menos do que hoje.[11]

Mas, à medida que a desigualdade e a distância entre rendas aumentavam entre pessoas com e pessoas sem formação universitária, a universidade passou a ter mais importância. Assim como a escolha da universidade. Hoje, estudantes, em geral, buscam as universidades mais seletivas que os aceitarão.[12] O estilo de educação em casa também mudou, sobretudo, dentro das classes profissionais. Enquanto a distância entre rendas aumenta, o medo de cair também cresce. Em busca de evitar esse perigo, pais e mães ficaram intensamente envolvidos na vida de filhos e filhas – gerenciando o tempo, monitorando notas, orientando as atividades e sendo curadores de qualificações para a universidade.[13]

Essa epidemia de parentalidade ditatorial e superprotetora não veio do nada. É uma resposta ansiosa, mas compreensível, à desigualdade crescente e ao desejo de pais e mães abastados de poupar a progênie da precariedade da vida de classe média. Um diploma de universidade de renome passou a ser visto como o principal veículo da mobilidade ascendente, para pessoas que procuram subir, e a mais confiável defesa contra a mobilidade descendente, para as pessoas que esperam permanecer abrigadas na confortável classe. Essa é a mentalidade que levou apavorados pais e mães privilegiados a entrar no fraudulento esquema do ingresso em universidades.

Mas ansiedade econômica não é a história completa. Além de uma barreira contra a mobilidade descendente, os clientes de Singer compravam algo mais, algo menos tangível, no entanto, mais valioso. Ao assegurar uma vaga em universidade prestigiosa para filhos e filhas, compravam o brilho emprestado do mérito.

## LEILÃO DO MÉRITO

Em uma sociedade desigual, aqueles que alcançam o topo querem acreditar que seu sucesso tem justificativa moral. Em uma sociedade de meritocracia, isso significa que os vencedores devem acreditar que conquistaram o sucesso através do próprio talento e empenho.

Paradoxalmente, essa é a dádiva que pais e mães trapaceiros queriam oferecer a filhos e filhas. Se tudo o que realmente importava para eles fosse possibilitar à prole viver em abundância, poderiam ter dado a ela fundos fiduciários. Mas eles procuravam algo mais – o sinal distintivo meritocrático que o ingresso às faculdades de elite confere.

Singer entendeu isso quando explicou que a porta da frente significava "você entra por conta própria". Seu esquema de fraude era a segunda melhor coisa. Obviamente, ser aceito a partir de um SAT fraudado ou de credenciais atléticas falsificadas não é fazer a coisa por conta própria. É por isso que a maioria dos pais e das mães escondeu da prole sua maquinação. Entrar para a faculdade pela porta lateral carrega a mesma honra meritocrática da entrada pela porta da frente somente se o modo ilícito de entrada for dissimulado. Ninguém tem orgulho em anunciar: "Entrei para Stanford porque meu pai e minha mãe subornaram o treinador do time de vela."

O contraste entre a entrada com base no mérito parece óbvio. Quem entrou com credenciais brilhantes, legítimas se orgulha da conquista e considera que o fez por conta própria. Mas isso, de certa forma, é ilusório. Ainda que seja verdade o fato de a entrada refletir dedicação e empenho, não se pode dizer que foi somente resultado da própria ação. E o que dizer sobre pai, mãe e professores que ajudaram ao longo do caminho? E os talentos e dons não inteiramente resultantes das ações deles? E a sorte de viver em uma sociedade que cultiva e recompensa os talentos que eles por acaso têm?

As pessoas que, por meio de um pouco de esforço e talento, prevalecem em uma meritocracia ficam endividadas de uma forma que a competição ofusca. À medida que a meritocracia se intensifica, o esforço nos absorve tanto que o fato de estarmos endividados sai de vista. Dessa maneira, até mesmo uma meritocracia justa, uma em que não haja trapaça, ou suborno, ou privilégios especiais para os ricos, induz a uma impressão equivocada: de que chegamos lá por conta própria. Os anos de árduo esforço exigidos de candidatos a universidades de elite praticamente os obriga a acreditar que o sucesso deles é resultado das próprias ações, e, se fracassarem, não terão a quem culpar, a não ser a si mesmos.

Esse é um fardo pesado para pessoas jovens carregarem. Além disso, corrói sensibilidades cívicas. Porque quanto mais pensarmos em nós como pessoas que vencem pelo próprio esforço e são autossuficientes, mais difícil será aprender a ter gratidão e humildade. E sem esses sentimentos é difícil se importar com o bem comum.

O ingresso em universidades não é a única ocasião para discussões sobre mérito. Na política contemporânea há uma abundância de debates acerca de quem merece o quê. Na superfície, esses debates são sobre o que é justo – todo mundo tem oportunidades verdadeiramente iguais para competir por bens desejáveis e posições sociais?

No entanto, nossas discordâncias acerca de mérito não são apenas em relação a ser justo, mas também quanto a como definimos sucesso e fracasso, vencer e perder, e o comportamento que vencedores devem direcionar àqueles menos bem-sucedidos do que eles. Essas são questões bastante pesadas e que tentamos evitar, até o momento em que elas se lançam sobre nós.

Encontrar um caminho além da política polarizada do nosso tempo exige levar em consideração o mérito. Como o significado de mérito foi remodelado em décadas recentes, de tal forma que corrói a dignidade do trabalho e faz com que várias pessoas sintam que as elites os desprezam? Os vencedores da globalização têm justificativa para acreditarem que conquistaram e, portanto, merecem o sucesso, ou isso é uma questão de arrogância meritocrática?

Numa época em que a raiva contra as elites levou a democracia ao limite, a questão do mérito assume uma urgência especial. Precisamos perguntar se a solução para nossa política conflituosa é viver mais fielmente pelo princípio do mérito ou buscar um bem comum além da classificação e da luta.

## Notas

1. Jennifer Medina, Katie Benner e Kate Taylor, "Actresses, Business Leaders and Other Wealthy Parents Charged in U.S. College Entry Fraud" [Atrizes, grandes empresários e outros pais ricos acusados de fraude no sistema de ingresso em universidades dos EUA], *The New York Times*, 12 de março, 2019. <nytimes.com/2019/03/12/us/college-admissions-cheating-scandal.html?searchResultPosition=1>.
2. *Ibid*. Veja também "Here's How the F.B.I. Says Parents Cheated to Get Their Kids into Elite Colleges" [Veja por que o FBI diz que pais trapacearam para colocar os filhos em universidades de elite], *The New York Times*, 12 de março, 2019. <nytimes.com/2019/03/12/us/admissions-scandal.html>; Declaração juramentada de queixa criminal, 11 de março, 2019, *U.S. Department of Justice*. <justice.gov/file/1142876/download>.
3. Lara Trump, no *Fox News at Night*, 12 de março, 2019. <facebook.com/FoxNews/videos/lara-trump-weighs-in-on-college-admissions-scandal/2334404040124820/>.
4. Andrew Lelling, promotor dos EUA, distrito de Massachusetts, 12 de março, 2019, transcrição de declaração na CNN. <edition.cnn.com/TRANSCRIPTS/1903/12/ath.02.html>.

5. Frank Bruni, "Bribes to Get into Yale and Stanford? What Else Is New?" [Suborno para entrar em Yale e Stanford? Qual é a novidade?], *The New York Times*, 12 de março, 2019. <nytimes.com/2019/03/12/opinion/college-bribery-admissions.html>. Eugene Scott, "Why Trump Jr. Mocked the Parents Caught Up in the College Admissions Scandal" [Por que Trump Jr. ridicularizou pais e mães pegos no escândalo do ingresso em universidades], *The Washington Post*, 13 de março, 2019. <washingtonpost.com/politics/2019/03/13/why-trump-jr-mocked-parents-caught-up-college-admissions-scandal/>; Para relatórios originais sobre o caso de Jared Kushner e sobre como dinheiro atua no ingresso em universidades, veja Daniel Golden, *The Price of Admission* [O preço da admissão], Nova York: Broadway Books, 2006. pp. 44–46. Sobre a suposta doação de Trump para a *Wharton School*, veja Luis Ferre Sadurni, "Donald Trump May Have Donated over $1.4 Million to Penn" [Donald Trump supostamente doou mais de US$ 1,4 milhão para a Universidade da Pensilvânia], *Daily Pennsylvanian*, 3 de novembro, 2016. <thedp.com/article/2016/11/trumps-history-of-donating-to-penn>.
6. Singer, citado em declaração juramentada de queixa criminal, 11 de março, 2019, *U.S. Department of Justice*: <justice.gov/file/1142876/download>, p. 13.
7. Andrew Lelling, promotor dos EUA, distrito de Massachusetts, 12 de março, 2019, transcrição de declaração na CNN: <edition.cnn.com/TRANSCRIPTS/1903/12/ath.02.html>.
8. Andre Perry, "Students Need a Boost in Wealth More Than a Boost in SAT Scores" [Estudantes precisam mais de aumento na riqueza do que aumento na nota do SAT], *The Hechinger Report*, 17 de maio, 2019. <hechingerreport.org/students-need-a-boost-in-wealth-more-than-a-boost-in-sat-scores/>.
9. Ron Lieber, "One More College Edge" [Mais uma vantagem universitária] *The New York Times*, 16 de março, 2019; Paul Tough, *The Years That Matter Most: How College Makes or Breaks Us* [Os anos mais importantes: como a faculdade nos estabelece ou nos quebra]. Boston: Houghton Mifflin Harcourt, 2019. pp. 153–67.
10. "Some Colleges Have More Students from the Top 1 Percent Than the Bottom 60" [Algumas faculdades têm mais estudantes do um por cento do topo do que dos 60% da base] *The New York Times*, 18 de janeiro, 2017. <nytimes.com/interactive/2017/01/18/upshot/some-colleges-have-more-students-from-the-top-1-percent-than-the-bottom-60.html>. Os dados são de Raj Chetty, John Friedman, Emmanuel Saez, Nicholas Turner e Danny Yagan, "Mobility Report Cards: The Role of Colleges in Intergenerational Mobility" [Boletins da mobilidade: O papel das faculdades na mobilidade intergeracional] Artigo nº 23618 do Bureau Nacional de Pesquisas Econômicas, versão revisada, dezembro 2017. <opportunityinsights.org/paper/mobilityreportcards/>.

11. Caroline M. Hoxby, "The Changing Selectivity of American Colleges" [A seletividade em mudança nas universidades estadunidenses], *Journal of Economic Perspectives* 23, nº 4 (outono de 2009), pp. 95–118.
12. *Ibid.*, pp. 95–100; Paul Tough, *The Years That Matter Most*, p. 39.
13. Matthias Doepke e Fabrizio Zilibotti, *Love, Money & Parenting: How Economics Explains the Way We Raise Our Kids* [Amor, dinheiro e parentalidade: como a economia explica a forma como educamos nossos filhos e filhas]. Princeton: Princeton University Press, 2019. pp. 8–11, 51–84.

# Capítulo 1 Ganhadores e perdedores

Estes são tempos perigosos para a democracia. O perigo pode ser visto no aumento da xenofobia e no crescente apoio público de figuras autocráticas que testam os limites das normas democráticas. Essas tendências por si só são problemáticas. Igualmente alarmante é o fato de que partidos e políticos dominantes demonstram pouca compreensão sobre o descontentamento que está agitando a política no mundo inteiro.

Algumas pessoas condenam o surto de nacionalismo populista como uma reação um pouco mais racista e xenofóbica contra imigrantes e o multiculturalismo. Outras a enxergam, sobretudo, em termos de economia, como protesto contra o desemprego resultante do mercado global e de novas tecnologias.

Mas é um erro enxergar apenas intolerância no protesto populista ou vê-lo somente como uma reclamação da economia. Assim como o triunfo do Brexit no Reino Unido, a eleição de Donald Trump em 2016 foi um veredito irritado sobre a desigualdade crescente e uma versão da globalização que beneficia quem está no topo, mas faz com que cidadãos comuns sintam ter perdido poder. Foi também uma reprimenda direcionada à abordagem tecnocrata da política, que é insensível aos ressentimentos de pessoas que sentem ter sido deixadas para trás pela economia e pela cultura.

A dura realidade é que Trump foi eleito drenando um manancial de ansiedade, frustração e queixas legítimas para as quais os partidos dominantes não tinham resposta convincente. Semelhante dilema atormenta democracias europeias. Antes que possam ter esperança de recuperar o apoio do público, esses partidos precisam repensar sua missão e seu propósito. Para fazer isso, eles deveriam aprender com o protesto populista que os afastaram – não reproduzindo a xenofobia e o nacionalismo estridente deles, mas levando a sério as queixas legítimas com as quais esses sentimentos abomináveis estão emaranhados.

Esse pensamento deveria começar com o reconhecimento de que tais queixas não são apenas econômicas, mas também morais e culturais; não são apenas sobre salários e empregos, mas também, estima social.

Os partidos dominantes e as elites governantes que se descobrem alvo de protesto populista se esforçam para encontrar o sentido disso. Em geral, diagnosticam o descontentamento de uma destas duas maneiras: como animosidade contra imigrantes e minorias raciais e étnicas ou como ansiedade diante da globalização e de mudanças tecnológicas. Ambos os diagnósticos ignoram algo importante.

## DIAGNÓSTICO DO DESCONTENTAMENTO POPULISTA

O primeiro diagnóstico enxerga a irritação populista contra as elites, sobretudo, como uma reação contra a crescente diversidade de raça, etnia e gênero. Acostumados a dominar a hierarquia social, os eleitores brancos, da classe trabalhadora, que apoiaram Trump sentem-se ameaçados pelas perspectivas de se tornarem minoria no país "deles", "estranhos na própria nação". Eles sentem que, mais do que as mulheres e as minorias raciais, são discriminados; e se sentem oprimidos pelas demandas do discurso público "politicamente correto". Esse diagnóstico de um status social prejudicado destaca características execráveis do sentimento populista: nativismo, misoginia e racismo, verbalizados por Trump e outros populistas nacionalistas.

O segundo diagnóstico atribui o ressentimento da classe trabalhadora à perplexidade e ao deslocamento criados pelo ritmo acelerado da mudança em uma era de globalização e tecnologia. Na nova ordem econômica, a noção de trabalho atrelada a uma carreira vitalícia acabou; o que importa agora é inovação, flexibilidade, empreendedorismo e uma constante disponibilidade para aprender novas habilidades. Mas, de acordo com essa consideração, vários trabalhadores demonstram sentirem-se ofendidos com a demanda de se reinventarem, enquanto o emprego que outrora tiveram é terceirizado para países de mão de obra barata ou é designado a robôs. Anseiam, como quem sente saudade, pelas comunidades estáveis e pelas carreiras do passado. Sentindo-se deslocados perante as forças inexoráveis da globalização e da tecnologia, esses trabalhadores atacam imigrantes, o livre-comércio e elites governantes. No entanto, a fúria deles é mal direcionada, porque não percebem que protestam contra forças tão incapazes de serem alteradas quanto o clima. A ansiedade deles é mais bem abordada por meio de programas de treinamento profissional e outras medidas que os ajuda a se adaptarem às exigências das mudanças globais e tecnológicas.

Cada um desses diagnósticos contém um elemento de verdade. Mas nenhum deles dá ao populismo o que é devido. Interpretar o protesto populista como malévolo ou mal direcionado absolve as elites governantes da responsabilidade de criar as condições que corroeram a dignidade do trabalho e deixaram várias pessoas se sentindo desrespeitadas e sem poder. O status econômico e social diminuído de pessoas trabalhadoras, em décadas recentes, não é resultado de forças inexoráveis; é resultado do modo com que partidos políticos dominantes e elites governaram.

Essas elites estão agora alarmadas, e com razão, pela ameaça às normas democráticas apresentadas por Trump e outros autocratas apoiados por populistas. Mas não reconhecem o papel que tiveram instigando o ressentimento que levou à repercussão populista. Eles não percebem que as agitações que testemunhamos são reação política a um fracasso político de proporções históricas.

## TECNOCRACIA E GLOBALIZAÇÃO FAVORÁVEL AO MERCADO

No coração desse fracasso está a forma como partidos dominantes conceberam e realizaram o projeto da globalização nas últimas quatro décadas. Dois aspectos desse projeto criaram as condições que alimentaram o protesto populista. Um é seu modo tecnocrático de conceber o bem público; o outro é seu modo meritocrático de definir ganhadores e perdedores.

A concepção tecnocrata da política está associada à fé em mercados – não necessariamente no capitalismo livre, *laissez-faire*, mas uma crença mais ampla de que mecanismos de mercado são os principais instrumentos para alcançar o bem público. Esse modo de pensar sobre política é tecnocrático, no sentido de que esvazia o discurso público de argumentos substantivamente morais e trata questões ideologicamente contestáveis como se fossem assuntos de eficiência econômica, domínio de especialistas.

Não é difícil enxergar como a fé tecnocrata em mercados prepara o cenário para o descontentamento populista. A versão de globalização favorável ao mercado trouxe uma crescente desigualdade. E também desvalorizou identidades e a fidelidade nacionais. À medida que bens e capital fluíram livremente atravessando fronteiras nacionais, pessoas que dominavam a economia global valorizaram identidades cosmopolitas como alternativa progressista, iluminada para os modos restritos, provincianos de protecionismo, tribalismo e conflito. A verdadeira divisão política, argumentaram eles, não era mais esquerda *versus* direita, mas aberto *versus* fechado. Isso insinuava que críticos à terceirização, tratados de livre-comércio e fluxos de capitais irrestritos eram pessoas de mente fechada, não de mente aberta; eram tribais, não globais.[1]

Enquanto isso, a abordagem tecnocrata de governança tratou várias questões públicas como questões técnicas que estavam além do alcance de cidadãos comuns. Isso restringiu o escopo de argumentação democrática, esvaziou os termos do discurso público e produziu uma sensação crescente de perda de poder.

A concepção favorável ao mercado e tecnocrata de globalização foi acolhida por partidos dominantes de esquerda e de direita. No entanto, foi a adoção do pensamento e dos valores de mercado por partidos de centro-esquerda que trouxe mais consequências – para o projeto de globalização, propriamente dito, e para o protesto populista que se seguiu.

Quando ocorreu a eleição de Trump, o Partido Democrata havia se tornado um partido de liberalismo tecnocrático mais conveniente para a classe média alta do que para os eleitores operários e de classe média que em outro momento constituía sua base. O mesmo é verdadeiro para o Partido Trabalhista da Grã-Bretanha na ocasião do Brexit e para os partidos social-democratas da Europa.

Essa transformação teve origem nos anos 1980.[2] Ronald Reagan e Margaret Thatcher argumentaram que o governo era o problema e os mercados eram a solução. Quando saíram do cenário político, políticos de centro-esquerda que os sucederam – Bill Clinton, nos EUA; Tony Blair, na Grã-Bretanha; Gerhard Schröder, na Alemanha – moderaram, mas consolidaram a fé no mercado. Eles suavizaram as duras arestas do livre mercado, mas não desafiaram a premissa central da era Reagan-Thatcher: que mecanismos de mercado são os instrumentos principais para alcançar o bem público. Alinhados a essa crença, aceitaram uma versão favorável ao mercado para a globalização e acolheram a crescente financeirização da economia.

Nos anos 1990, a administração Clinton se juntou a republicanos na promoção de acordos internacionais de comércio e de desregulamentação da indústria financeira. Os benefícios dessas políticas fluíram, sobretudo, para aqueles no topo, mas democratas pouco fizeram para abordar o aprofundamento da desigualdade e o crescente poder do dinheiro na política. Ao se afastar de sua tradicional missão de domar o capitalismo e manter o poder econômico sob controle da democracia, o liberalismo perdeu a capacidade de inspirar.

Tudo isso parecia mudar, quando Barack Obama surgiu na cena política. Em sua campanha presidencial de 2008, ele ofereceu uma alternativa estimulante para a linguagem administrativa e tecnocrata que havia se tornado característica do discurso público liberal. Ele demonstrou que a política progressista poderia falar uma língua de propósito moral e espiritual.

No entanto, a energia moral e o idealismo cívico que ele inspirou como candidato não seguiu com ele à presidência. Quando tomou posse, em meio à crise financeira, nomeou conselheiros econômicos que haviam promovido a desregulamentação financeira durante a era Clinton. Incentivado por eles, Obama ofereceu concessão a bancos em termos tais que não os responsabilizou pelo comportamento que levou à crise e pouco ajudou pessoas que haviam perdido suas casas.

Com a voz moral calada, Obama aplacou, em vez de articular, a fervilhante ira pública contra Wall Street. A raiva persistente em relação às concessões arruinou o mandato Obama e, por fim, alimentou a disposição para o protesto populista que atravessou todo o espectro político – à esquerda, o movimento Occupy e a candidatura de Bernie Sanders; à direita, o movimento Tea Party [Partido do Chá] e a eleição de Trump.

A insurgência populista nos Estados Unidos, na Grã-Bretanha e na Europa é uma repercussão, em geral, contra as elites, mas os implicados mais conspícuos têm sido partidos liberais e de centro-esquerda: o Partido Democrata nos EUA, o Partido Trabalhista na Grã-Bretanha, o Partido Social-Democrata na Alemanha (SPD) – que, nas eleições federais de 2017, alcançou uma baixa histórica nos votos –, o Partido Democrata da Itália – cuja proporção do total de votos caiu para menos de 20% – e o Partido Socialista na França – cujo candidato à presidência recebeu apenas 6% dos votos no primeiro turno das eleições de 2017.

Antes que possam ter esperança de conquistar de volta o apoio do público, esses partidos precisam reconsiderar sua abordagem tecnocrata e favorável ao mercado para governar. Precisam também repensar algo mais sutil, no entanto, não menos consequencial – os comportamentos direcionados a sucesso e fracasso que acompanharam a crescente desigualdade de décadas recentes. Precisam perguntar por que as pessoas que não floresceram na nova economia sentem que os vencedores olham para baixo com desdém.

## A RETÓRICA DA ASCENSÃO

O que, então, incitou o ressentimento que eleitores da classe trabalhadora e da classe média sentiram contra as elites? A resposta começa com o crescimento da desigualdade em décadas recentes, mas não para nesse ponto. Fundamentalmente, tem a ver com a mudança nos termos de reconhecimento e estima social.

A era da globalização distribuiu suas recompensas de forma desigual, para dizer o mínimo. Nos Estados Unidos, a maior parte da renda nacional desde o final dos anos 1970 foi para os 10% do topo, enquanto a metade inferior recebeu praticamente nada. Em valor real, a renda média para homens em idade para trabalhar, aproximadamente US$ 36 mil, é menos do que era há quatro décadas. Hoje, o 1% mais rico dos estadunidenses ganha mais do que a metade inferior somada.[3]

Mas nem mesmo essa explosão de desigualdade é a fonte principal da raiva populista. Estadunidenses há muito tempo toleram desigualdade de renda e riqueza, acreditando que, seja qual for o ponto de partida de uma pessoa na vida, é possível ascender dos trapos à opulência. Essa crença na possibilidade da ascensão está no centro do Sonho Americano.

Alinhados com essa crença, partidos e políticos dominantes reagiram à crescente desigualdade, exigindo maior igualdade de oportunidade – oferecendo reciclagem a trabalhadores cujo emprego desapareceu devido à globalização e tecnologia; melhorando o acesso à educação superior; removendo as barreiras de raça, etnia e gênero. Essa retórica da oportunidade é resumida no lema pessoas que trabalham duro e que seguem as regras são capazes de ascender "até onde seu talento levar".

Em anos recentes, políticos de ambos os partidos reiteraram esse lema a ponto de quase se tornar um mantra. Ronald Reagan, George W. Bush e Marco Rubio entre os republicanos, e Bill Clinton, Barack Obama e Hillary Clinton entre os democratas, todos invocaram-no. Obama se afeiçoou a uma variação desse tema, retirada de uma música popular: "Você consegue, se tentar." Durante seu mandato ele usou essa frase em discursos e pronunciamentos públicos mais de 140 vezes.[4]

Mas a retórica da ascensão agora soa implausível. Na economia de hoje, não é fácil ascender. Estadunidenses nascidos em família pobre tendem a permanecer pobres quando adultos. Daqueles nascidos no quintil* inferior da escala de renda, apenas aproximadamente um em vinte conseguirá chegar ao topo; a maioria não subirá sequer para a classe média.[5] É mais fácil ascender da pobreza no Canadá, na Alemanha, na Dinamarca ou em outros países europeus do que nos Estados Unidos.[6]

Isso está em conflito com a crença de longa data de que a mobilidade é a resposta dos Estados Unidos para a desigualdade. Os Estados Unidos, dizemos para nós mesmos, podem se preocupar menos com a desigualdade do que as sociedades de classe da Europa, porque aqui é possível subir. Setenta por cento dos estadunidenses acreditam que os pobres conseguem sair da pobreza por conta própria, enquanto 35% dos europeus pensam assim. Essa crença na mobilidade talvez explique por que os EUA têm políticas de bem-estar social menos generosas do que a maioria dos países europeus.[7]

Hoje, no entanto, os países com maior mobilidade tendem a ser aqueles com maior igualdade. A capacidade de ascender, parece, depende menos do estímulo da pobreza do que do acesso à educação, à saúde e a outros recursos que equipam as pessoas para serem bem-sucedidas no mundo do trabalho.

A explosão de desigualdade em décadas recentes não acelerou a mobilidade ascendente, mas, ao contrário, permitiu às pessoas no topo consolidar suas vantagens e passá-las adiante para filhos e filhas. Ao longo dos últimos cinquenta anos, universidades e faculdades de elite derrubaram barreiras de raça, religião, gênero e etnia que outrora restringia o ingresso à progênie de privilegiados. O exame de aptidão, SAT, nasceu da promessa de aceitar alunos com base em mérito acadêmico, em vez de linhagem, origem de classe e de família. Entretanto, a meritocracia de hoje endureceu, tornando-se uma aristocracia hereditária.

* *Quintil* é um conceito estatístico em que um conjunto de dados é dividido em cinco partes, sendo a primeira parte contabilizada a partir do menor valor. O conceito é utilizado nos Estados Unidos para a compreensão dos dados socioeconômicos da população, o que se desdobra em fundamento estatístico para taxações e políticas públicas de distribuição de renda. Neste cálculo, a população é dividida em cinco partes iguais e o Produto Interno Produto do país é distribuído de acordo com o rendimento anual de cada grupo. Assim, o quintil inferior corresponde aos 20% da população com a menor renda familiar e o quintil do topo aos 20% com a maior renda familiar, que chega a superar a soma dos outros quatro quintis. O termo quintil será utilizado no decorrer do livro na acepção empregada nos Estados Unidos. (*N. da E.*)

Dois terços dos estudantes de Harvard e Stanford chegam do quintil superior da escala de renda. Apesar de políticas generosas de financiamento, menos de 4% dos estudantes da Ivy League chegam do quintil inferior. Em Harvard e em outras universidades da Ivy League, há mais estudantes de famílias do 1% do topo (renda de mais de US$ 630 mil por ano) do que estudantes da metade inferior da distribuição de renda.[8]

A crença estadunidense de que com trabalho árduo e talento qualquer pessoa pode ascender não mais se encaixa com os fatos reais. Isso talvez explique por que a retórica da oportunidade não consegue inspirar, como já fez antes. A mobilidade deixou de compensar a desigualdade. Qualquer resposta séria à distância entre ricos e pobres deve lidar diretamente com desigualdades de poder e de riqueza, em vez de se satisfazer apenas com o projeto de ajudar pessoas a subir escadas cujos degraus se distanciam cada vez mais.

## A ÉTICA MERITOCRÁTICA

O problema da meritocracia não é apenas que a prática fica aquém do ideal. Se fosse esse o problema, a solução seria aperfeiçoar a igualdade de oportunidade, buscando uma sociedade na qual pessoas conseguissem, independentemente do ponto de partida na vida, verdadeiramente subir o quanto seus esforços e talentos as levassem. Mas é duvidoso que até mesmo uma meritocracia perfeita fosse satisfatória, tanto moral quanto politicamente.

No que concerne à moral, não é compreensível por que uma pessoa de talento merece as recompensas desmedidas que as sociedades favoráveis ao mercado esbanjam com os bem-sucedidos. No cerne da questão da ética meritocrática está a ideia de que não merecemos ser recompensados, ou contidos, com base em fatores que estão além de nosso controle. Mas ter (ou não ter) determinados talentos é realmente resultado de nossa própria ação? Se não for, é difícil enxergar por que as pessoas que ascendem graças ao talento merecem recompensas melhores do que aquelas que talvez sejam igualmente esforçadas, mas menos dotadas de dons que uma sociedade de mercado, por acaso, valoriza.

Pessoas que celebram o ideal meritocrático e fazem disso o centro de seu projeto político negligenciam essa questão moral. Também ignoram algo mais potente politicamente: os comportamentos moralmente desagradáveis que a ética meritocrática promove, tanto entre vencedores quanto entre perdedores. Entre os vencedores, gera arrogância; entre os perdedores, humilhação e ressentimento. Esses sentimentos morais estão no cerne da insurgência populista contra as elites. Mais do que um protesto contra imigrantes e terceirizações, a queixa populista é sobre a tirania do mérito. E a reclamação é justificada.

A ênfase persistente em criar uma meritocracia justa, na qual posições sociais reflitam esforço e talento, tem efeito corrosivo no modo como interpretamos nosso sucesso (ou a falta dele). A noção de que o sistema recompensa talento e empenho incentiva vencedores a considerar seu sucesso como resultado de suas próprias ações, uma medida da sua virtude – e a desprezar pessoas menos afortunadas do que eles.

A arrogância meritocrática reflete a tendência de vencedores a respirar fundo o sucesso, a esquecer a sorte e a sina que os ajudaram ao longo do caminho. É convicção presunçosa de pessoas que chegam ao topo que elas merecem esse destino e que aqueles embaixo merecem o deles também. Esse comportamento é o companheiro moral da política tecnocrata.

Uma sensação vívida da contingência do nosso fado resulta em certa humildade: "Para lá, a não ser pela graça divina ou acidente do destino, eu irei." Mas uma meritocracia perfeita exclui todos os sentidos de dádiva e graça. Diminui nossa capacidade de nos enxergar compartilhando uma sina comum. Deixa pouco espaço para a solidariedade que pode surgir quando refletimos sobre a contingência de nosso talento e destino. É isso que faz do mérito uma espécie de tirania, ou regra injusta.

## POLÍTICA DA HUMILHAÇÃO

Vista de baixo, a arrogância das elites é irritante. Ninguém gosta de ser desprezado ou desprezada. Mas a crença meritocrática adiciona insulto ao dano. A noção de que seu destino está em suas mãos, de que "você consegue, se tentar", é uma faca de dois gumes: por um lado é inspiradora, por outro, odiosa. Ela felicita vencedores, mas rebaixa perdedores, até mesmo do ponto de vista das próprias pessoas. Para quem não consegue encontrar emprego ou ganhar dinheiro suficiente para se sustentar, é difícil fugir do pensamento desmoralizante de que seu fracasso é resultado de suas próprias ações, de que simplesmente não tem talento nem elã para o sucesso.

A política da humilhação, nesse sentido, difere da política da injustiça. O protesto contra a injustiça olha para fora; ele reclama que o sistema é fraudado, que os vencedores trapacearam ou manipularam o caminho até o topo. O protesto contra a humilhação é psicologicamente mais carregado. Combina ressentimento dos vencedores com recorrente falta de autoconfiança: talvez os ricos sejam ricos porque eles merecem mais do que os pobres; talvez os perdedores sejam cúmplices de sua má-sorte, no final das contas.

Essa característica da política da humilhação faz com que seja mais inflamável do que outros sentimentos políticos. É um ingrediente potente na fermentação volátil de raiva e ressentimento que abastece protestos populistas. Apesar de ele mesmo ser bilionário, Donald Trump entendeu e explorou esse ressentimento. Diferente de Barack Obama e de Hillary Clinton, que falavam sobre "oportunidade" com frequência, Trump raramente mencionou essa palavra. Em vez disso, ofereceu discursos francos sobre vencedores e perdedores. (Interessante notar que Bernie Sanders, um populista social-democrata, também raramente fala sobre oportunidade e mobilidade, seu foco está em poder e riqueza desiguais.)

Elites tanto valorizam uma formação universitária – como caminho para o avanço, bem como base para estima social – que têm dificuldade para entender a arrogância que uma meritocracia pode gerar, e o julgamento duro que ela impõe sobre pessoas que não frequentaram a universidade. Tais comportamentos estão no centro da reação populista e da vitória de Trump.

Uma das divisões mais profundas na política estadunidense hoje é entre pessoas com e pessoas sem formação universitária. Nas eleições de 2016, Trump conquistou dois terços dos eleitores brancos sem diploma universitário, enquanto Hillary Clinton ganhou entre os eleitores com diploma avançado. Semelhante divisão ocorreu no referendo para o Brexit, na Grã-Bretanha. Eleitores sem formação de nível universitário votaram em grande número a favor do Brexit, enquanto uma vasta maioria de pessoas com pós-graduação votou a favor da permanência.[9]

Ao refletir sobre sua campanha presidencial um ano e meio depois, Hillary Clinton demonstrou a arrogância meritocrática que contribuiu para sua derrota. "Ganhei nos lugares que representam dois terços do Produto Interno Bruto dos Estados Unidos", ela falou em uma conferência em Mumbai, Índia, em 2018. "Portanto, ganhei nos lugares que são otimistas, diversos, dinâmicos, que caminham para frente." Em contrapartida, Trump obteve seu apoio de pessoas que "não gostavam de ver pessoas negras conquistando direitos" e "não gostavam de ver mulheres [...] arrumando emprego". Ela conquistou votos dos vencedores da globalização, enquanto Trump ganhou entre os perdedores.[10]

O Partido Democrata já defendeu fazendeiros e pessoas trabalhadoras contra os privilegiados. Hoje, em uma era meritocrática, sua porta-bandeira derrotada vangloriava-se do fato de que as partes prósperas e iluminadas do país votaram nela.

Donald Trump estava muito atento à política da humilhação. Do ponto de vista da justiça econômica, seu populismo era falso, uma espécie de populismo plutocrático. Ele propôs um sistema de saúde que teria tirado o direito à assistência de seus apoiadores da classe trabalhadora e promulgou um projeto de lei fiscal que amparou reduções de impostos para os ricos. Mas focar somente em hipocrisia faz perder o mais importante.

Quando Trump retirou os Estados Unidos do Acordo de Paris para mudanças climáticas, ele argumentou, de forma implausível, que o fez para proteger empregos estadunidenses. No entanto, o objetivo principal em sua decisão, a lógica política, estava implícita neste comentário aparentemente disperso: "Em que momento os Estados Unidos são humilhados? Em que momento começam a rir de nós como país? [...] Não queremos mais outros líderes e outros países rindo de nós."[11]

Livrar os Estados Unidos dos supostos fardos do acordo para mudanças climáticas não era, realmente, uma questão de empregos ou aquecimento global. Era, na imaginação política de Trump, uma questão de evitar humilhação. Isso repercutiu entre os eleitores de Trump, até mesmo aqueles que se importavam com mudanças climáticas.

## MÉRITO TECNOCRÁTICO E JULGAMENTO MORAL

Por si só, a noção de que meritórios deveriam governar não é característica de nosso tempo. Na China antiga, Confúcio ensinou que as pessoas que se destacam em virtude e habilidade deveriam governar. Na Grécia antiga, Platão imaginou uma sociedade cujo líder seria um rei filósofo apoiado por uma classe de guardiões do bem-estar público. Aristóteles rejeitou o rei filósofo de Platão, mas também argumentou que os meritórios deveriam ter a maior influência em questões públicas. Para ele, o mérito relevante para governar não era riqueza nem nobreza nata, mas excelência em virtude cívica e frônese, sabedoria pragmática para fazer uma boa reflexão sobre o bem-comum.[12]

Os fundadores da república dos Estados Unidos se denominavam "Homens de Mérito" e esperavam que pessoas virtuosas e bem-instruídas como eles fossem eleitas para cargos públicos. Opunham-se à aristocracia hereditária, mas não eram muito entusiasmados com democracia direta, que temiam pudesse levar demagogos ao poder. Procuraram projetar instituições, tal como a eleição indireta para o Senado e presidência dos EUA, que permitisse aos meritórios governar. Thomas Jefferson apoiava uma "aristocracia natural", baseada em "virtude e talentos", em vez de uma "aristocracia artificial, fundamentada em riqueza e nascimento". "Essa forma de governo é a melhor", ele escreveu, que permite "uma seleção pura de *aristois* naturais para cargos no governo."[13]

Apesar das diferenças, essas versões tradicionais de meritocracia política – da confuciana, passando pela platônica, à republicana – compartilham da noção de que os méritos relevantes para governar incluem virtudes morais e cívicas. Isso porque todos concordam que o bem comum consiste, ao menos em parte, na educação moral dos cidadãos.

Nossa versão tecnocrática de meritocracia rompe a conexão entre mérito e julgamento moral. No domínio da economia, simplesmente admite que o bem comum é definido pelo PIB, e que o valor das contribuições das pessoas consiste no valor de mercado dos bens vendidos ou serviços prestados. No domínio do governo, admite que mérito significa habilidade tecnocrática.

Isso pode ser visto na crescente atuação de economistas como assessores de política, na crescente confiança nos mecanismos de mercado para definir e alcançar o bem comum e no fracasso do discurso público para abordar as grandes questões morais e cívicas que deveriam estar no centro do debate político: o que deveríamos fazer em relação à crescente desigualdade? Qual é a importância moral das fronteiras nacionais? O que promove a dignidade do trabalho? O que devemos uns aos outros como cidadãos?

Esse modo moralmente limitado de conceber mérito e bem comum enfraqueceu sociedades democráticas de várias maneiras. A primeira é a mais óbvia: ao longo das últimas quatro décadas, as elites democráticas não governaram bem. As elites que governaram os Estados Unidos de 1940 a 1980 foram, de longe, mais bem-sucedidas. Venceram a Segunda Guerra Mundial, ajudaram a reconstruir a Europa e o Japão, fortaleceram as políticas de bem-estar social, acabaram com a segregação e presidiram ao longo de quatro décadas de crescimento econômico que fluiu, tanto para ricos quanto para pobres. Contrastando com aquelas, as elites que desde então governaram nos proporcionaram quatro décadas de salário estagnado para a maioria dos trabalhadores, desigualdades de renda e de riqueza não vistas desde 1920, a guerra do Iraque, a inconsequente guerra de dezenove anos no Afeganistão, desregulamentação financeira, a crise financeira de 2008, uma infraestrutura decadente, a mais alta taxa de encarceramento no mundo e um sistema de financiamento de campanhas eleitorais e distritos eleitorais definidos por *gerrymandering** que zomba da democracia.

O mérito tecnocrático não só fracassou como modo de governança, mas também restringiu o projeto cívico. Hoje, o bem comum é compreendido, sobretudo, em termos econômicos. Tem menos relação com o cultivo de solidariedade ou aprofundamento dos laços de cidadania do que com

* *Gerrymandering* é um termo em inglês criado no início do século XIX a partir da junção do nome do então governador de Massachussetts, Elbridge Gerry, com a palavra "*salamander*" (salamandra). Trata-se de um sistema de manipulação de territórios eleitorais a fim de favorecer um determinado partido ou grupo social. O primeiro caso de *gerrymandering* ocorreu quando um distrito eleitoral no norte de Massachussetts foi redefinido para favorecer a permanência no poder dos republicanos no estado. O formato resultante das linhas desenhadas no mapa se assemelhava a uma salamandra, daí a origem do termo. (*N. da T.*)

a satisfação das preferências do consumidor quando medida pelo Produto Interno Bruto. Isso contribui para um discurso público empobrecido.

O que é aceito como argumento político hoje em dia consiste em falas limitadas, gerenciais e tecnocráticas que inspiram ninguém ou discussões com gritaria durante as quais cada partidário fala uma coisa sem realmente escutar o outro. Cidadãos ao longo do espectro político pensam que esse discurso público vazio é frustrante e leva à perda de poder. Com razão, sentem que a ausência de debates públicos robustos não significa que não há políticas sendo decididas. Simplesmente significa que são decididas em outro lugar, fora do olhar do público – por agentes administrativos (com frequência conquistados pelas indústrias que regulam), por bancos centrais e mercados de títulos, por lobistas cujas contribuições para campanhas compram influência de representantes públicos.

Mas isso não é tudo. Além de esvaziar o discurso público, o domínio do mérito tecnocrático reconfigurou os termos de reconhecimento social de modo a elevar o prestígio de profissionais de alto escalão, credenciados e depreciar a contribuição da maioria dos trabalhadores, corroendo sua posição e sua estima sociais. É esse aspecto de mérito tecnocrático que contribui mais diretamente com a política raivosa e polarizada do nosso tempo.

## A ASCENSÃO POPULISTA

Há seis décadas um sociólogo britânico chamado Michael Young previu a arrogância e o ressentimento que emergem com a meritocracia. De fato, foi ele quem criou o termo. Em um livro intitulado *The Rise of the Meritocracy* [A ascensão da meritocracia] (1958), perguntou o que aconteceria, se um dia as barreiras de classe fossem superadas de tal forma que todo mundo tivesse uma oportunidade verdadeiramente igual de ascender com base somente no próprio mérito.[14]

Por um lado, isso seria algo para celebrar. Filhos e filhas da classe trabalhadora finalmente competiriam em termos justos, lado a lado, com filhos e filhas de pessoas privilegiadas. Mas não seria, Young pensou, um triunfo absoluto, porque estava fadado a nutrir arrogância nos vencedores e humilhação entre os perdedores. Os vencedores considerariam o sucesso uma "recompensa justa por sua própria capacidade, por seus próprios esforços, por suas próprias conquistas incontestáveis" e, portanto, desprezariam pessoas menos bem-sucedidas do que eles. Quem não conseguisse ascender sentiria que não havia ninguém a quem culpar, a não ser eles mesmos.[15]

Para Young, a meritocracia não era um ideal a seguir, mas uma receita para discórdia social. Ele vislumbrou, há décadas, a lógica meritocrática dura que hoje envenena nossa política e instiga raiva populista. Para quem se sente ofendido pela tirania do mérito, o problema não é apenas a estagnação de salários, mas também a perda de estima social.

A perda de empregos para a tecnologia e a terceirização coincidiu com um senso de que a sociedade tem menos respeito pelo tipo de trabalho executado pela classe trabalhadora. Uma vez que a atividade econômica mudou de fazer coisas para gerenciar dinheiro, à medida que a sociedade esbanja recompensas desmedidas para gestores de fundos de *hedge*, banqueiros de Wall Street e profissionais de alto escalão, a estima coerente com o trabalho no sentido tradicional tornou-se frágil e incerta.

Partidos e elites dominantes não entendem essa dimensão da política. Pensam que o problema com a globalização favorável ao mercado é simplesmente uma questão de justiça distributiva; quem ganhou com comércio global, novas tecnologias e a financeirização da economia não compensou adequadamente quem perdeu.

No entanto, isso interpreta mal a queixa populista. Também reflete um defeito na abordagem tecnocrática à governança. A condução de nossos discursos públicos como se fosse possível terceirizar julgamentos morais e políticos para os mercados ou especialistas e tecnocratas tirou o sentido e o propósito do argumento democrático. Esses vácuos de sentido público invariavelmente são preenchidos por formas duras, autoritárias de identidade e pertencimento, seja na forma de fundamentalismo religioso, seja na forma de nacionalismo estridente.

Isso é o que testemunhamos hoje. Quatro décadas de globalização favorável ao mercado esvaziaram o discurso público, tiraram o poder dos cidadãos comuns e incitaram uma reação populista que busca munir a praça pública de um nacionalismo intolerante e vingativo.

A fim de revigorar a política democrática, precisamos encontrar o caminho para um discurso público moralmente mais robusto, que leve a sério o efeito corrosivo do esforço meritocrático em laços sociais que constituem nossa vida em comum.

## Notas

1. Uma reportagem de capa no *The Economist* exemplifica essa visão. Veja "Drawbridges Up: The New Divide in Rich Countries Is Not Between Left and Right but Between Open and Closed" [Pontes levadiças: a nova divisão em países ricos não é entre esquerda e direita, mas entre aberto e fechado], *The Economist*, 30 de julho, 2016. <economist.com/briefing/2016/07/30/drawbridges-up>; Para uma visão mais detalhada, veja Bagehot, "Some Thoughts on the Open v Closed Divide" [Alguns pensamentos sobre a divisão aberto *versus* fechado], *The Economist*, 16 de março, 2018. <economist.com/bagehots-notebook/2018/03/16/some-thoughts-on-the-open-v-closed-divide>.
2. Neste e nos parágrafos seguintes desta seção recorro a: Michael Sandel, "Right--Wing Populism Is Rising as Progressive Politics Fails – Is It Too Late to Save Democracy?" [Populismo de direita cresce enquanto políticas progressistas fracassam: é tarde demais para salvar a democracia?], *New Statesman*, 21 de maio, 2018. <newstatesman.com/2018/05/right-wing-populism-rising-progressive-politics-fails-it-too-late-save-democracy>; e Michael J. Sandel, "Populism, Trump, and the Future of Democracy" [Populismo, Trump e o futuro da democracia], *openDemocracy.net*, 9 de maio, 2018. <opendemocracy.net/en/populism-trump-and-future-of-democracy/>.
3. Nos Estados Unidos, a maior parte do crescimento econômico desde 1980 foi para os 10% do topo, cuja renda cresceu 121%; quase nada foi para a metade inferior da população, cuja renda média (aproximadamente US$ 16 mil) em 2014 era praticamente a mesma, em valor real, em 1980. Para homens em idade para trabalhar a renda média era "em 2014 a mesma de 1964, aproximadamente US$ 35 mil. Não houve qualquer crescimento para o homem trabalhador médio ao longo de meio século." Thomas Piketty, Emmauel Saez e Gabriel Zucman, "Distributional National Accounts: Methods and Estimates for the United States" [Contas Nacionais Distribucionais: métodos e estimativas para os Estados Unidos],

*Quarterly Journal of Economics* 133, nº 2, maio, 2018, p. 557, 578, 592–93, disponível em <eml.berkeley.edu/~saez/PSZ2018QJE.pdf>; Facundo Alvaredo, Lucas Chancel, Thomas Piketty, Emmanuel Saez e Gabriel Zucman, *World Inequality Report 2018* [Relatório da desigualdade mundial 2018]. Cambridge, MA: Harvard University Press, 2018. p. 3, 83–84. Dados sobre distribuição de renda nos EUA e em outros países também está disponível online no *World Inequality Database* [Banco de dados sobre a desigualdade mundial], <wid.world>. Veja também Thomas Piketty, *Capital in the Twenty-First Century* [Capital no século XXI]. Cambridge, MA: Harvard University Press, 2014. p. 297, onde Piketty afirma que de 1977 a 2007, os 10% mais ricos absorveram três quartos de todo o crescimento econômico dos Estados Unidos.

Nos EUA, o 1% do topo recebeu 20,2% da renda nacional, enquanto a metade inferior recebeu 12,5%. Nos EUA, os 10% do topo ficam com quase metade (47%) da renda nacional, comparados com 37% na Europa Ocidental, 41% na China e 55% no Brasil e na Índia. Veja Piketty, Saez e Zucman, "Distributional National Accounts" [Contas nacionais distribucionais], p. 575, disponível em <eml.berkeley.edu/~saez/PSZ2018QJE.pdf>; Alvaredo, Chancel, Piketty, Saez e Zucman, *World Inequality Report 2018* [Relatório da desigualdade mundial 2018]. p. 3, 83–84.

4. Pesquisa feita pelo autor em arquivos online de discursos e documentos públicos de presidentes dos EUA no *The American Presidency Project* [Projeto presidência estadunidense], U.C. Santa Barbara. <presidency.ucsb.edu/>.
5. De acordo com um estudo feito pela ONG The Pew Charitable Trusts, 4% dos estadunidenses nascidos no quintil inferior sobem para o quintil do topo quando adultos, 30% sobe até o quintil médio ou superior e 43% permanecem presos à base. "Pursuing the American Dream: Economic Mobility Across Generations" [Em busca do Sonho Americano: mobilidade econômica entre gerações], *Pew Charitable Trusts*, julho 2012, p. 6, Figura 3, disponível em: <pewtrusts.org/~/media/legacy/uploadedfiles/wwwpewtrustsorg/reports/economic_mobility/pursuingamericandreampdf.pdf>. Um estudo feito pelo economista de Harvard Raj Chetty e colegas concluiu que 7,5% dos estadunidenses nascidos no quintil inferior ascendem até o topo, 38% sobem até o quintil médio ou superior e 34% permanece preso à base. Raj Chetty, Nathaniel Hendren, Patrick Kline, Emmanuel Saez, "Where Is the Land of Opportunity? The Geography of Intergenerational Mobility in the United States" [Onde é a terra da oportunidade? A geografia da mobilidade intergeracional nos Estados Unidos], *Quarterly Journal of Economics* 129, nº 4, 2014, p. 1553–623; disponível em <rajchetty.com/chettyfiles/mobility_geo.pdf> (dados sobre mobilidade na p. 16 e tabela II). De acordo com um estudo feito por Scott Winship do Archbridge Institute, apenas 3% das crianças nascidas no quintil inferior conseguem chegar ao topo e apenas 26% conseguem chegar

ao quintil médio ou superior; 46% permanecem presos à base. Scott Winship, "Economic Mobility in America" [Mobilidade econômica nos Estados Unidos], Archbridge Institute, março 2017, p. 18, Figura 3, disponível em <archbridgeinst.wpengine.com/wp-content/uploads/2017/04/Contemporary-levels-of-mobility--digital-version_Winship.pdf>.

6. Miles Corak, "Income Inequality, Equality of Opportunity, and Intergenerational Mobility" [Desigualdade de renda, igualdade de oportunidade e mobilidade intergeracional], *Journal of Economic Perspectives* 27, nº 3 (verão 2013), p. 79–102 (veja figura 1, p. 82), disponível em <pubs.aeaweb.org/doi/pdfplus/10.1257/jep.27.3.79>; Miles Corak, "Do Poor Children Become Poor Adults? Lessons from a Cross Country Comparison of Generational Earnings Mobility" [Crianças pobres se tornam adultos pobres? Ensinamentos de uma comparação dentro do país de mobilidade de renda geracional], *IZA Discussion Paper*, nº 1993, março, 2006 (veja tabela 1, p. 42), em <ftp.iza.org/dp1993.pdf>; *A Broken Social Elevator? How to Promote Social Mobility* [Elevador social estragado? Como promover mobilidade social]. Paris: OECD, Publishing, 2018. Disponível em <doi.org/10.1787/9789264301085-en>. O estudo da organização internacional OECD demonstra resultados semelhantes aos de Corak, exceto para a Alemanha, que, de acordo com o estudo da OECD, tem menos mobilidade do que os Estados Unidos. Veja comparação entre os países na figura 4.8, p. 195.
7. Stefanie Stantcheva, "Prisoners of the American Dream" [Prisioneiros do Sonho Americano], *Project Syndicate* [Projeto de sindicância], 22 de fevereiro, 2018. <scholar.harvard.edu/files/stantcheva/files/prisoners_of_the_american_dream_by_stefanie_stantcheva_-_project_syndicate_0.pdf>.
8. Raj Chetty, John Friedman, Emmanuel Saez, Nicholas Turner e Danny Yagan, "Mobility Report Cards: The Role of Colleges in Intergenerational Mobility" [Boletins da mobilidade: o papel das universidades na mobilidade intergeracional], *NBER Working Paper* nº 23618, versão revisada, julho, 2017. <equality-of-opportunity.org/papers/coll_mrc_paper.pdf>.
9. Dados disponíveis em: <fivethirtyeight.com/features/even-among-the-wealthy-education-predicts-trump-support/> e <jrf.org.uk/report/brexit-vote-explained-poverty-low-skills-and-lack-opportunities>.
10. Aaron Blake, "Hillary Clinton Takes Her 'Deplorables' Argument for Another Spin" [Hillary Clinton leva seus argumentos "lastimáveis" para um outro passeio], *The Washington Post*, 13 de março, 2018. <washingtonpost.com/news/the-fix/wp/2018/03/12/hillary-clinton-takes-her-deplorables-argument-for-another-spin/>. Trump ganhou com pouca diferença de Clinton entre os eleitores de renda alta. Mas sua vitória foi decisiva entre eleitores de zonas rurais e de pequenas cidades (63% contra 34%), entre eleitores brancos sem diploma universitário (67% contra

28%) e entre eleitores que acreditam que o comércio com outros países tira, em vez de criar, empregos (65% contra 31%). Veja "Election 2016: Exit Polls" [Eleições 2016: sondagens], *The New York Times*, 8 de novembro, 2016. <nytimes.com/interactive/2016/11/08/us/politics/election-exit-polls.html>.

11. Donald J. Trump, "Remarks Announcing United States Withdrawal from the United Nations Framework Convention on Climate Change Paris Agreement" [Comentários anunciando a retirada dos Estados Unidos da Convenção-Quadro das Nações Unidas sobre a Mudança do Clima], 1º de junho, 2017, *The American Presidency Project*. <presidency.ucsb.edu/node/328739>.
12. Para várias interpretações sobre a meritocracia política confuciana, veja Daniel A. Bell e Chenyang Li (org.), *The East Asian Challenge for Democracy: Political Meritocracy in Comparative Perspective* [O desafio do Leste Asiático à democracia: meritocracia política em perspectiva comparativa], New York: Cambridge University Press, 2013. Sobre Platão, veja *The Republic of Plato*, traduzido por Allan Bloom. New York: Basic Books, 1968. Book VI. [Ed. bras.: Platão, *A república*, Rio de Janeiro, Nova Fronteira, 2016; Sobre Aristóteles, veja *The Politics of Aristotle*, traduzido por Ernest Barker. Oxford: Oxford University Press, 1946. vol. III [Ed. bras.: Aristóteles, *Política*, São Paulo, Edipro, 2019]. E *The Nicomachean Ethics of Aristotle*, traduzido por Sir David Ross. Oxford: Oxford University Press, 1925. livros I e VI [Ed. bras.: Aristóteles, *Ética a Nicômaco*, São Paulo, Edipro, 2018].
13. Joseph F. Kett, *Merit: The History of a Founding Idea from the American Revolution to the 21st Century* [Mérito: a história de uma ideia fundadora, da Revolução Americana ao século XXI]. Ithaca: Cornell University Press, 2013. p. 1–10, 33–44; Thomas Jefferson a John Adams, 28 de outubro, 1813. In: Lester J. Cappon (org)., *The Adams-Jefferson Letters: The Complete Correspondence Between Thomas Jefferson and Abigail and John Adams* [Cartas de Adams para Jefferson: correspondência completa entre Thomas Jefferson e Abigail e John Adams], Chapel Hill: University of North Carolina, 1959, vol. 2, p. 387–92.
14. Michael Young, *The Rise of the Meritocracy* [A ascenção da meritocracia]. Harmondsworth: Penguin Books, 1958.
15. *Ibid.*, p. 106.

# Capítulo 2 "Grandioso porque é bom": uma breve história moral do mérito

Não há nada de errado em contratar pessoas com base no mérito. Aliás, em geral, é a coisa certa a se fazer. Se preciso de um bombeiro hidráulico para consertar meu vaso sanitário ou de um dentista para restaurar meu dente, tento encontrar a melhor pessoa para a tarefa. Bem, talvez não a melhor; eu não faço uma pesquisa global. Mas é certo que eu quero alguém bem qualificado.

No preenchimento de vagas de emprego, mérito conta, por pelo menos dois motivos. Um é a eficiência. Para mim será melhor se meu bombeiro hidráulico ou meu dentista forem eficientes, em vez de incompetentes. O outro é a justiça. Seria errado discriminar o candidato mais qualificado com base em preconceito de raça, religião ou sexo e contratar uma pessoa menos qualificada no lugar dele. Ainda que, a fim de satisfazer meu preconceito, eu estivesse disposto a aceitar um conserto hidráulico ou um tratamento de canal de má qualidade, a discriminação seria injusta. Candidatos mais bem-preparados poderiam com razão queixar-se de terem sido vítimas de injustiça.

Se contratar com base em mérito é uma prática boa e sensata, o que poderia estar errado com a meritocracia? Como pode um princípio tão benigno quanto o mérito alimentar uma quantidade torrencial de ressentimento com tanta potência para transformar a política de sociedades democráticas ao redor do mundo? Quando exatamente mérito passou a ser tóxico, e como isso aconteceu?

## POR QUE MÉRITO IMPORTA

A ideia de que a sociedade deveria alocar recompensas econômicas e cargos de responsabilidade conforme o mérito é atraente por várias razões. Duas em três razões são versões generalizadas do caso de contratação por mérito – eficiência e justiça. Um sistema econômico que recompensa o esforço, a iniciativa e o talento tem a probabilidade de ser mais produtivo do que um que paga a todas as pessoas o mesmo valor, independentemente da contribuição, ou que distribui posições sociais desejáveis com base em favoritismo. Recompensar pessoas estritamente a partir do mérito também tem a virtude da justiça; não pratica qualquer discriminação além da discriminação por conquista.

Uma sociedade que recompensa mérito é também atraente por motivos relacionados aos anseios. Ela não somente promove eficiência e renuncia à discriminação como também afirma certa ideia de liberdade. Ou seja, a ideia de que nosso destino está em nossas mãos, que nosso sucesso não depende de forças além de nosso controle, que depende de nós. Não somos vítimas da circunstância, mas mestres de nossa sorte, livres para ascender até onde nossos esforços, talentos e sonhos nos levarem.

Isso é uma visão emocionante da agência humana, e está lado a lado com uma conclusão moralmente confortante: recebemos o que merecemos. Se meu sucesso é resultado de minhas próprias ações, algo que eu conquistei por meio de talento e trabalho árduo, posso me orgulhar disso, certo de que mereço as recompensas resultantes de minhas conquistas. Uma sociedade meritocrática, portanto, é duplamente inspiradora: ela afirma uma noção potente de liberdade e dá às pessoas o que elas conquistaram por conta própria e, logo, merecem.

Apesar de inspiradora, o princípio do mérito pode tomar caminhos tiranos, não somente quando as sociedades não conseguem ser fiéis a ele, mas também – na verdade, sobretudo – quando conseguem. O lado negativo do ideal meritocrático está embutido em sua promessa mais sedutora, a de domínio e a de vencer pelo próprio esforço. Essa promessa vem com um fardo difícil de carregar. O ideal meritocrático coloca um peso grande na concepção de responsabilidade pessoal. Responsabilizar as pessoas pelas coisas que elas fazem é bom, até certo ponto. Respeita a capacidade delas de pensar e agir por elas mesmas, como agentes morais e cidadãos. Mas uma coisa é responsabilizá-las por agirem de acordo com a moral; outra coisa é pressupor que somos, cada um de nós, totalmente responsáveis por nossa sina.

Até mesmo a expressão "nossa sina" utiliza um vocabulário moral que sugere certos limites para uma responsabilidade irrestrita. Falar sobre a "sina" de alguém sugere a determinação de sinas, um resultado determinado por destino, sorte ou providência divina, não nosso esforço.[1] Indica, para além de mérito e escolha, o âmbito da sorte e do acaso ou, em alguns casos, da graça. Isso nos faz lembrar que os primeiros debates mais significativos sobre mérito não eram sobre renda nem emprego, mas sobre graça divina: isso é algo que conquistamos ou que recebemos como dádiva?

## UMA MERITOCRACIA CÓSMICA

A noção de que nosso destino reflete nosso mérito está arraigada nas intuições morais da cultura ocidental. A teologia bíblica ensina que eventos naturais acontecem por um motivo. Clima favorável e colheita abundante são recompensas divinas por bom comportamento; seca e pragas são punição por pecado. Quando um navio se depara com mares tormentosos, as pessoas perguntam quem da tripulação irritou Deus.[2]

Distante de nossa era científica, esse modo de pensar pode parecer inocente, até mesmo pueril. Mas não está tão distante como parece à primeira vista. De fato, essa perspectiva é a origem do pensamento meritocrático. Reflete a crença de que o universo moral está organizado de uma forma que relaciona prosperidade e mérito, sofrimento e comportamento impróprio. Isso não está distante da visão contemporânea familiar de que riqueza significa talento e trabalho árduo, e pobreza significa apatia.

Duas características da perspectiva bíblica sugerem o que é a meritocracia contemporânea. Uma delas é a ênfase em agência humana; a outra é seu rigor direcionado a pessoas que sofrem de má sorte. Pode parecer que a meritocracia contemporânea enfatiza agência e arbítrio humanos, enquanto a versão bíblica atribui todo o poder a Deus. Afinal, ele é quem distribui castigos e recompensas: enchentes, secas, chuvas que salvam a safra.

Mas, de fato, esse é um quadro altamente antropocêntrico, no qual Deus passa a maior parte do tempo respondendo a solicitações de seres humanos – recompensando sua bondade, castigando seus pecados. Deus fica paradoxalmente em dívida conosco, compelido, na medida em que é justo, a nos dar o tratamento que conquistamos. Apesar de Deus ser quem concede recompensas e castigos, ele o faz conforme o mérito das pessoas, não de forma arbitrária. Portanto, mesmo na presença de Deus, entende-se que seres humanos conquistam e, portanto, merecem seu destino.

Segundo, esse modo meritocrático de pensar dá origem a comportamentos rigorosos em relação a pessoas que sofrem de má sorte. Quanto maior for o sofrimento, maior será a suspeita de que a vítima atraiu isso para ela. Lembre-se do livro de Jó. Homem justo e honrado, Jó é sujeitado a dor e sofrimento indescritíveis, inclusive a morte de seus filhos e filhas em uma tempestade. Sempre fiel a Deus, Jó não consegue compreender a razão de receber esse sofrimento como castigo. (Ele não se dá conta de que é vítima de uma aposta cósmica através da qual Deus tenta provar para Satã que a fé de Jó não irá vacilar, seja qual for a dificuldade que ele encontrar.)

Enquanto Jó está em luto pela perda de sua família, seus amigos (se é que se pode chamá-los de amigos) insistem que ele deve ter cometido algum pecado egrégio, e pressionam Jó a imaginar qual seria esse pecado.[3] Esse é um dos primeiros exemplos de tirania do mérito. Munidos do pressuposto de que sofrimento significa pecado, os amigos de Jó pioram sua dor ao afirmarem que, em virtude de uma ou outra transgressão, Jó deve ser culpado pela morte de seus filhos e filhas. Apesar de saber que é inocente, Jó compartilha da teologia do mérito de seus companheiros e então clama a Deus, perguntando por que ele, um homem honrado, está sofrendo.

Quando Deus finalmente conversa com Jó, ele rejeita a lógica cruel que culpa a vítima. Ele o faz ao renunciar o pressuposto meritocrático de que Jó e seus companheiros compartilham. Nem tudo o que acontece é recompensa ou castigo para o comportamento humano, Deus proclama dentro de um remoinho. Nem toda chuva tem finalidade de molhar a plantação de pessoas honradas, nem toda seca tem finalidade de castigar quem é perverso. Afinal, chove em lugares onde ninguém vive – em regiões selvagens, que não têm vida humana. A criação não é apenas pelo bem dos seres humanos. O cosmos é maior e os caminhos de Deus, mais misteriosos do que a imagem antropomórfica sugere.[4]

Deus confirma a honra de Jó, mas o castiga por pressupor que compreendeu a lógica moral dos seus preceitos. Isso representa um distanciamento radical da teologia do mérito construída em Gênesis e Êxodo.[5] Ao renunciar à ideia de que ele tem autoridade sobre uma meritocracia cósmica, Deus afirma seu poder ilimitado e ensina a Jó uma lição de humildade. Fé em Deus significa aceitar a grandiosidade e o mistério da criação, não esperando que Deus dispense recompensas e castigos com base no mérito e merecimento de cada pessoa.

## SALVAÇÃO E AUTOAJUDA

A questão do mérito reaparece em debates cristãos sobre salvação: os fiéis podem conquistar a salvação por meio de observância religiosa e obras de caridade, ou Deus está totalmente livre para decidir quem irá salvar, independentemente de como as pessoas vivem a vida?[6] A primeira opção parece mais justa, uma vez que recompensa a bondade e castiga o pecado. No entanto, segundo a teologia, há um problema; afinal, questiona a onipotência de Deus. Se a salvação é algo que podemos conquistar e, portanto, merecer, então Deus é obrigado, de certa maneira, a reconhecer nosso mérito. A salvação se torna, pelo menos em parte, uma questão de autoajuda, e isso implica um limite para o poder infinito de Deus.

A segunda opção, enxergar a salvação como uma dádiva não conquistada, afirma a onipotência de Deus, mas, ao fazer isso, cria um problema diferente: se Deus é responsável por tudo no mundo, então ele deve ser responsável pela existência do mal. Mas se Deus é justo, como ele pode permitir o sofrimento e o mal que ele pode evitar? Se Deus é Todo-Poderoso, a existência do mal parece sugerir que ele é injusto. Do ponto de vista teológico, é difícil, se não impossível, ter estes três pontos de vista simultaneamente – que Deus é justo, que Deus é onipotente e que o mal existe.[7]

Uma forma de solucionar essa dificuldade é atribuir o livre-arbítrio aos seres humanos. Isso transfere a responsabilidade pelo mal de Deus para nós. Se, além de estabelecer a lei, Deus concedeu a cada um de nós a liberdade de decidir entre obedecer e desobedecê-la, é responsabilidade nossa se escolhemos fazer o mal em vez de fazer o bem. As pessoas que agem mal merecerão qualquer castigo que Deus distribuir, neste mundo ou no próximo. O sofrimento delas não constituirá maldade, mas sim apenas castigo por sua transgressão.[8]

Um dos primeiros proponentes dessa solução foi um monge britânico do século V chamado Pelagius. Apesar de não ser muito conhecido, alguns comentaristas modernos argumentaram que, como campeão do livre-arbítrio e responsabilidade individual na teologia cristã antiga, Pelagius foi um precursor do liberalismo.[9]

No entanto, em seu tempo, a solução de Pelagius resultou em feroz oposição de ninguém menos que Santo Agostinho, o mais formidável filósofo cristão da época. Para Santo Agostinho, atribuir o livre-arbítrio a seres humanos nega a onipotência de Deus e enfraquece o significado de sua dádiva definitiva, o sacrifício de Cristo na cruz. Se seres humanos são tão autossuficientes a ponto de conquistar salvação por conta própria, por meio de obras de caridade e realizando sacramentos, a Encarnação torna-se desnecessária. Humildade diante da graça divina dá espaço para orgulho dos esforços de uma pessoa.[10]

Apesar da insistência de Santo Agostinho em relação à salvação por meio apenas da graça, as práticas da Igreja trouxeram o mérito de volta. Ritos e rituais – batismo, oração, frequentar missa, realizar sacramentos – não permanecem muito tempo sem provocar um senso de eficácia entre os participantes. Não é fácil sustentar a crença de que a observância religiosa dos fiéis está incorporada em observância externa, mediada e reforçada por uma ordem complexa de práticas da Igreja, onze séculos depois de Santo Agostinho ter censurado a salvação por mérito.

A Reforma Protestante nasceu de um argumento contra o mérito. A questão que Martinho Lutero tinha contra a Igreja católica de sua época era apenas em parte sobre a venda de indulgências, prática corrupta por meio da qual pessoas ricas tentavam comprar a salvação. (De forma mais precisa, o pagamento supostamente acelerava a penitência e encurtava o tempo de purgatório de uma pessoa.) Sua visão mais ampla, seguindo Santo Agostinho, era de que a salvação é totalmente uma questão de graça divina e não pode ser incitada por nenhum esforço para conquistar a benevolência de Deus, seja por obras de caridade ou realização de ritos. Não podemos mais rezar para chegar ao paraíso e pagar para entrar. Para Lutero, a eleição é uma dádiva totalmente imerecida. Tentar aumentar as chances comungando ou frequentando a missa, ou ainda, tentando convencer Deus de nosso mérito é tão presunçoso que chega a ser blasfêmia.[11]

A rigorosa doutrina da graça de Lutero era resolutamente antimeritocrática. Rejeitava a salvação por meio de obras de caridade e não deixava espaço para a liberdade humana de vencer pelo próprio esforço. Ainda assim, paradoxalmente, a Reforma Protestante que ele lançou resultou na feroz ética meritocrática do trabalho que os puritanos e seus sucessores trouxeram para os Estados Unidos. Em *A ética protestante e o espírito do capitalismo*, Max Weber explica como isso aconteceu.[12]

Assim como Lutero, João Calvino, cuja teologia inspirou os puritanos, defendia que a salvação era uma questão de graça divina e não de mérito humano ou merecimento. Quem será salvo e quem será condenado está predestinado e não sujeito à mudança com base em como as pessoas vivem a vida. Nem mesmo os sacramentos podem ajudar. Apesar de que devem ser celebrados para aumentar a glória divina, "eles não são meio para alcançar a graça."[13]

A doutrina calvinista da predestinação criou um suspense insuportável. Não é difícil enxergar por quê. Se você acredita que seu lugar na vida após a morte é mais importante do que qualquer coisa com a qual você se importa neste mundo, você vai querer desesperadamente saber se está entre os escolhidos ou os condenados. Mas Deus não anuncia isso com antecedência. Não conseguimos identificar, observando o comportamento das pessoas, quem é escolhido e quem é condenado. Os eleitos são "a Igreja invisível de Deus".[14]

De acordo com Weber, "uma questão impunha-se de imediato a cada fiel individualmente e relegava todos os outros interesses a segundo plano: serei *eu* um dos eleitos? E como *eu* vou poder ter certeza dessa eleição?" A persistência e a urgência dessa pergunta direcionaram calvinistas a certa versão da ética do trabalho. Uma vez que todas as pessoas são chamadas por Deus a trabalhar em uma vocação, trabalhar com dedicação nesse chamado é sinal de salvação.[15]

O objetivo de um trabalho como esse não é aproveitar a riqueza que ele produz, mas sim, glorificar Deus. Trabalhar para esbanjar consumo seria desviar-se desse objetivo, uma espécie de corrupção. O calvinismo combinou trabalho extenuante com ascetismo. Weber ressalta que essa abordagem disciplinada do trabalho – dedicar-se ao trabalho, mas consumir pouco – produz o acúmulo de riqueza que alimenta o capitalismo. Mesmo quando as motivações religiosas originais esvaem-se, a ética protestante do trabalho e do ascetismo proporciona a base cultural para o acúmulo capitalista.

Mas para nossos propósitos, a importância desse drama está na tensão que desenvolve entre mérito e graça. A vida inteira dedicada ao trabalho disciplinado como vocação de uma pessoa não é, por certo, um caminho para a salvação, mas sim uma forma de saber se a pessoa (já) está entre os eleitos. É *sinal* de salvação, não a fonte.

No entanto, provou-se difícil, se não impossível, evitar a mudança de visão de que uma atividade mundana como essa é sinal de eleição, para enxergá-la como fonte. Psicologicamente, é difícil sustentar o conceito de que Deus não irá observar o trabalho fiel que aumenta sua glória. Uma vez que sou incentivado a inferir a partir de minhas obras de caridade que estou entre os eleitos, é difícil evitar o pensamento de que minhas boas ações de alguma maneira contribuíram para minha eleição. Dentro da teologia, a ideia de salvação por meio de obras, uma ideia meritocrática, já estava presente no contexto – tanto na ênfase católica em ritos e sacramentos quanto na concepção judaica de conquistar a graça divina por observar a lei e defender preceitos éticos do pacto de Sinai.

Conforme o conceito calvinista de obra por vocação evoluiu para a ética puritana do trabalho, ficou difícil evitar sua implicação meritocrática – de que a salvação é conquistada e que o trabalho é fonte, não meramente sinal, da salvação. "Ora, em termos práticos isso significa que, no fim das contas, Deus ajuda a quem se ajuda", observou Weber; "por conseguinte o calvinista, como de vez em quando também se diz, 'cria' ele mesmo sua bem-aventurança eterna – em rigor o correto seria dizer: a certeza dela." Alguns luteranos acusavam essa linha de pensamento por "santificação pelas obras", exatamente a doutrina que Lutero considerou uma afronta à graça divina.[16]

A doutrina calvinista de predestinação, combinada à ideia de que a pessoa eleita deve fazer jus à sua eleição por meio do trabalho por vocação, resulta em uma concepção de que sucesso mundano é uma boa indicação de quem está destinado à salvação. "A todos, sem distinção, a Providência divina pôs à disposição uma vocação (*calling*) que cada qual deverá reconhecer e na qual deverá trabalhar", Weber explicou. Isso confere influência divina na divisão do trabalho e apoia a "interpretação providencialista do cosmos econômico".[17]

Comprovar o estado de graça de uma pessoa por meio da atividade mundana traz de volta a meritocracia. Os monges da Idade Média formavam uma espécie de "aristocracia espiritual", seguindo sua vocação ascética longe das ocupações mundanas. Mas com o calvinismo, a ascese cristã "ingressa no mercado da vida" e "fecha atrás de si as portas do mosteiro". Todos os cristãos foram chamados para trabalhar e provar sua fé em atividades mundanas. "Uma vez ancorada sua ética na doutrina da predestinação", o calvinismo substituiu "a aristocracia espiritual dos monges situada além e acima do mundo [...] [pela] aristocracia espiritual dos santos no mundo desde toda a eternidade predestinados por Deus."[18]

Confiante de sua eleição, essa aristocracia espiritual dos eleitos desprezava, com desdém, as pessoas aparentemente destinadas à danação. Nesse ponto, Weber vislumbra o que eu chamaria de versão inicial de arrogância meritocrática.

> É que para esse estado de graça dos eleitos e, portanto, santos pela graça divina, não era adequada a solicitude indulgente com os pecados do próximo apoiada na consciência da própria fraqueza, mas sim o ódio e o desprezo por um inimigo de Deus, alguém que portava em si o estigma da perpétua danação.[19]

A ética protestante do trabalho, portanto, não só dá origem ao espírito do capitalismo. Ela também promove uma ética de autoajuda e de responsabilidade pelo destino, convenientes a modos meritocráticos de pensar. Essa ética libera uma torrente de esforço ansioso e enérgico, que gera grande riqueza, mas ao mesmo tempo revela o lado negativo da responsabilidade e de vencer pelo próprio esforço. A humildade induzida da suscetibilidade diante da graça abre caminho para a arrogância resultante da crença no próprio mérito.

## PENSAMENTO OPORTUNO: ENTÃO E AGORA

Para Lutero, Calvino e os puritanos, debates sobre mérito eram sobre salvação – os escolhidos conquistam e, portanto, merecem sua eleição ou seria a salvação uma dádiva da graça, além de nosso controle? Para nós, debates sobre mérito são sobre sucesso mundano – os bem-sucedidos conquistam e, portanto, merecem seu sucesso ou seria a prosperidade consequência de fatores além de nosso controle?

À primeira vista, esses dois debates parecem ter pouca coisa em comum. Um é religioso, o outro é secular. Mas ao olhar de perto, a meritocracia de nossos dias carrega em si marcas da contestação teológica da qual surgiu. A ética protestante do trabalho começou como um tenso diálogo entre graça e mérito, suscetibilidade e autoajuda. Ao fim, o mérito eliminou a graça. A ética do domínio e de vencer pelo próprio esforço oprimiu a ética da gratidão e da humildade. Trabalhar e se esforçar passou a ser imperativo próprio, independente da ideia calvinista de predestinação e da ansiosa busca por um sinal de salvação.

É tentador atribuir triunfo do domínio e mérito à tendência secular de nossos dias. À medida que a fé em Deus diminui, a confiança na agência humana se fortalece; quanto mais nos concebemos como autossuficientes, capazes de vencer pelo próprio esforço, menos temos motivos para nos sentir em dívida ou gratos por nosso sucesso.

Mas mesmo hoje em dia nosso comportamento em relação ao sucesso não é tão independente da fé providencial tanto quanto às vezes pensamos ser. A ideia de que somos agentes humanos livres, capazes de ascender e de obter sucesso por meio de esforço próprio é apenas um aspecto da meritocracia. Igualmente importante é a convicção de que as pessoas bem-sucedidas merecem seu sucesso. Esse aspecto triunfalista da meritocracia gera arrogância entre vencedores e humilhação entre perdedores. Reflete um resíduo de fé providencial que persiste no vocabulário moral de sociedades sob outros aspectos seculares.

Max Weber observou:

> Os afortunados raramente se contentam com o fato de serem afortunados. Além disso, necessitam saber que têm o *direito* à sua boa sorte. Desejam ser convencidos de que a "merecem" e, acima de tudo, que a merecem em comparação a outros. Desejam acreditar que os menos afortunados também estão recebendo o que merecem.[20]

A tirania do mérito surgiu, ao menos em parte, desse impulso. A ordem meritocrática de hoje moraliza o sucesso de maneira a repetir uma fé providencial de outrora: apesar de pessoas bem-sucedidas não deverem o poder e a riqueza à intervenção divina – elas ascendem graças ao próprio esforço e ao trabalho árduo –, o sucesso delas reflete sua virtude superior. Pessoas ricas são ricas porque merecem mais do que as pobres.

Esse aspecto triunfalista da meritocracia é uma espécie de providencialismo sem Deus, pelo menos sem um Deus que intervém nos assuntos dos seres humanos. Quem é bem-sucedido consegue isso por conta própria, mas seu sucesso atesta sua virtude. Esse modo de pensar aumenta os riscos morais da competição econômica. Santifica os vencedores e infama os perdedores.

O historiador cultural Jackson Lears explica como o pensamento providencialista persiste mesmo após o declínio das ideias calvinistas de predestinação e pecaminosidade inata do ser humano. Para Calvino e os puritanos "todo mundo era igualmente essencial aos olhos de Deus". Uma vez que ninguém era merecedor, a salvação necessariamente dependia da graça divina.[21]

> No entanto, quando teólogos liberais começaram a enfatizar a habilidade dos seres humanos de salvar a si mesmos, o sucesso passou a significar uma convergência de mérito entre pessoa e plano providencial. Gradual e hesitante, mas de forma indubitável, a crença protestante na providência [...] tornou-se uma forma de oferecer sanções espirituais para o *status quo* econômico [...]. A providência implicitamente garantiu desigualdade de riqueza.[22]

Lears enxerga na cultura pública estadunidense uma competição desigual entre uma ética da fortuna e uma ética do domínio mais poderosa. A ética da fortuna preza as dimensões da vida que excedem compreensão e controle humanos. Percebe que o cosmos não necessariamente combina mérito e recompensa. Deixa espaço para mistério, tragédia e humildade. É a sensibilidade do Eclesiastes: "Retornei e observei debaixo do sol que a corrida não pertence aos mais ligeiros, nem a batalha, aos mais fortes, nem o pão é dos sábios, nem riquezas, de homens inteligentes, nem favor é para homens de habilidade; mas tempo e acaso ocorrem a todos eles."[23]

Em contrapartida, a ética do domínio coloca "a escolha humana no centro da ordem espiritual".[24] Isso não sugere uma renúncia de Deus, mas uma reformulação de seu papel providencial. Lears demonstra que a ética do domínio e do controle surgiu a partir do protestantismo evangélico e por fim prevaleceu. Isso oferece mudança de "um pacto de graça para o que Lutero criticou, um pacto de trabalhos." Na metade do século XVIII, "os trabalhos em questão não eram rituais sagrados (como no catolicismo tradicional), mas esforços morais seculares".[25] No entanto, a virtude desses esforços seculares ainda assim derivava de um plano providencial.

> A providência ainda governava todos, de acordo com a crença protestante [...]. Mas seres humanos podiam escolher livremente

participar do desdobramento do plano de Deus, podiam de alguma maneira se alinhar ao propósito de Deus. A racionalidade evangélica equilibrou crença em uma abrangente providência com uma celebração do esforço humano sem precedentes.[26]

A combinação entre esforço humano e sanção providencial impulsiona a meritocracia. Isso acaba com a ética da sorte e promete alinhar sucesso mundano e merecimento moral. Lears enxerga isso como perda moral. "Uma cultura menos concentrada na responsabilidade do indivíduo de dominar seu destino pode ser mais cômoda, mais generosa, mais graciosa". Uma consciência mais aguçada do caráter de imprevisibilidade da sorte e do destino "pode incentivar pessoas de sorte a imaginar sua própria falta de sorte e transcender a arrogância do mito meritocrático – para reconhecer como as pessoas recebem o que merecem de forma irregular e imprevisível."[27]

Lears avalia o estrago moral e cívico em termos ásperos:

> A cultura do controle continua a amparar a versão presunçosa, secular do providencialismo cristão que concebeu a moralidade estadunidense por dois séculos, apesar de agora o idioma predileto ser tecnocrático, em vez de religioso. A arrogância da visão providencial está em sua tendência a santificar o secular; em sua certeza superficial de que não somente somos todos parte de um plano divino – ou "evolucionário" –, mas também que podemos, de fato, ver esse plano em ação nos arranjos sociais e econômicos existentes, até mesmo no resultado das lutas globais de poder.[28]

A ideia providencialista de que pessoas recebem o que merecem reverbera no discurso público contemporâneo. Ela vem em duas versões – uma arrogante, a outra punitiva. Ambas as versões afirmam uma noção exigente de responsabilidade por nosso destino, seja ele próspero ou calamitoso. A crise financeira de 2008 criou um exemplo notável de arrogância providencial. O comportamento arriscado e ganancioso de banqueiros de Wall Street levou a economia global à beira do desastre, exigindo injeção maciça de liquidez. Ainda quando proprietários de imóveis e empresários do Main Street batalhavam para se recuperar, os principais banqueiros de Wall Street rapidamente pagavam a si mesmos dezenas de bilhões de dólares em bônus. Perguntado sobre como podia defender tão generoso pagamento diante da reação irritada do público, Lloyd Blankfein, CEO da Goldman Sachs, respondeu que ele e seus colegas banqueiros estavam "realizando uma obra de Deus".[29]

A versão punitiva de providencialismo foi recentemente verbalizada por alguns cristãos conservadores diante das consequências de furacões mortais e outros desastres. Quando o furacão Katrina destruiu a cidade de Nova Orleans em 2005, o reverendo Franklin Graham declarou que a tempestade era a reação divina para uma "cidade imoral" conhecida pelo Mardi Gras [festa carnavalesca], "perversão sexual", orgias e outras atividades pecaminosas.[30] Quando um terremoto resultou em mais de 200 mil mortes no Haiti, em 2009, o apresentador evangélico Pat Robertson atribuiu o desastre a um pacto com o demônio que haitianos escravizados supostamente fizeram quando se rebelaram contra a França, em 1804.[31]

Alguns dias após o ataque terrorista de 11 de setembro ao World Trade Center, na cidade de Nova York, o reverendo Jerry Falwell, participando do programa de televisão cristão de Robertson, interpretou o ataque como reação divina para os pecados dos Estados Unidos:

> Os defensores do aborto precisam carregar algum fardo por isso, porque não se zombará de Deus. E quando matamos 40 milhões de bebezinhos inocentes, irritamos a Deus. Eu realmente acredito que os pagãos e os defensores do aborto, e as feministas, e os gays e as lésbicas que estão ativos na tentativa de fazer disso um estilo de vida alternativo, a ACLU [União Americana pelas Liberdades Civis] [...] para todos aqueles que tentaram secularizar os Estados Unidos, coloco o dedo em seu rosto e digo, "você contribuiu para isso acontecer".[32]

Explicar desastres épicos como punição divina não é exclusividade do providencialismo cristão. Quando um terremoto devastador e um tsunami atingiram o Japão em 2011, provocando um colapso em usinas de energia nuclear, Shintaro Ishihara, governador de Tóquio, defensor do nacionalismo, descreveu o fato como reação divina (*tenbatsu*) ao materialismo japonês. "Precisamos de um tsunami para lavar o egoísmo, que ficou incrustado na mentalidade dos japoneses por muito tempo", disse ele.[33]

## SAÚDE E ABUNDÂNCIA

Em décadas recentes, o cristianismo estadunidense produziu uma variante alegre da fé providencial chamada evangelho da prosperidade. Comandado por apresentadores de televisão evangélicos e pastores em algumas das maiores megaigrejas do país, ele ensina que Deus recompensa a fé com abundância e saúde. Longe de conceber a graça como mistério, dádiva imerecida de Deus, o evangelho da prosperidade enfatiza agência e arbítrio humanos. E.W. Kenyon, um evangelista do início do século XX que preparou o terreno para o movimento, incentivava cristãos a proclamarem: "O dom de Deus é meu. A força de Deus é minha. O sucesso dele é meu. Eu sou um vencedor. Eu sou um conquistador".[34]

Kate Bowler, uma historiadora do evangelho da prosperidade, escreveu que o ensinamento dele se resume à frase "sou abençoado", sendo que a prova de ser abençoado é estar saudável e rico.[35] Joel Osteen, uma celebridade do evangelho da prosperidade, cuja igreja, em Houston, é a maior nos Estados Unidos, disse a Oprah Winfrey que "Jesus morreu para vivermos uma vida abundante".[36] Seus livros best-sellers oferecem exemplos de bênçãos que fluem a partir da fé, inclusive a mansão na qual ele vive e a vez em que recebeu um upgrade para a classe executiva em um voo.[37]

Pode parecer que um evangelho de bem-aventurança induziria à humildade diante da sorte, em vez da convicção meritocrática de que a saúde e a abundância são sinais de virtude. Mas, como Bowler observa, "abençoado" é um termo que ofusca a distinção entre dádiva e recompensa.

> Pode ser um termo de pura gratidão. "Obrigado, Deus. Eu não conseguiria garantir isso para mim mesmo." Mas também pode sugerir que foi merecido. "Obrigado, eu, por ser o tipo de pessoa que entende as coisas." É uma palavra perfeita para uma sociedade estadunidense que diz acreditar que o Sonho Americano é baseado em trabalho árduo, e não sorte.[38]

Apesar de quase um milhão de estadunidenses frequentarem megaigrejas que pregam o evangelho da prosperidade, sua ressonância com a fé estadunidense no esforço e na autoajuda dá a ele mais influência. Uma pesquisa da revista *Time* descobriu que aproximadamente um terço dos cristãos estadunidenses concordam que "se você der seu dinheiro para Deus, Deus o abençoará com mais dinheiro", e 61% acreditam que "Deus quer que as pessoas prosperem".[39]

No início do século XXI, era difícil diferenciar o evangelho da prosperidade, com seu apelo ao trabalho árduo, mobilidade ascendente e pensamento positivo, do próprio Sonho Americano. "O movimento da prosperidade não apenas deu aos estadunidenses um evangelho digno de uma nação de homens que venceram pelo próprio esforço", Bowler escreveu. "Isso afirmou as estruturas econômicas básicas sobre as quais se ergueram empreendimentos individuais." E reforçou a crença de que a prosperidade é um sinal de virtude. Assim como os primeiros evangelhos do sucesso, ele confiava no mercado "para distribuir recompensas e castigos em forma de sorte e fracasso. Os virtuosos seriam ricamente compensados, enquanto os perversos no fim fracassariam."[40]

Parte do apelo do evangelho da prosperidade é sua ênfase "na responsabilidade de indivíduos por seu destino".[41] Essa é uma ideia inebriante, que concede poderes. Na teologia, isso confirma que salvação é uma realização, algo que conquistamos. Em termos mundanos, faz com que as pessoas tenham confiança de que, com esforço e fé suficientes, conseguirão conquistar saúde e abundância. É implacavelmente meritocrático. Bem como em todas as éticas meritocráticas, sua concepção exaltada de responsabilidade individual é gratificante quando as coisas vão bem, mas desmoralizante, e até mesmo punitiva, quando as coisas vão mal.

Pense em saúde. O que poderia dar mais poder do que a crença de que nossa saúde está em nossas mãos, de que pessoas doentes podem ser curadas por meio de orações, de que doenças podem ser evitadas, vivendo bem e amando a Deus? Mas essa supercapacidade tem um lado negativo. Doença, quando chega, não é meramente uma falta de sorte, mas um veredito sobre nossa virtude. Até mesmo a morte adiciona um insulto à enfermidade. "Se um crente adoece e morre", Bowler escreveu, "a vergonha compõe o luto. Aqueles que são amados e se foram são apenas isto: aqueles que falharam no teste da fé."[42]

A face dura do pensamento do evangelho da prosperidade pode ser vista no debate sobre sistema de saúde.[43] Quando Donald Trump e republicanos no Congresso tentaram revogar e substituir a Obamacare [Lei de Proteção ao Paciente e Cuidado Acessível, PPACA], a maioria das pessoas argumentou que a alternativa favorável ao mercado aumentaria a competição e reduziria custos, ao mesmo tempo que protegeria pessoas com doenças preexistentes. No entanto, Mo Brooks, um congressista republicano do Alabama, apresentou um argumento diferente. Ele reconheceu que o plano dos republicanos exigiria que pessoas com mais necessidades relacionadas à saúde pagassem mais. Mas isso era virtude, não vício, porque recompensaria quem viveu bem a vida. Permitir às seguradoras cobrar prêmios mais caros de pessoas que geram mais custos para o sistema de saúde não era apenas econômico, era também moralmente justificável. Prêmio mais caro para pessoas doentes reduziria o custo "para pessoas que levam uma vida boa, são saudáveis, fizeram o necessário para manter o corpo saudável. E, agora mesmo, essas são as pessoas – aquelas que fizeram tudo direito – que estão vendo seus custos subirem vertiginosamente."[44]

O posicionamento do congressista contra a Obamacare reitera a lógica meritocrática dura que vem dos puritanos até o evangelho da prosperidade: se a prosperidade for sinal de salvação, o sofrimento é sinal de pecado. Essa lógica não está necessariamente atrelada a pressupostos religiosos. É uma característica de qualquer ética que concebe a liberdade do ser humano como um exercício irrestrito do arbítrio, e atribui aos seres humanos responsabilidade total por seu destino.

Em 2009, quando começaram a debater a Obamacare, John Mackey, fundador da Whole Foods [rede multinacional de supermercados] escreveu um artigo de opinião no *The Wall Street Journal* argumentando contra o direito à assistência médica. Seu argumento se baseava em pressupostos libertários, não religiosos. Ainda assim, como pastores do evangelho da prosperidade, ele afirmou uma ideia dura de responsabilidade individual, argumentando que a boa saúde é, sobretudo, algo que conquistamos por conta própria.

> Vários de nossos problemas relacionados à saúde são causados por nós mesmos: dois terços dos estadunidenses hoje estão acima do peso e um terço é obeso. A maioria das doenças que nos matam e são responsáveis por 70% de todo o gasto do sistema de saúde – doenças cardíacas, câncer, AVC, diabetes e obesidade – é evitável, sobretudo, por meio de dieta, exercício físico, não fumar, consumo mínimo de álcool e outras opções de estilo de vida saudável.[45]

Várias pessoas que ficam presas à saúde debilitada, ele argumenta, não podem culpar ninguém, a não ser elas mesmas. Isso ocorre não por sua falta de fé em Deus, mas por sua falta de atenção às evidências científicas e médicas, mostrando que uma dieta baseada em plantas e alimentos com baixo teor de gordura "ajudará a evitar, e com frequência reverterá, a maioria das doenças degenerativas que nos matam e cujo tratamento é caro. Deveríamos ser capazes de viver a vida em grande parte livre de doenças, até entrarmos nos 90 e até mesmo passarmos dos 100 anos de idade". Apesar de ele não ter afirmado explicitamente que pessoas que adoecem merecem sua doença, ele insistiu que tais pessoas não deveriam esperar nenhuma ajuda de seus companheiros cidadãos. "Somos todos responsáveis pela própria vida e pela própria saúde".[46]

Para Mackey, assim como para os evangelistas da prosperidade, uma boa saúde é sinal de virtude – seja ela procurada nos bancos de uma megaigreja ou na sessão de produtos orgânicos da Whole Foods.

## PROVIDENCIALISMO LIBERAL

Enxergar saúde e abundância como questões de elogio e culpa é um modo meritocrático de olhar para a vida. Isso não concede nada à sorte ou à graça e nos responsabiliza totalmente por nosso destino; tudo o que ocorre é uma recompensa ou um castigo pelas escolhas que fazemos e pelo modo como vivemos. Essa maneira de pensar honra uma ética detalhada do domínio e controle, além de dar origem à arrogância meritocrática. Induz quem é bem-sucedido a acreditar que está "realizando uma obra de Deus" e a olhar com desprezo para vítimas do infortúnio – furacões, tsunamis, problemas de saúde –, como pessoas condenáveis por sua condição.

Essa arrogância não é apenas encontrada entre conservadores que seguem o evangelho da prosperidade e críticos libertários de políticas de bem-estar. Também é uma característica proeminente das políticas liberal e progressista. Um exemplo é o tropo retórico para explicar o poder e a prosperidade dos Estados Unidos em termos providenciais, como consequência de seu status divinamente ordenado ou justo. Em seu discurso aceitando a nominação democrática do presidente, em 2016, Hillary Clinton proclamou que "ao fim, tudo se resume ao que Donald Trump não compreende: a América é grandiosa porque a América é boa."[47] Ela usou essa linguagem com frequência durante sua campanha, na tentativa de convencer eleitores de que as promessas de Trump para "tornar a América grandiosa novamente" eram incoerentes com sua maldade e venalidade.

Mas não há uma conexão necessária entre ser bom e ser grandioso. Tanto para nações quanto para pessoas, justiça é uma coisa, poder e abundância são outra. A história mostra que poderes grandiosos não são necessariamente justos, e países admiráveis por sua moral não são necessariamente poderosos.

A frase "a América é grandiosa porque a América é boa" é agora tão familiar que nos esquecemos de seus pressupostos providenciais. Ele ecoa a convicção persistente de que os Estados Unidos têm uma missão divinamente inspirada no mundo, um destino manifesto de conquistar um continente ou de tornar o mundo lugar seguro para a democracia. No entanto, ainda que o senso de mandato divino recue, políticos reiteram o argumento de que nossa grandiosidade deriva de nossa bondade.

O próprio slogan é relativamente recente. O primeiro presidente a usá-lo foi Dwight D. Eisenhower, que o atribuiu, equivocadamente, a Alexis de Tocqueville, autor do clássico *Da democracia na América*. Discursando, em 1953, Eisenhower citou "um sábio visitante francês que veio para a América" em busca da fonte do sucesso dos Estados Unidos. Eisenhower citou o visitante: "Não até ir às igrejas da América e ouvir os púlpitos em chamas com justiça, eu compreendi o segredo de sua genialidade e seu poder. A América é grandiosa porque a América é boa – e se a América algum dia deixar de ser boa, a América deixará de ser grandiosa."[48]

Apesar de essas frases não aparecerem na obra de Tocqueville,[49] elas provaram ser populares entre os presidentes seguintes, sobretudo, os republicanos. Os presidentes Gerald Ford, Ronald Reagan e George H. W. Bush as utilizaram em ocasiões inspiradoras, em geral, quando discursavam para público religioso.[50] Em 1984, em discurso para a convenção de evangélicos cristãos, Ronald Reagan partiu, explicitamente, do fundamento providencial do slogan:

> Toda nossa riqueza material e toda nossa influência foram construídas em nossa fé em Deus e no alicerce de valores que surge dessa fé. O grande filósofo francês Alexis de Tocqueville, há 150 anos, supostamente notou que a América é grandiosa porque a América é boa. E se ela algum dia deixar de ser boa, ela deixará de ser grandiosa.[51]

Nos anos 1990, democratas em busca de permear a retórica com ressonância espiritual, começaram a citar o slogan. Como presidente, Bill Clinton o utilizou nove vezes; ambos John Kerry e Hillary Clinton o invocaram durante a campanha presidencial.[52]

## O LADO CERTO DA HISTÓRIA

A afirmação de que a América é grandiosa porque é boa é o lado brilhante e inspirador da ideia de que furacões são um castigo para o pecado. É a fé meritocrática aplicada a uma nação. De acordo com uma tradição providencial de longa data, o sucesso mundano é sinal de salvação, ou ainda, em termos seculares, de bondade. Mas esse modo de interpretar o papel dos Estados Unidos na história apresenta um desafio para os liberais: se países ricos e poderosos devem sua potência à virtude, o mesmo não poderia ser dito de cidadãos ricos e poderosos?

Vários liberais e progressistas, sobretudo aqueles comprometidos com a igualdade, resistem à afirmação de que os ricos são ricos porque merecem mais do que os pobres. Eles enxergam isso como um argumento não generoso, moralizante utilizado por pessoas que se opõem à taxação de ricos para ajudar os desfavorecidos. Contra a afirmação de que riqueza significa virtude superior, liberais igualitários enfatizam a contingência da sorte. Eles destacam que sucesso ou fracasso em sociedades de consumo tem tanto a ver com sorte e circunstância quanto com caráter e virtude. Vários dos fatores que separam os vencedores dos perdedores são arbitrários do ponto de vista moral.

No entanto, não é fácil aceitar a ideia moralizante, providencial de que nações poderosas devem sua grandiosidade à sua bondade e, ao mesmo tempo, rejeitar a ideia meritocrática moralizante de que indivíduos abastados devem a fortuna à sua virtude. Se potência significa retidão para países, o mesmo poderia ser dito para o "1%". Segundo a moral e a teologia, providencialismo no exterior e meritocracia em casa se mantêm ou caem juntos.

Apesar de políticos de décadas recentes não terem reconhecido explicitamente essa tensão, de forma gradual eles a solucionaram ao aceitar modos de pensar meritocráticos, tanto no exterior quanto em casa. A perspectiva meritocrática implícita no providencialismo de "grandiosa porque é boa" encontrou uma expressão semelhante em debates nacionais sobre solidariedade, responsabilidade e políticas de bem-estar social. Começando nas décadas de 1980 e 1990, liberais cada vez mais aceitaram elementos das críticas conservadoras às políticas de bem-estar social, inclusive a exigente ideia de responsabilidade pessoal. Apesar de não terem ido tão longe a ponto de atribuir toda a saúde e a abundância ao comportamento virtuoso, políticos como Bill Clinton nos EUA e Tony Blair na Grã-Bretanha procuraram aproximar mais a elegibilidade ao bem-estar de responsabilidade e merecimento pessoal dos destinatários.[53]

O aspecto providencial do liberalismo contemporâneo também pode ser vislumbrado em outra mudança retórica que diz respeito a políticas tanto estrangeiras quanto domésticas. Esse é o hábito de defender a política de alguém ou aliados políticos como estando "do lado certo da história" e criticar opositores por estarem "do lado errado da história". Pode-se pensar que debates acerca do "lado certo" e "lado errado" da história estariam no auge durante a Guerra Fria, quando superpotências comunistas e anticomunistas se enfrentaram e argumentaram, cada uma, que o seu sistema conquistaria o futuro. No entanto, foi surpreendente o fato de que nenhum presidente estadunidense utilizou esses termos no contexto dos debates da Guerra Fria.[54]

Somente a partir dos anos 1990 e 2000, "o lado certo" e "o lado errado" da história tornaram-se material de retórica política, sobretudo, para democratas. O presidente George W. Bush utilizou a expressão apenas uma vez, ao falar com soldados do Exército estadunidense, em 2005, que terroristas do Oriente Médio estavam "perdendo a batalha porque estão do lado errado da história". Ele acrescentou que, graças à invasão dos EUA ao Iraque, "a maré da liberdade" estava subindo no Oriente Médio. Um ano depois, seu vice-presidente, Richard Cheney, discursando em um porta-aviões, defendeu a Guerra do Iraque, assegurando às tropas estadunidenses que "nossa causa é necessária; nossa causa é justa; e estamos no lado certo da história".[55]

Mas, em grande parte, a retórica triunfalista era a linguagem dos presidentes democratas. Bill Clinton a utilizou 25 vezes durante o mandato; Barack Obama, 32 vezes.[56] Algumas vezes, Obama a usou como Bush e Cheney usaram, ao descrever a luta contra o terrorismo islâmico radical: "A Al Qaeda e seus seguidores são homens pequenos no lado errado da história", Obama declarou durante discurso na Academia Militar dos Estados Unidos, em West Point. Em discurso feito na Academia das Forças Aéreas dos Estados Unidos, ele disse que os terroristas do ISIL [Estado Islâmico do Iraque e do Levante] jamais seriam "fortes o suficiente para destruir estadunidenses ou nosso modo de vida", em parte, "porque estamos no lado certo da história".[57]

Entretanto, Clinton e Obama também utilizaram essa retórica triunfalista em outros contextos. O que refletia a certeza deles de que, depois da queda do muro de Berlim e a dissolução da União Soviética, a história se movia, inevitavelmente, em direção à disseminação da democracia liberal e livre mercado. Em 1994, Clinton expressou otimismo em relação às perspectivas de Boris Yeltsin, o primeiro presidente russo democraticamente eleito, dizendo: "Ele acredita na democracia. Ele está no lado certo da história." Em reação a movimentos democráticos no mundo muçulmano, Obama, em seu primeiro discurso de posse, com um tom duro, avisou aos tiranos e déspotas: "Àqueles apegados ao poder por meio de corrupção e fraude e silenciamento dos dissidentes, saibam que estão no lado errado da história".[58]

Quando em 2009 iranianos se envolveram em protestos de rua contra seu regime repressivo, Obama os elogiou, dizendo: "Aqueles que defendem justiça estão sempre do lado certo da história." Quando a Primavera Árabe de 2011 gerou esperança de que a democracia iria substituir a autocracia no Norte da África e no Oriente Médio, Obama também invocou o veredito da história. Ele afirmou que o ditador líbio Muammar Qadhafi estava "do lado errado da história" e que apoiava sua destituição do poder. Aos ser questionado a respeito do apoio silencioso de seu governo a ativistas pró-democracia na praça Tahrir, no Egito, Obama respondeu: "Penso que a história acabará por registrar que, em todos os momentos da situação no Egito, estivemos do lado certo da história."[59]

Há dois problemas em argumentar a partir da história antes de o fato acontecer. Primeiro, prever o resultado das coisas é notadamente complicado. Destituir Saddam Hussein não resultou em liberdade e democracia para o Oriente Médio. Até mesmo as esperanças da Primavera Árabe logo deram o lugar a um inverno de autocracia e repressão renovadas. Do ponto de vista da Rússia de Vladimir Putin, o momento de democracia de Yeltsin hoje parece efêmero.

Segundo, ainda que o curso da história pudesse ser previsto, ele não oferece base para um julgamento moral. No final das contas, Putin, e não Yeltsin, estava no lado certo da história, pelo menos no sentido de que seu modo autocrático de governar a Rússia prevaleceu. Na Síria, o tirano Bashar al-Assad sobreviveu a uma guerra civil brutal e, nesse sentido, estava no lado certo da história. Mas isso não significa que o regime dele seja moralmente defensável.

## O ARCO DO UNIVERSO MORAL

Essas pessoas que defendem sua causa dizendo que estão do lado certo da história possivelmente diriam estar pensando no longo curso da história. Mas essa resposta depende de um pressuposto maior: com tempo suficiente, a despeito do ritmo incerto do progresso, a história tende à justiça. Esse pressuposto traz à tona o providencialismo implícito em argumentos que apelam para o lado certo da história. Argumentos assim se apoiam na crença de que a história se desenrola conforme é direcionada por Deus ou por uma tendência ao progresso e desenvolvimento moral.

Barack Obama defendia essa opinião e com regularidade falava disso. Com frequência, ele citava o ditado de Martin Luther King, Jr., que diz "O arco do universo moral é amplo, mas se inclina em direção à justiça." Obama era tão fã dessa citação que, como presidente, fez referência a ela 33 vezes em discursos e declarações, além de ter encomendado bordá-la em um tapete na sala Oval.[60]

Essa fé providencial proporciona garantia moral para falar de "lado certo" e "lado errado" da história. Além disso, apoia o argumento de que a América (ou qualquer país) é grandiosa porque é boa. Afinal, somente se uma nação estiver realizando uma obra de Deus, ou avançando a marcha da história em direção à liberdade e à justiça, sua grandiosidade poderá ser sinal de sua bondade.

A crença de que projetos e propósitos de alguém estão alinhados com os planos de Deus, ou ainda, com uma noção de liberdade e justiça se desenvolvendo na história, é uma fonte potente de esperança, sobretudo, para pessoas lutando contra injustiça. O ensinamento de King sobre o arco do universo moral "se inclinar em direção à justiça" incentivou ativistas pelos direitos civis nas décadas de 1950 e 1960 a seguir em frente, mesmo diante de violenta oposição por segregacionistas. King tirou essa frase célebre de um sermão de Theodore Parker, um ministro abolicionista do século XIX, em Massachusetts. A versão de Parker, menos sucinta do que a de King, mostrou como a teologia providencial pode ser uma fonte de esperança para oprimidos:

> Veja os fatos do mundo. Enxergue o triunfo contínuo e gradual do certo. Não finjo que compreendo o universo moral; o arco é amplo, meus olhos não alcançam senão pequenos pontos. Não consigo calcular a curva e completar a figura por meio da experiência da visão; consigo intuir por meio da consciência. E, a partir do que enxergo, tenho certeza de que se inclina em direção à justiça. As coisas se recusam a ser mal geridas por muito tempo. Jefferson tremeu quando pensou em escravidão e se lembrou de que Deus é justo. Não demora, todos os Estados Unidos irão tremer.[61]

Quando King, assim como Parker, lança mão da fé no arco do universo moral se inclinando em direção à justiça, trata-se de um chamado inspirador, profético, para agir contra a injustiça. Mas a mesma fé providencial que promove esperança entre pessoas sem poder pode gerar arrogância entre poderosos. Isso pode ser observado na sensibilidade cambiante do liberalismo em décadas recentes, à medida que a urgência moral da era dos direitos civis abriu caminho para um triunfalismo complacente em seguida à Guerra Fria.

A dissolução da União Soviética e a queda do muro de Berlim levou muitas pessoas no Ocidente a concluir que a história justificou o seu modelo de democracia liberal e capitalismo de livre mercado. Fortalecidas nesse pressuposto, promoveram uma versão neoliberal de globalização que incluía o tratado de livre-comércio, a desregulamentação de finanças e outras medidas para facilitar o fluxo de mercadorias, capital e pessoas através de fronteiras nacionais. Tinham confiança de que a expansão de mercados globais poderia aumentar a interdependência global, diminuir a probabilidade de guerra entre nações, moderar identidades nacionalistas e promover respeito aos direitos humanos. Os efeitos salubres do comércio global e de novas tecnologias da informação poderiam até mesmo afrouxar os regimes autoritários e persuadi-los a seguir na direção da democracia liberal.

As coisas não aconteceram dessa forma. O projeto de globalização resultou na crise financeira de 2008 e, oito anos depois, em uma repercussão política cruel. Nacionalismo e autoritarismo não desapareceram, mas se popularizaram ao redor do mundo e ameaçaram instituições liberais e normas dentro de sociedades democráticas.

Mas nas décadas de 1980 e 1990, à medida que a globalização favorável ao mercado se fortalecia, as elites que a promoveram tinham poucas dúvidas acerca do direcionamento da história. Do início dos anos 1980 até 2008, o uso de "o lado certo da história" aumentou mais do que oito vezes em livros localizados pelo Google.[62]

Proponentes da globalização estavam confiantes de que a história estava ao lado deles. Ao exigir do Congresso aprovar o Nafta (Acordo de Livre Comércio da América do Norte), em 1993, Bill Clinton tentou amenizar os temores de que o acordo pudesse ameaçar a perspectiva de emprego de trabalhadores estadunidenses. No entanto, sua maior preocupação era de que a derrota do Nafta pudesse ser um golpe para a globalização: "A coisa que mais me preocupa é que colocará os Estados Unidos no lado errado da história [...] enquanto caminhamos para o século XXI. Isso prevalece sobre qualquer outra preocupação." Durante discurso em Berlim, em 1998, Clinton elogiou a Alemanha por "fazer uma transição difícil para a economia global". Apesar de vários cidadãos alemães "talvez ainda não sentirem os benefícios", ele disse, a adesão da Alemanha à globalização a posicionou "sem dúvida, no lado certo da história".[63]

Para liberais, estar do lado certo da história não significou aceitar uma economia de livre mercado sem controle. Significou promover o capitalismo global no exterior e ao mesmo tempo combater discriminação e aumentar as oportunidades iguais em casa. Reforma de plano de saúde, legislação de licença familiar e médica, créditos tributários para mensalidade universitária e uma ordem executiva impedindo contratantes federais de discriminar funcionários LGBT eram algumas das políticas que Clinton e Obama, em variados momentos, identificaram como "o lado certo da história". Em um discurso de apoio a Obama, na Convenção Nacional Democrata de 2008, Clinton lembrou sua vitória à presidência apesar das acusações republicanas de que era muito jovem e inexperiente para ser o comandante chefe. "Não funcionou em 1992, porque estávamos do lado certo da história. E não funcionará em 2008, porque Barack Obama está do lado certo da história".[64]

Opor-se à discriminação e aumentar as oportunidades são causas dignas. Hillary Clinton fez delas os temas centrais de sua campanha presidencial, em 2016. Mas na ocasião, quando a globalização neoliberal havia produzido vasta desigualdade de renda e riqueza, uma economia dominada por finança, um sistema político no qual dinheiro falava mais alto do que os cidadãos e uma onda emergente de nacionalismo furioso, o projeto de aumentar a igualdade de oportunidade parecia inadequado para o momento, uma expressão fraca da esperança providencial.

Quando Obama falou do arco do universo moral se inclinando em direção à justiça, ele acrescentou uma certeza, o que King não fez: "em algum momento, os Estados Unidos acertam".[65] Mas isso mudou o espírito da mensagem de King.

Ao longo do tempo, o providencialismo de Obama se tornou menos um pedido profético de mudança do que um tipo de repouso justo, uma reafirmação confortante da excepcionalidade estadunidense. O progresso "nem sempre acontece em linha reta", ele explicou durante evento beneficente em Beverly Hills, Califórnia, "acontece em zigue-zague. E há momentos em que o corpo político toma uma direção errada, e há momentos em que há pessoas que ficam de fora. Mas o que torna os Estados Unidos excepcionais é que, em algum momento, a gente acerta. O que dr. King chamou de o arco do universo moral, inclina-se em direção à justiça. Isso é o que faz os Estados Unidos serem diferentes. Isso é o que faz os Estados Unidos serem especiais".[66]

Em 1895, Katharine Lee Bates, professora universitária da Wellesley College e ativista social, publicou um poema patriótico intitulado "America the Beautiful" [América, a bela]. Quinze anos depois, um organista de igreja o musicou. A canção, uma ode à bondade estadunidense, tornou-se uma das músicas mais patrióticas dos Estados Unidos; várias pessoas queriam que ela fosse o hino nacional.[67]

Diferente de "The Star-Spangled Banner" [A bandeira estrelada], hino oficial dos Estados Unidos, "America the Beautiful" era um hino pacífico. Ele homenageava as "majestosas montanhas roxas", não "o brilho vermelho dos foguetes, as bombas estourando no ar". O refrão da música era uma oração pedindo a graça de Deus:

*América! América!*
*Deus derrame Sua graça em ti.*
*E coroe tua bondade com fraternidade*
*De mar a mar resplandecente!*[*68]

Mas o verso sobre a graça de Deus tinha duas interpretações possíveis. Poderia ser lido como um desejo: *[May] God shed His grace on thee* [Que Deus derrame Sua graça em ti]. Ou poderia ser lido no passado, como afirmação de um fato: *God [has] shed His grace on thee* [Deus derramou Sua graça em ti].[69]

Fica evidente com o restante da letra que a poeta tinha intenção de transmitir o primeiro sentido, uma oração pedindo a graça de Deus. O verso seguinte realça isso. Não diz que Deus "coroou" tua bondade com fraternidade; expressa a esperança de que Ele fará isso.

Inevitavelmente, vários estadunidenses interpretam o verso "Deus derrame Sua graça em ti" da segunda maneira, como a afirmação de um fato. Isso reflete a vertente assertiva, em vez de aspiracional, do providencialismo estadunidense. A graça de Deus não é uma dádiva

* Original: "*America! America!/ God shed His grace on thee./ And crown thy good with brotherhood/ From sea to shining sea!*" (N. da E.)

imerecida, mas algo que merecemos e, de fato, alcançamos. "A América é grandiosa porque a América é boa".

O equilíbrio entre mérito e graça não é sustentado facilmente. Dos puritanos aos pregadores do evangelho da prosperidade, a ética da conquista e da realização exerceu um fascínio quase irresistível, sempre ameaçando se sobrepor à ética mais humilde da esperança e da oração, da gratidão e da dádiva. O mérito expulsa a graça, ou a reformula à sua própria imagem, como algo que merecemos.

Em 28 de outubro de 2001, apenas semanas após os ataques de 11 de setembro, Ray Charles, o lendário cantor de soul e músico afro-estadunidense, cego desde criança, apresentou uma interpretação eletrizante de "America the Beautiful", antes do segundo jogo da World Series [final do campeonato de baseball]. Charles era conhecido por apresentar a canção como ninguém mais sabia fazer, evocando lamento doloroso e alegria redentora. Naquela noite, como sempre fez, Charles acrescentou um *riff* que permitiu aos ouvintes concluir que a graça dos Estados Unidos não era esperança nem oração, mas fato consumado:

*América! América!*
*Deus derramou Sua graça em ti. Ó, sim, ele derramou.*
*E coroou tua bondade – tenho dúvida se tu lembras –*
*Salvando a fraternidade,*
*De mar a mar resplandecente!**[70]

Enquanto os últimos acordes ecoaram no estádio, quatro caças a jato, F-16, riscaram o céu. A pungência lamuriosa da música de Charles deu espaço para algo mais duro, menos perdoável. Eis a face assertiva da fé providencial. O arco do universo moral pode até se inclinar em direção à justiça, mas Deus ajuda àqueles que se ajudam.

* Original: "*America! America!/ God done shed His grace on thee. Oh yes he did./ And crowned thy good–I doubt you remember–saving brotherhood,/ From sea to shining sea.*" (N. da E.)

## Notas

1. "sina, s.", do original "lot, n.". *OED Online* [Dicionário Oxford online], Oxford University Press, junho, 2019, <oed.com/view/Entry/110425>.
2. Por exemplo, Jonas 1:4–16.
3. Jó 4:7. Aqui e no seguinte debate sobre Jó, sou grato ao ensaio de Moshe Halbertal "Job, the Mourner" [Jó, o enlutado]. In: Leora Batnitzky e Ilana Pardes (orgs.) *The Book of Job: Aesthetics, Ethics, and Hermeneutics* [O livro de Jó: estética, ética e hermenêutica]. Berlim: de Gruyter, 2015. p. 37–46.
4. *Ibid.*, p. 39, 44–45. Halbertal atribui essa interpretação de Jó a Maimônides. Sobre a chuva cair onde ninguém vive, veja Jó 38:25–26.
5. *Ibid.*, p. 39, 45.
6. Aqui e nos parágrafos seguintes, sou grato ao debate esclarecedor em Anthony T. Kronman, *Confessions of a Born-Again Pagan* [Confissões de um pagão renascido]. New Haven: Yale University Press, 2016, (em especial) p. 88–98, 240–71, 363–93.
7. Halbertal, "Job, the Mourner," p. 37.
8. Kronman, *Confessions of a Born-Again Pagan*, p. 240–59; J. B. Schneewind, *The Invention of Autonomy* [A invenção da autonomia]. Cambridge: Cambridge University Press, 1998, pp. 29–30.
9. Eric Nelson, *The Theology of Liberalism: Political Philosophy and the Justice of God* [A teologia do liberalismo: filosofia política e a justiça de Deus]. Cambridge, MA: Harvard University Press, 2019; Michael Axworthy, "The Revenge of Pelagius" [A vingança de Pelagius], *New Statesman*, 7 de dezembro, 2018, p. 18; Joshua Hawley, "The Age of Pelagius" [A era de Pelagius], *Christianity Today*, junho 2019. <christianitytoday.com/ct/2019/june-web-only/age-of-pelagius-joshua-hawley.html>.
10. Kronman, *Confessions of a Born-Again Pagan*, pp. 256–71; Schneewind, *The Invention of Autonomy*, p. 272.
11. Kronman, *Confessions of a Born-Again Pagan*, p. 363–81.
12. Max Weber, *The Protestant Ethic and the Spirit of Capitalism* (originalmente publicado em 1904–1905), tradução de Talcott Parsons, Nova York: Charles Scribner's Sons, 1958. [Ed. bras.: *A ética protestante e o espírito do capitalismo.* São Paulo: Companhia das Letras, 2004.]
13. *Ibid.*, p. 104.
14. *Ibid.*, pp. 109–10.
15. *Ibid.* p. 110-15.
16. *Ibid.*, p. 115.
17. *Ibid.*, p. 160.
18. *Ibid.*, p. 154, 121.

19. *Ibid.*, p. 121–22.
20. Max Weber, "The Social Psychology of the World Religions," in H. H. Gerth and C. Wright Mills (org.), *From Max Weber: Essays in Sociology*. Nova York: Oxford University Press, 1946, p. 271. Itálicos no original. [Ed. bras.: "A psicologia social das religiões mundiais". In: *Ensaios de Sociologia*. Rio de Janeiro: LTC Editora. 1982. p. 314.]
21. Jackson Lears, *Something for Nothing: Luck in America* [Algo por nada: sorte nos Estados Unidos]. Nova York: Viking, 2003, p. 34.
22. *Ibid.*
23. *Ibid.*, p. 57–62. Eclesiastes 9:11–12, citado em p. 59.
24. Lears, *Something for Nothing*, p. 60.
25. *Ibid.*, p. 76.
26. *Ibid.*
27. *Ibid.*, p. 22
28. *Ibid.*
29. John Arlidge e Philip Beresford, "Inside the Goldmine" [Dentro da mina de ouro], *The Sunday Times*. Londres, 8 de novembro, 2009.
30. Graham, citado em "Hurricane Katrina: Wrath of God?" [Furacão Katrina: ira de Deus?], *Morning Joe* [noticiário da manhã apresentado por Joe Scarborough] na NBC News, 5 de outubro, 2005. Disponível em <nbcnews.com/id/9600878/ns/msnbc-morning_joe/t/hurricane-katrina-wrath-god/#.XQZz8NNKjuQ>.
31. Robertson, citado em Dan Fletcher, "Why Is Pat Robertson Blaming Haiti?" [Por que Pat Robertson está culpando o Haiti?], *Time*, 14 de janeiro, 2010.
32. Falwell, citado em Laurie Goodstein, "After the Attacks: Finding Fault" [Depois dos ataques: em busca da culpa] *The New York Times*, 15 de setembro, 2001.
33. Devin Dwyer, "Divine Retribution? Japan Quake, Tsunami Resurface God Debate" [Reação divina? Terremoto e tsunami no Japão traz à tona o debate sobre Deus], ABC News, 18 de março, 2011. <abcnews.go.com/Politics/japan-earthquake-tsunami-divine-retribution-natural-disaster-religious/story?id=13167670>; Harry Harootunian, "Why the Japanese Don't Trust Their Government" [Por que os japoneses não confiam no governo], *Le Monde Diplomatique*, 11 de abril, 2011. <mondediplo.com/2011/04/08japantrust.>
34. Kenyon, citado em Kate Bowler, "Death, the Prosperity Gospel and Me" [Morte, o evangelho da prosperidade e eu], *The New York Times*, 13 de fevereiro, 2016. Veja também: Kate Bowler, *Blessed: A History of the American Prosperity Gospel* [Abençoados: a história do evangelho da prosperidade estadunidense], Nova York: Oxford University Press, 2013.
35. Bowler, "Death, the Prosperity Gospel and Me."
36. Osteen, citado em Bowler, *ibid.*

37. David Van Biema e Jeff Chu, "Does God Want You to Be Rich?" [Deus quer que você seja rico?] *Time*, 10 de setembro, 2006.
38. Bowler, "Death, the Prosperity Gospel and Me."
39. Bowler, *Blessed*, p. 181; dados da pesquisa em Biema e Chu, "Does God Want You to Be Rich?".
40. Bowler, *Blessed*, p. 226.
41. *Ibid.*
42. Bowler, "Death, the Prosperity Gospel and Me."
43. Veja em Vann R. Newkirk II, "The American Health Care Act's Prosperity Gospel" [O sistema de saúde estadunidense atua como evangelho da prosperidade], *The Atlantic*, 5 de maio, 2017.
44. Brooks, citado em Newkirk, *ibid.*, e em Jonathan Chait, "Republican Blurts Out That Sick People Don't Deserve Affordable Care" [Republicanos deixam escapar que pessoas doentes não merecem assistência médica acessível], *New York*, 1 de maio, 2017.
45. John Mackey, "The Whole Foods Alternative to ObamaCare" [A alternativa da Whole Foods para o Obamacare], *The Wall Street Journal*, 11 de agosto, 2009. Veja também: Chait, *ibid.*
46. Mackey, *ibid.*
47. Hillary Clinton, "Address Accepting the Presidential Nomination at the Democratic Convention in Philadelphia, Pennsylvania" [Discurso de aceitação da indicação para candidata à presidência durante a Convenção Nacional Democrata], 28 de julho, 2016. <presidency.ucsb.edu/documents/address-accepting-the-presidential-nomination-the-democratic-national-convention>.
48. Presidente Dwight D. Eisenhower, "Address at the New England 'Forward to '54' Dinner" [Discurso em New England "Jantar de preparo para '54'"], Boston, Massachusetts, 21 de setembro, 1953. <presidency.ucsb.edu/documents/address-the-new-england-forward-54-dinner-boston-massachusetts>.
49. Veja em: John Pitney, "The Tocqueville Fraud" [A fraude de Tocqueville], *The Weekly Standard*, 12 de novembro, 1995. <weeklystandard.com/john-j-pitney/the-tocqueville-fraud>.
50. Contando as variações dessa citação, Gerald R. Ford a utilizou seis vezes enquanto era presidente, Ronald Reagan utilizou dez vezes e George H. W. Bush, seis vezes. A incidência de uso foi calculada utilizando o arquivo de documentos pesquisável do *The American Presidency Project*, Universidade da Califórnia, Santa Barbara. <presidency.ucsb.edu/advanced-search>.
51. Presidente Ronald Reagan, "Remarks at the Annual Convention of the National Association of Evangelicals in Columbus, Ohio" [Discurso em convenção anual na Associação Nacional de Evangélicos em Columbus, Ohio], 6 de março, 1984.

<presidency.ucsb.edu/documents/remarks-the-annual-convention-the-national-association-evangelicals-columbus-ohio>.

52. A incidência de uso foi calculada utilizando o arquivo de documentos pesquisável do *The American Presidency Project*, Universidade da Califórnia, Santa Barbara. <presidency.ucsb.edu/advanced-search>. O arquivo inclui todos os discursos presidenciais e falas, assim como alguns discursos de campanha de candidatos à presidência que não foram eleitos. Uma pesquisa no arquivo mostra que John Kerry usou a frase pelo menos uma vez durante sua campanha em 2004, e Hillary Clinton usou a frase pelo menos sete vezes durante sua campanha em 2016.
53. Veja: Yascha Mounk, *The Age of Responsibility: Luck, Choice, and the Welfare State* [A era da responsabilidade: sorte, escolha e bem-estar social]. Cambridge, MA: Harvard University Press, 2017.
54. O primeiro presidente a utilizar a expressão foi Ronald Reagan, quando falava sobre acordo de livre-comércio com o Canadá, em 1988. <presidency.ucsb.edu/documents/remarks-the-american-coalition-for-trade-expansion-with-canada>. No entanto, alguns meses depois, durante um discurso no American Enterprise Institute, ele criticou "o lado certo da história" como "aquela expressão marxista desagradável" usada por pessoas que, nos anos 1970, queriam aceitar o domínio soviético da Europa Oriental. <presidency.ucsb.edu/documents/remarks-the-american-enterprise-institute-for-public-policy-research>. Veja, genericamente, Jay Nordlinger, "The Right Side of History" [O lado certo da história], *National Review*, 31 de março, 2011; e David A. Graham, "The Wrong Side of 'the Right Side of History'" [O lado errado do "lado certo da história"], *The Atlantic*, 21 de dezembro, 2015.
55. Presidente George W. Bush, "Remarks to Military Personnel at Fort Hood, Texas" [Comentários feitos a militares em Fort Hood, Texas], 12 de abril, 2005. <presidency.ucsb.edu/documents/remarks-military-personnel-fort-hood-texas>. Vice-presidente Richard B. Cheney, "Vice President's Remarks at a Rally for Expeditionary Strike Group One" [Comentários do vice-presidente em comício para o Grupo de Ataque Expedicionário Um] 23 de maio, 2006. <presidency.ucsb.edu/documents/vice-presidents-remarks-rally-for-expeditionary-strike-group-one>.
56. A incidência de uso foi calculada utilizando o arquivo de documentos pesquisável do *The American Presidency Project*, Universidade da Califórnia, Santa Barbara. <presidency.ucsb.edu/advanced-search>.
57. Presidente Barack Obama, "Commencement Address at the United States Military Academy in West Point, New York" [Discurso de formatura na Academia Militar dos Estados Unidos, em West Point, Nova York], 22 de maio, 2010. <presidency.ucsb.edu/documents/commencement-address-the-united-states-military-academy-west-point-new-york-2>; Obama, "Commencement Address at the United States

Air Force Academy in Colorado Springs, Colorado" [Discurso de formatura na Academia das Forças Aéreas dos Estados Unidos, em Colorado Springs, Colorado], 2 de junho, 2016. <presidency.ucsb.edu/documents/commencement-address-the-united-states-air-force-academy-colorado-springs-colorado-1>.

58. Presidente William J. Clinton, "Interview with Larry King" [Entrevista com Larry King], 20 de janeiro, 1994. <presidency.ucsb.edu/documents/interview-with-larry-king-1>; Presidente Barack Obama, "Inaugural Address" [Discurso de posse], 20 de janeiro, 2009. <presidency.ucsb.edu/documents/inaugural-address-5>.
59. Presidente Barack Obama, "The President's News Conference" [Coletiva de imprensa do presidente], 23 de junho, 2009. <presidency.ucsb.edu/documents/the-presidents-news-conference-1122>; Obama, "The President's News Conference" [Coletiva de imprensa do presidente], 11 de março, 2011. <presidency.ucsb.edu/documents/the-presidents-news-conference-1112>; Obama, "The President's News Conference" [Coletiva de imprensa do presidente], 15 de fevereiro, 2011. <presidency.ucsb.edu/documents/the-presidents-news-conference-1113>.
60. A incidência de uso foi calculada utilizando o arquivo de documentos pesquisável do *The American Presidency Project*, Universidade da Califórnia, Santa Barbara. <presidency.ucsb.edu/advanced-search>. Sobre o tapete, veja Chris Hayes, "The Idea That the Moral Universe Inherently Bends Toward Justice Is Inspiring. It's Also Wrong." [A ideia de que o universo moral naturalmente se inclina para a justiça é inspiradora. É também errada.] <nbcnews.com/think/opinion/idea-moral-universe-inherently-bends-towards-justice-inspiring-it-s-ncna859661>; e David A. Graham, "The Wrong Side of 'the Right Side of History.'"
61. Theodore Parker, *Ten Sermons of Religion* [Dez sermões religiosos], 2ª ed. Boston: Little, Brown and Company, 1855, p. 84–85.
62. Google Books Ngram Viewer. <iframe name="ngram_chart" src="https://books.google.com/ngrams/interactive_chart?content=right+side+of+history&year_start=1980&year_end=2010&corpus=15&smoothing=3&share=&direct_url=t1%3B%2Cright%20side%20of%20history%3B%2Cc0" width=900 height=500 marginwidth=0 marginheight=0 hspace=0 vspace=0 frameborder=0 scrolling=no></iframe>.
63. Presidente William J. Clinton, "Media Roundtable Interview on Nafta" [Entrevista coletiva sobre Nafta], 12 de novembro, 1993. <presidency.ucsb.edu/documents/media-roundtable-interview-nafta>; Clinton, "Remarks to the People of Germany in Berlin" [Comentários ao povo da Alemanha em Berlim], 13 de maior, 1998. <presidency.ucsb.edu/documents/remarks-the-people-germany-berlin>.
64. Presidente William J. Clinton, "Remarks at a Campaign Concert for Senator John F. Kerry in Boston" [Comentários durante show de campanha do senador John F. Kerry, em Boston], 28 de setembro, 1996. <presidency.ucsb.edu/documents/

remarks-campaign-concert-for-senator-john-f-kerry-boston>; Presidente Barack Obama, "Remarks at a Democratic National Committee Reception in San Jose, Califórnia" [Comentários em recepção do comitê nacional democrata em San José, Califórnia], 8 de maio, 2014; <presidency.ucsb.edu/documents/remarks-democratic-national-committee-reception-san-jose-California>; Obama, "Remarks on Signing an Executive Order on Lesbian, Gay, Bisexual, and Transgender Employment Discrimination" [Comentários sobre a assinatura de ordem executiva sobre discriminação no trabalho contra lésbicas, gays, bissexuais e transgêneros], 21 de julho, 2014. <presidency.ucsb.edu/documents/remarks-signing-executive-order-lesbian-gay-bisexual-and-transgender-employment>; Clinton, "Address at the Democratic National Convention in Denver, Colorado" [Discurso na convenção nacional democrata em Denver, Colorado], 27 de agosto, 2008. <presidency.ucsb.edu/documents/address-the-democratic-national-convention-denver-colorado>.

65. Presidente Barack Obama, "Remarks at a Reception Celebrating Lesbian, Gay, Bisexual, and Transgender Pride Month" [Comentários em recepção de comemoração ao mês do orgulho lésbico, gay, bissexual e transgênero], 13 de junho, 2013. <presidency.ucsb.edu/documents/remarks-reception-celebrating-lesbian-gay-bisexual-and-transgender-pride-month>.
66. Presidente Barack Obama, "Remarks at an Obama Victory Fund 2012 Fundraiser in Beverly Hills, Califórnia" [Comentários durante evento beneficente Obama Victory 2012, em Beverly Hills, Califórnia], 6 de junho, 2012. <presidency.ucsb.edu/documents/remarks-obama-victory-fund-2012-fundraiser-beverly-hills-California>.
67. Eric Westervelt, "Greatness Is Not a Given: 'America The Beautiful' Asks How We Can Do Better" [Grandiosidade não é dádiva: "América, a bela" pergunta como podemos melhorar], *National Public Radio*, 4 de abril, 2019. <npr.org/2019/04/04/709531017/america-the-beautiful-american-anthem>.
68. Katharine Lee Bates, *America the Beautiful and Other Poems* [América, a bela e outros poemas], Nova York: Thomas Y. Crowell Co., 1911, p. 3–4.
69. Veja Mark Krikorian, "God Shed His Grace on Thee" [Deus derrame Sua graça em ti], *National Review*, 6 de julho, 2011.
70. Um vídeo da apresentação de "America the Beautiful" por Ray Charles durante o World Series de 2001 está disponível em: <youtube.com/watch?v=HlHMQEegpFs>.

# Capítulo 3 A retórica da ascensão

Atualmente, enxergamos o sucesso como os puritanos enxergavam a salvação – não como uma questão de sorte ou graça, mas algo que conquistamos por meio de nosso próprio esforço e luta. Esse é o cerne da ética meritocrática. Ela exalta a liberdade – habilidade de controlar meu destino à custa de trabalho árduo – e o merecimento. Se sou responsável por ter acumulado uma porção generosa de bens mundanos – receita e riqueza, poder e prestígio –, provavelmente eu os mereço. Sucesso é sinal de virtude. Minha abundância é meu direito.

Esse modo de refletir gera poder. Incentiva as pessoas a pensar em si mesmas, como responsáveis por seu destino, não como vítimas de forças além do seu controle. Mas também tem um lado negativo. Quanto mais nos enxergamos como pessoas que vencem pelo próprio esforço e que são autossuficientes, menos provável será que nos preocupemos com o destino de quem é menos afortunado do que nós. Se meu sucesso é resultado de minhas próprias ações, o fracasso deles deve ser culpa deles. Essa lógica faz a meritocracia ser corrosiva para a comunalidade. Uma noção muito fervorosa de responsabilidade pessoal em relação ao nosso destino torna difícil nos colocarmos no lugar de outras pessoas.

Ao longo das últimas quatro décadas, pressupostos meritocráticos aprofundaram o controle sobre a vida do público em sociedades democráticas. Ainda que a desigualdade tenha sido ampliada em vastas proporções, a cultura pública reforçou a ideia de que somos responsáveis por nosso destino e merecemos o que recebemos. É quase como se os vencedores da globalização precisassem se convencer, e a todos os demais, de que aqueles empoleirados no topo e aqueles na parte inferior tivessem caído no lugar ao qual pertencem. Ou, se não, de que eles chegariam onde merecem, se pudéssemos remover barreiras injustas para a oportunidade. Discussões políticas entre partidos dominantes de centro-direita e de centro-esquerda, em décadas recentes, têm consistido em, sobretudo, debates acerca de como interpretar e implementar igualdade e oportunidade, de forma que as pessoas possam ser capazes de ascender até onde seus esforços e talentos as levarem.

## LUTAR E MERECER

A primeira vez que notei a ascensão da onda do sentimento meritocrático foi escutando meus alunos. Como professor de filosofia política em Harvard desde 1980, às vezes me perguntam como tem sido a mudança de opinião dos estudantes ao longo dos anos. Em geral, acho essa pergunta difícil de responder. Nos debates em sala de aula sobre assuntos que leciono – justiça, mercados e moral, a ética de novas tecnologias –, os alunos têm sempre verbalizado uma gama ampla de pontos de vista morais e políticos. Ainda não observei qualquer tendência decisiva, com uma exceção: desde os anos 1990 até o presente, cada vez mais estudantes parecem atraídos pela ideia de que o sucesso deles é resultado da própria ação, produto do esforço deles, algo que conquistaram. Entre os estudantes para quem leciono, essa fé meritocrática se intensificou.

Em um primeiro momento, pressupus que isso era em decorrência do fato de que atingiram a maioridade durante a era Ronald Reagan e precisaram absorver a filosofia individualista do momento. Mas esses não eram, na maioria, estudantes politicamente conservadores. Intuições meritocráticas perpassam o espectro político. Elas emergem com intensidade especial em discussões sobre ações afirmativas para admissão em universidade. Independentemente de estudantes serem contra ou a favor de políticas de ações afirmativas, a maioria expressa a convicção de que trabalharam arduamente para se qualificar para ingressar em Harvard e, portanto, mereceram a vaga. A sugestão de terem ingressado como resultado de sorte, ou de fatores além do controle deles, provoca uma resistência forte.

Não é difícil compreender o crescente sentimento meritocrático entre estudantes de faculdades seletivas. Ao longo dos últimos cinquenta anos, o ingresso em universidades de elite se tornou cada vez mais intimidador. No meio dos anos 1970, Stanford aceitou quase um terço dos candidatos que se inscreveram. No início dos anos 1980, Harvard e Stanford matricularam uma média de um candidato em cinco; em 2019, ambas aceitaram menos do que um em cada vinte. Uma vez que a competição para ingressar se intensificou, os anos de adolescência de jovens que aspiram às melhores universidades (cujos pais aspiram por eles) tornaram-se um campo de batalhas para um esforço frenético – um regime de aulas minuciosamente programado que causa muita pressão e estresse em cursos preparatórios avançados, psicólogos educacionais, instrutores para o SAT, atividades atléticas e outras extracurriculares, estágios e boas ações em terras distantes preparados para impressionar os comitês de seleção em universidades –, tudo supervisionado por superpais e supermães ansiosos em busca do melhor para filhos e filhas.

É difícil emergir desse ordálio de estresse e luta sem acreditar que você conquistou, por meio de esforço e trabalho árduo, qualquer que tenha sido seu sucesso. Isso não faz os estudantes serem egoístas e sem generosidade. Vários devotam uma quantidade enorme de tempo ao serviço público e outras obras de caridade. Mas a experiência os transforma em meritocratas convictos; como seus ancestrais puritanos, eles acreditam que merecem o sucesso conquistado por seu trabalho árduo.

A sensibilidade meritocrática que observei entre estudantes universitários não é apenas um fenômeno estadunidense. Em 2012, palestrei na Xiamen University, na costa sudeste da China. Meu tema era os limites morais dos mercados. Manchetes recentes haviam reportado a história de um adolescente chinês que vendeu um dos rins para comprar um iPhone e um iPad.[1] Perguntei aos estudantes o que pensavam sobre esse caso. Durante o debate que se seguiu, vários estudantes assumiram o ponto de vista libertário: se o adolescente concordou livremente, sem pressão ou coação, em vender seu rim, deveria ter o direito de fazê-lo. Outros discordaram, argumentando que é injusto os ricos serem capazes de prolongar a vida, comprando rins de pessoas pobres. Um estudante mais ao fundo da sala ofereceu uma resposta: por terem conquistado a saúde delas, pessoas ricas têm mérito e, portanto, merecem viver por mais tempo.

Fiquei surpreso com essa aplicação descarada do pensamento meritocrático. Em retrospecto, eu me dou conta de que é moralmente análoga à crença do evangelho da prosperidade, de que saúde e abundância são sinais da graça de Deus. Obviamente, o estudante chinês que expressou aquilo provavelmente não estava mergulhado em tradições puritanas ou providencialistas. No entanto, ele e seus colegas atingiram a maioridade enquanto a China se tornava uma sociedade de mercado.

A ideia de que pessoas que prosperam merecem o dinheiro que ganham está profundamente arraigada nas intuições morais dos estudantes que encontrei durante visitas, ao longo das últimas décadas, a várias universidades chinesas. A despeito da diferença cultural, esses estudantes chineses, assim como os meus em Harvard, são os vencedores de um processo seletivo hipercompetitivo, que se desdobra em um contexto de sociedade de mercado hipercompetitiva. Não é de se espantar que eles resistam ao pensamento de que devemos gratidão por nosso sucesso e sejam atraídos pela ideia de que conquistamos, portanto, merecemos quaisquer recompensas que o sistema oferecer por nossos esforços e talentos.

## MERCADOS E MÉRITO

Enquanto Deng Xiaoping lançava as reformas de mercado da China, no final dos anos 1970 e início dos anos 1980, Margaret Thatcher, no Reino Unido, e Ronald Reagan, nos Estados Unidos, buscavam mover a sociedade em direção a uma maior confiança nos mercados. Esse período de fé no mercado preparou o campo para a ascensão dos valores e das práticas meritocráticos nas décadas seguintes.

Sem dúvida, mercados não necessariamente se apoiam em pressupostos meritocráticos. Os argumentos mais comuns para os mercados são referentes a utilidade e liberdade. O primeiro afirma que os mercados criam incentivos que impulsionam o PIB e maximizam o bem-estar social; o segundo afirma que os mercados deixam as pessoas livres para escolherem o valor que estabelecem a bens que permutam.

Mas o triunfalismo dos anos 1980 induziu à articulação de uma terceira lógica meritocrática: desde que operem em um sistema justo, de oportunidade iguais, mercados dão às pessoas o que elas merecem. Uma vez que todas as pessoas têm chance igual para competir, os resultados do mercado recompensam o mérito.

A ética meritocrática estava implícita, às vezes, no conservadorismo de livre mercado de Thatcher e de Reagan. No entanto, alcançou sua articulação total na política das pessoas de centro-esquerda que os sucederam. Isso se deve a uma característica peculiar do argumento político de centro-esquerda, desde os anos 1990: em vez de questionar a premissa da fé no mercado de Thatcher e Reagan, políticos tais como Tony Blair e Bill Clinton aceitaram-na e buscaram suavizar suas características mais duras.

Aceitaram o conceito Reagan-Thatcher de que os mecanismos de mercado são instrumentos básicos para alcançar o bem público. Mas queriam assegurar que mercados operassem sob condições justas. Todos os cidadãos, independentemente de raça ou classe, religião ou etnia, gênero ou orientação sexual, deveriam ser capazes de competir em igualdade pelas recompensas que o mercado concede. Para os liberais de centro-esquerda, igualdade de oportunidade exigia mais do que a ausência de discriminação; ela exigia acesso à educação, assistência à saúde, cuidados infantis e outros serviços que permitem às pessoas competir efetivamente no mercado de trabalho.

Eis então o argumento do liberalismo favorável ao mercado de centro-esquerda dos anos 1990 a 2016: possibilitar que todo mundo pudesse competir em igualdade não era apenas compatível com uma sociedade de mercado, mas era também um modo de satisfazer seus princípios subjacentes. Dois desses princípios eram justiça e produtividade. Eliminar discriminação e aumentar as oportunidades tornaria os mercados mais justos, e criar uma lista mais ampla de talentos faria os mercados serem mais produtivos. (Bill Clinton com frequência lançava o argumento da equidade disfarçado de argumento da produtividade; por exemplo, quando disse: "Não podemos desperdiçar sequer uma pessoa."[2])

Mas além de igualdade e produtividade, o argumento liberal também indicou um terceiro e mais potente ideal, implícito na questão dos mercados: possibilitar às pessoas competir somente com base em esforço e talento alinharia os resultados de mercado com o mérito. Em uma sociedade onde oportunidades fossem verdadeiramente iguais, mercados dariam às pessoas as recompensas ou os castigos apropriados.

Ao longo das últimas quatro décadas, a linguagem do mérito e do merecimento tornou-se o cerne do discurso público. Um aspecto da virada meritocrática demonstra o lado duro da meritocracia. Esse aspecto encontra sua expressão nas ideias exigentes de responsabilidade pessoal que tem acompanhado tentativas de dominar no Estado de bem-estar social e transferir os riscos dos governos e empresas para indivíduos.[3] Um segundo aspecto da virada meritocrática é mais aspiracional. Encontra sua expressão no que pode ser chamado retórica da ascensão, a promessa de que as pessoas que trabalham duro e seguem as regras merecem ascender até onde seus talentos e sonhos as levarem. A retórica da responsabilidade pessoal e a retórica da ascensão, tendo animado discussões políticas em décadas recentes, no fim contribuíram para a reação populista contra a meritocracia.

## A RETÓRICA DA RESPONSABILIDADE

Nas décadas de 1980 e 1990, a retórica da responsabilidade tinha destaque em debates sobre Estado de bem-estar social. Ao longo de grande parte do século XXI, as discussões sobre o Estado de bem-estar social eram discussões sobre solidariedade, sobre o que devemos uns aos outros como cidadãos. Alguns defendiam ideias mais exigentes de solidariedade; outros, ideias mais limitadas. Desde os anos 1980, debates sobre o Estado de bem-estar social têm sido menos sobre solidariedade do que sobre até que ponto pessoas desfavorecidas são responsáveis pelo próprio infortúnio. Alguns defendem ideias mais exigentes de responsabilidade pessoal, outros, ideias mais restritivas.

Conceitos expansivos de responsabilidade pessoal são uma dica de que pressupostos meritocráticos estão em jogo. Quanto mais total for nossa responsabilidade por nosso destino, mais merecemos elogio ou culpa pelo que a vida vem a ser.

A crítica Reagan-Thatcher ao Estado de bem-estar social argumentava que pessoas deveriam ser responsabilizadas pelo próprio bem-estar, e que a comunidade devia ajuda somente àqueles cujo infortúnio não fosse própria culpa. "Jamais abandonaremos aqueles que, não por culpa própria, precisam de nossa ajuda", Reagan declarou em um "Discurso sobre o Estado da União". "Mas que possamos trabalhar para ver quantos podem ser libertados da dependência de políticas de bem-estar social transformados em pessoas autossustentáveis."[4] "Não por culpa própria" é uma expressão reveladora. Inicia como uma metáfora de generosidade; aqueles que são necessitados "não por culpa própria" têm direito a pedir a ajuda da comunidade. No entanto, como todas as atribuições de responsabilidade, isso também tem um lado duro. Se quem é vítima das circunstâncias merece nossa ajuda, quem influenciou de alguma forma o próprio infortúnio, pode-se argumentar, não merece.

Na retórica presidencial, a expressão "não por culpa própria" foi usada pela primeira vez por Calvin Coolidge e Herbert Hoover. Ela sugere uma noção rígida de responsabilidade pessoal; as pessoas para as quais a pobreza ou a saúde debilitada é consequência de escolhas ruins que fizeram não merecem ajuda do governo e deveriam ser largadas à própria sorte. Franklin D. Roosevelt empregou a expressão de tempos em tempos, no decorrer da argumentação de que pessoas demitidas do emprego durante a Grande Depressão não poderiam ser culpadas por estarem desempregadas.[5]

Ronald Reagan, em busca de reduzir o papel do governo, utilizou a expressão com mais frequência do que qualquer dos presidentes anteriores. Mas cada um de seus sucessores democratas, Bill Clinton e Barack Obama, empregou-a mais do que o dobro de vezes que Reagan.[6] Ao fazerem isso, eles, assim como Reagan, implicitamente diferenciaram os merecedores dos pobres indignos. Aqueles que lutaram devido a forças além do próprio controle mereciam a assistência do governo; aqueles responsáveis pelo infortúnio, provavelmente não.

Em 1992, Clinton fez campanha presidencial prometendo "acabar com as políticas de bem-estar social da forma como as conhecemos". Como presidente, ele associou a retórica da responsabilidade com a retórica da ascensão, evocando tanto o lado árduo quanto a face aspiracional da meritocracia. "Devemos fazer o que os Estados Unidos fazem de melhor", ele proclamou em seu primeiro discurso de posse. "Oferecer mais oportunidade para todas as pessoas e exigir delas mais responsabilidade. É hora de romper com o hábito ruim de esperar algo do governo ou uns dos outros sem dar nada."[7]

A retórica da responsabilidade e a retórica da ascensão tinham isto em comum: ambas se direcionavam para o ideal de autoconfiança e de vencer pelo próprio esforço. Nas décadas de 1980 e 1990, responsabilidade significava deixar de ser beneficiado por políticas de bem-estar social e encontrar um emprego. Oportunidade significava adquirir formação educacional e habilidades para efetivamente competir no mercado de trabalho. Se oportunidades fossem iguais, pessoas ascenderiam a partir de seus esforços e talentos, e o sucesso delas seria a medida do seu mérito. "Todos os estadunidenses não têm apenas o direito, mas a solene responsabilidade de ascender até onde os talentos concedidos por Deus e a determinação os levar", Clinton declarou. "Oportunidade e responsabilidade andam lado a lado. Não podemos ter uma sem a outra."[8]

Clinton reproduziu o argumento de Reagan de que as políticas de bem-estar social deveriam ser restritas às pessoas em necessidade "não por culpa própria". "O papel do governo", afirmou Clinton, é "criar oportunidade econômica e ajudar pessoas que, não por culpa própria, têm carregado fardos econômicos".[9] Em 1996, ele aprovou medidas de reforma das políticas de bem-estar social, contra vários colegas democratas, que exigiam "responsabilidade pessoal", requisitava aos beneficiários trabalhar e limitava o período em que poderiam receber o benefício.[10]

A nova ênfase em responsabilidade e suas implicações meritocráticas atravessaram o Atlântico. Enquanto Clinton decretava a reforma das políticas de bem-estar social em nome da "responsabilidade pessoal",

Tony Blair, que logo se tornaria primeiro-ministro da Grã-Bretanha, expressava uma mensagem semelhante: "Precisamos de um novo acordo em relação às políticas de bem-estar social para uma nova era, quando oportunidade e responsabilidade andam juntas." Blair foi explícito quanto à influência meritocrática em sua política. "O novo Partido Trabalhista está comprometido com a meritocracia", ele escreveu. "Acreditamos que as pessoas deveriam ser capazes de ascender por meio de seus talentos, não por nascimento nem por vantagens resultantes de privilégio."[11]

Poucos anos depois, na Alemanha, o chanceler Gerhard Schröder justificou a reforma das políticas de bem-estar social em termos similares:

> Com essas medidas, estamos protegendo nosso Estado de bem-estar social contra as tempestades da globalização. Ao fazer isso iremos, em todos os aspectos, precisar aumentar a responsabilidade: mais responsabilidade pessoal para nós mesmos e mais responsabilidade comum para as oportunidades de nossos filhos e filhas [...]. Em termos de políticas sociais isso significa: todo mundo tem as mesmas oportunidades. No entanto, também significa que todo mundo tem o dever de aproveitar suas oportunidades.[12]

A retórica da responsabilidade é agora tão conhecida que é fácil não perceber seu sentido peculiar, nas décadas recentes, e sua ligação com a ideia meritocrática de sucesso. Líderes políticos há muito tempo falam em responsabilidade, em geral, quando se referem aos deveres dos cidadãos para com seu país e seus concidadãos. Mas, como Yascha Mounk ressalta, responsabilidade agora se refere a "nossa responsabilidade de cuidar de nós mesmos – e sofrer as consequências, se fracassarmos". O Estado de bem-estar social tornou-se menos "mediador de responsabilidade" e mais "rastreador de responsabilidade". Limitar a elegibilidade para as políticas de bem-estar social às pessoas que estão passando por situação difícil devido à falta de sorte, em vez de mau comportamento é exemplo de tentativa de tratar as pessoas de acordo com seu mérito.[13]

## ATÉ ONDE SEUS TALENTOS LEVAREM VOCÊ

A retórica da ascensão é também novidade, de modo que consegue facilmente passar despercebida. Ideais de oportunidades iguais e mobilidade ascendente há muito tempo fazem parte do Sonho Americano. Também inspiram várias outras sociedades. A noção de que pessoas deveriam ser capazes de ascender "até onde seus talentos e o trabalho árduo as levarem" é familiar a ponto de ser clichê. Nem chega a ser controversa. Políticos dominantes com frequência a invocam. Ninguém argumenta contra.

Portanto, é surpreendente descobrir que esse slogan é relativamente novo. Somente nas últimas quatro décadas ele ficou proeminente no discurso político estadunidense. Ronald Reagan foi o primeiro presidente dos EUA a fazer dele a espinha dorsal de sua retórica política. Em sua fala na Casa Branca durante instruções a pessoas negras nomeadas para a administração, ele deixou explícita a conexão entre mérito e direito de ascensão. "Todos os estadunidenses têm o direito de serem julgados apenas com base em mérito individual", ele disse, "e de ir até onde seus sonhos e o trabalho árduo os levarem". Para Reagan, a retórica da ascensão não era apenas uma questão de superar a discriminação. Tinha várias utilidades, inclusive a argumentação a favor de corte de impostos. Impostos mais baixos iriam "derrubar as barreiras no caminho para o sucesso, para que todos os estadunidenses possam ir até onde o trabalho árduo, a habilidade, a imaginação e a criatividade os levarem".[14]

Bill Clinton adotou o slogan de Reagan e frequentemente o usou. "O Sonho Americano dentro do qual todos nós fomos criados é simples, mas potente: se você trabalhar duro e seguir as regras, você provavelmente receberá a chance de ir até onde suas habilidades, dádivas divinas, o levarem." Nos anos 2000, a retórica da ascensão havia se tornado um reflexo retórico bipartidário. Os republicanos George W. Bush, John McCain e Marco Rubio invocaram-na. Mas nenhum presidente estadunidense foi tão apegado ao slogan quanto Barack Obama, que o utilizou mais do que todos os presidentes anteriores juntos. De fato, seria possível argumentar que era o tema central de seu mandato.[15]

"Quando o assunto é educação superior" – Obama falou com um grupo de educadores na Casa Branca –, o que, ao final, importa "é ter certeza de que jovens brilhantes e motivados tenham chance de ir até onde seus talentos e a ética do trabalho e os sonhos consigam levá-los". Ele enxergava a formação educacional universitária como veículo principal de mobilidade ascendente. "Agora, como nação, não prometemos resultados iguais, mas fomos fundados na ideia de que todo mundo deveria ter uma oportunidade igual para ser bem-sucedido. Não importa quem você é, sua aparência, de onde você vem, você consegue. Essa é uma promessa essencial dos Estados Unidos. Onde você começa não deve determinar aonde você pode chegar. Então, estou feliz por todo mundo querer cursar a universidade."[16]

Em outra ocasião, Obama citou como exemplo a esposa, Michelle, que cresceu em uma família de classe trabalhadora, mas estudou em Princeton e na escola de direito de Harvard e foi capaz de ascender. "Michelle e o irmão foram capazes de obter uma formação educacional inacreditável e ir até onde os sonhos deles os levaram." Isso apoiou a crença de Obama de que "o que faz os Estados Unidos serem tão excepcionais, o que nos faz tão especiais, é essa barganha básica, essa ideia básica de que neste país, não importa sua aparência, não importa de onde você vem, não importa o seu último nome, não importa quais adversidades você possa vivenciar, neste país, se você trabalhar duro, se estiver disposto a assumir responsabilidade, você conseguirá. Você conseguirá avançar".[17]

Repetindo Reagan e Clinton, a retórica da ascensão de Obama estava direcionada à meritocracia. Enfatizava a não discriminação ("não importa sua aparência, não importa de onde você vem"), insistia no trabalho árduo e avisava aos cidadãos para "assumir responsabilidade" por si. Eis aqui a conexão entre a retórica da ascensão e a ética meritocrática: se oportunidades são verdadeiramente iguais, pessoas não somente irão ascender até onde seus talentos e o trabalho árduo as levarem, mas também o sucesso delas será resultado da própria ação, e merecerão as recompensas que chegam a elas.

## RECEBENDO O QUE VOCÊ MERECE

Essa lógica meritocrática não é meramente hipotética; ela se desenvolveu dentro da cultura pública. À medida que a retórica da ascensão se tornou proeminente, isso também ocorreu com a linguagem do mérito e do merecimento. Pense em livros e jornais. De acordo com o Google Ngram, que rastreia a frequência de palavras e expressões em livros, o uso da expressão "você merece" mais que triplicou de 1970 a 2008. No *The New York Times*, "você merece" apareceu mais do que quatro vezes mais em 2018 do que no ano em que Ronald Reagan assumiu o mandato.[18]

Algumas referências ao merecimento foram explicitamente relacionadas ao pensamento meritocrático. Por exemplo, um artigo no *New York Times* em 1988 descreveu um mercado em crescimento para fitas motivacionais com mensagens hipnóticas, subliminares, murmuradas ao som de ondas do mar. Uma dessas mensagens: "Mereço alcançar resultados melhores do que meu pai. Mereço ser bem-sucedido. Mereço alcançar meus objetivos. Mereço ser rico." No entanto, à medida que a linguagem do merecimento infundiu-se na cultura popular, ela se tornou promessa de sucesso tranquilizadora para todos os propósitos, como mostra a manchete que acompanhou uma receita recente no *New York Times*: "Você merece um frango mais suculento." (O segredo para conquistar o frango tenro que você merece? "Não o cozinhe além do tempo.")[19]

Ao mesmo tempo que a linguagem do mérito e de recompensa e castigo se tornou proeminente na vida diária, algo semelhante acontecia na filosofia acadêmica. Nas décadas de 1960 e 1970, os principais filósofos anglo-estadunidenses rejeitavam meritocracia com a justificativa de que o que as pessoas conquistavam no mercado dependia de contingência além do controle delas, tais como a exigência de talento e se os talentos são comuns ou raros. Mas já nas décadas de 1980 e 1990, um grupo influente de filósofos, talvez refletindo a "retórica da responsabilidade" prevalecente na política da época, ressuscitou o caso do mérito. Conhecidos como os "defensores da igualdade de sorte", eles argumentavam que a obrigação da sociedade de ajudar os desfavorecidos depende de descobrir quem, entre os necessitados, é responsável por seu infortúnio e quem é vítima de má sorte. Eles mantiveram a ideia de que somente aqueles que não são responsáveis por sua dificuldade merecem ajuda do governo.[20]

Entre políticos, a linguagem do mérito e do merecimento acompanhou a retórica da ascensão. Nas décadas de 1960 e 1970, presidentes dos EUA raramente tentaram influenciar o público dizendo o que mereciam. John F. Kennedy jamais usou a expressão "você merece". Isso mudou com Reagan, que utilizou "você merece" com mais frequência do que seus cinco antecessores juntos.[21] Em discurso para um grupo de líderes empresariais em 1983, por exemplo, ele disse que as pessoas que são bem-sucedidas por meio de seus próprios esforços merecem ser recompensadas.

> Esta nação não foi construída em uma fundação de inveja e ressentimento. O sonho no qual sempre acreditei é, não importa quem você seja, não importa de onde você venha, se você trabalha duro, eleva-se e alcança o sucesso, então, por Deus, você merece o prêmio dado pela vida. E tentar conquistar esse prêmio fez dos Estados Unidos a mais grandiosa nação na Terra.[22]

Depois de Reagan, "você merece" se tornou um acessório não partidário do discurso presidencial. Clinton o utilizou duas vezes mais do que Reagan; Obama, três vezes mais, em contextos desde cotidianos aos mais pomposos. Ao discursar em uma cidade que havia recebido um centro administrativo do Departamento de Defesa, que gerou empregos, Clinton disse, "Vocês receberam isso, porque vocês merecem". Em discurso para um grupo de trabalhadores de armazém, Obama declarou que "Se você realiza um dia de trabalho árduo, você merece um pagamento decente por ele". Discursando em uma faculdade pública comunitária de Ohio, ele defendeu cortes de impostos para a classe média, dizendo que "Você merece uma folga; você merece ajuda".[23]

No Reino Unido, a fé na meritocracia, verbalizada por Tony Blair nos anos 1990, continuou a estruturar a política britânica, até mesmo depois do referendo para o Brexit. Em 2016, pouco depois de se tornar primeira-ministra, Theresa May estabeleceu sua "visão para uma Grã-Bretanha verdadeiramente meritocrática". Ao falar sobre "pessoas comuns da classe trabalhadora", May declarou que "elas merecem um acordo melhor". O acordo melhor que ela ofereceu consistia em seguir princípios meritocráticos.[24]

> Quero que a Grã-Bretanha seja a grande meritocracia mundial – um país onde todas as pessoas têm chances justas de ir até onde o talento e o trabalho árduo lhes permitir [...]. Quero que a Grã-Bretanha seja um lugar onde a vantagem é baseada em mérito, não em privilégio, onde é seu talento e seu trabalho árduo o que importa, não onde você nasceu, quem são seus pais ou como é seu sotaque.[25]

Não obstante o discurso deles sobre ascensão e merecimento, a maioria dos políticos estadunidenses não fala explicitamente sobre meritocracia. Obama era uma exceção. Por exemplo, em uma entrevista com um comentarista de esporte da ESPN, ele ponderou que o que atrai pessoas para o esporte é o fato de "ser um dos poucos lugares onde a meritocracia é verdadeira. Não tem muita bobagem. No fim das contas, quem está ganhando, quem está perdendo, quem tem desempenho, quem não tem – está tudo explícito".[26]

Durante sua campanha presidencial de 2016, Hillary Clinton com frequência lançou mão da retórica da ascensão e do merecimento: "Nossa campanha é sobre a crença fundamental de que, nos Estados Unidos, todas as pessoas, não importa sua aparência, quem vocês são, quem vocês amam, devem ter a chance de ir até onde seu trabalho árduo e seus sonhos os levarem." Ela prometeu, se eleita, "fazer o possível para vocês terem as chances e oportunidades que merecem ter". Durante um comício de campanha, declarou: "Quero que isto aqui seja uma verdadeira meritocracia. Estou cansada da desigualdade. Quero que as pessoas sintam que podem avançar se trabalharem para isso."[27]

## REAÇÃO POPULISTA

Para infortúnio de Hillary Clinton, a retórica da ascensão, em 2016, havia perdido a capacidade de inspirar. Donald Trump, o candidato que a derrotou, não falou sobre mobilidade ascendente nem sobre a crença de que estadunidenses conseguem ascender até onde o talento e o trabalho árduo os levam. De acordo com o que pude concluir, Trump nunca utilizou esse slogan durante sua campanha nem durante seu mandato. Em vez disso, ele ofereceu francos discursos sobre vencedores e perdedores, e prometeu tornar os Estados Unidos grandiosos novamente. No entanto, sua visão de grandiosidade nada tinha a ver com seguir o projeto meritocrático que havia animado o discurso público estadunidense pelas quatro décadas anteriores.

De fato, há uma razão para pensar que a antipatia populista direcionada às elites meritocráticas tiveram um papel importante na eleição de Trump e no surpreendente referendo na Grã-Bretanha, no início do ano, para deixar a União Europeia. Eleições são eventos complicados, e é difícil dizer com certeza o que incentiva eleitores a votar da maneira que o fazem. Mas várias pessoas da classe trabalhadora que apoiaram Trump, o Brexit e partidos populistas em outros países pareciam menos interessadas em promessas de mobilidade ascendente do que em reafirmações de soberania nacional, identidade e orgulho. Tinham ressentimento de elites meritocráticas, especialistas e profissionais de alto escalão que haviam exaltado a globalização favorável ao mercado, colhido benefícios, entregado pessoas trabalhadoras à disciplina da competição estrangeira e que pareciam se identificar mais com elites globais do que com seus concidadãos.

Nem toda mágoa populista contra a ordem estabelecida era reação à arrogância meritocrática. Uma parte estava emaranhada em xenofobia, racismo e hostilidade contra o multiculturalismo. No entanto, a reação populista foi provocada, pelo menos em parte, pelo senso irritante de que aqueles que permaneceram no domínio, dentro da hierarquia do mérito, desdenhavam as pessoas que consideravam menos realizadas do que eles mesmos. Essa queixa populista não foi inesperada. Por décadas, elites meritocráticas entoaram o mantra de que pessoas que trabalham duro e seguem as regras conseguem ascender até onde seus talentos as levam. Não notaram que, para quem fica preso no fundo ou lutando para ficar boiando, a retórica da ascensão era menos uma promessa do que uma provocação.

Pode ter sido assim que eleitores de Trump escutaram o mantra meritocrático de Hillary Clinton. Para eles, a retórica da ascensão era mais ofensiva do que inspiradora. Isso não é porque rejeitavam as crenças meritocráticas. Ao contrário: eles acolheram a meritocracia, mas acreditavam que ela descrevia o modo como as coisas já funcionavam. Não a enxergavam como projeto inacabado que necessitava de mais ação do governo para derrubar barreiras que impedem a conquista. Isso é, em parte, porque temiam que tal intervenção favorecesse as minorias étnicas e raciais, portanto, infringindo, em vez de reivindicando, a meritocracia do modo como eles a enxergavam. Mas é também porque, tendo trabalhado arduamente para alcançar uma quantidade módica de sucesso, aceitaram o veredito duro do mercado no próprio caso e estavam dedicados a isso, moral e psicologicamente.

Uma pesquisa conduzida depois das eleições de 2016 pediu a apoiadores e oponentes de Trump que expressassem concordância ou discordância em relação a várias afirmações sobre como os Estados Unidos estavam em conformidade com os princípios meritocráticos, incluindo as seguintes: "De modo geral, a sociedade estadunidense é igualitária e justa"; "Indivíduos são pessoalmente responsáveis por sua posição na sociedade"; "Oportunidades para o avanço econômico estão disponíveis a quaisquer pessoas que têm interesse em procurá-las"; "A sociedade chegou a um ponto em que estadunidenses brancos e estadunidenses que fazem parte de minorias raciais/étnicas têm oportunidades iguais de conquista".[28] Não era de se surpreender, pessoas abastadas concordaram com essas afirmações mais prontamente do que aquelas de contextos econômicos menos favorecidos. No entanto, independentemente de classe social, apoiadores de Trump concordaram mais entre si, em relação a essas afirmações, do que os não apoiadores.[29] Os apoiadores de Trump se irritavam com a retórica da ascensão usada pelos liberais, não porque rejeitavam a meritocracia, mas porque acreditavam que ela descrevia a ordem social predominante. Eles haviam se submetido à disciplina dela, aceitaram o julgamento duro pronunciado sobre o próprio mérito e acreditavam que outras pessoas deveriam fazer o mesmo.

A tirania do mérito é resultado não só da retórica da ascensão. Ela consiste em um conjunto de comportamentos e circunstâncias, que, agrupadas, tornaram a meritocracia tóxica. Primeiro, sob condições de desigualdade desenfreada e mobilidade barrada, reiterar a mensagem de que nós somos responsáveis por nosso destino e merecemos o que recebemos corrói a solidariedade e desmoraliza pessoas deixadas para trás pela globalização. Segundo, insistir na ideia de que um diploma universitário é o principal caminho para um emprego respeitável e uma vida decente cria um preconceito credencialista que enfraquece a dignidade do trabalho e rebaixa pessoas que não chegaram à universidade; e terceiro, insistir na ideia de que problemas sociais e políticos são mais bem resolvidos por especialistas com educação de nível superior e valores neutros é presunção tecnocrática que corrompe a democracia e tira o poder de cidadãos comuns.

## VOCÊ CONSEGUE, SE TENTAR?

Quando, com frequência intensa, políticos reiteram uma verdade consagrada, há motivo para suspeitar que ela não é mais verdade. Esse é o caso com a retórica da ascensão. Não é por acidente que a retórica da ascensão estava em seu pico no momento em que a desigualdade estava alcançando proporções assustadoras. Quando o 1% mais rico recebe mais do que toda a metade inferior da população,[30] quando a receita média fica estagnada por quarenta anos,[31] a ideia de que esforço e trabalho árduo o levará longe começa a parecer vazia.

Esse vazio produz dois tipos de descontentamento. Um é a frustração que surge quando o sistema fica aquém de suas promessas meritocráticas, quando aqueles que trabalham duro e seguem as regras não conseguem avançar. O outro é o desespero, quando acreditam que a promessa meritocrática já foi cumprida e eles ficaram de fora. Esse é um descontentamento mais desmoralizante, porque sugere que, no caso das pessoas deixadas para trás, o fracasso é culpa delas.

Estadunidenses, mais do que a maioria, aderem à crença de que o trabalho árduo resulta em sucesso, que nosso destino está em nossas mãos. De acordo com pesquisas globais de opinião pública, a maioria dos estadunidenses (77%) acredita que pessoas conseguem ser bem-sucedidas se trabalharem arduamente; somente metade dos alemães pensam desse modo. Na França e no Japão, a maioria diz que trabalho árduo não é garantia de sucesso.[32]

Ao serem perguntados sobre quais fatores são "muito importantes para avançar na vida", estadunidenses, em quantidade esmagadora (73%), colocam trabalho árduo em primeiro lugar, refletindo a duradoura influência da ética protestante do trabalho. Na Alemanha, não chega à metade aqueles que consideram trabalho árduo muito importante para avançar; na França, apenas uma em quatro pessoas considera.[33]

Assim como em todas as pesquisas como essas, os comportamentos expressos pelas pessoas dependem de como a pergunta é formulada. No que diz respeito a explicar por que algumas pessoas são ricas e outras pobres, estadunidenses têm menos certeza sobre o papel do esforço do que quando a pergunta é genericamente sobre trabalho e sucesso. Quando se pergunta a eles se os ricos são ricos porque trabalham mais duro do que outros ou porque tiveram vantagens na vida, estadunidenses ficam divididos igualmente. Quando se pergunta a eles por que as pessoas são pobres, a maioria diz que é devido a circunstâncias além do controle deles; somente três em dez afirmam que pobreza é devida à falta de esforço.[34]

A crença na eficácia do trabalho como rota para o sucesso reflete a convicção mais ampla de que somos mestres de nosso destino, que nossa sorte está em nossas mãos. Estadunidenses declaram maior fé na maestria humana do que cidadãos da maioria dos outros países. A maioria dos estadunidenses (57%) discorda da afirmação "sucesso na vida é determinado, sobretudo, por forças fora de nosso controle". Em contraste, um grupo majoritário, na maioria dos demais países, inclusive na maioria dos países europeus, enxerga sucesso como sendo determinado, sobretudo, por forças fora de nosso controle.[35]

Esses pontos de vista sobre trabalho e autoajuda geram consequências para a solidariedade e para as obrigações mútuas de cidadãos. Se podemos esperar o sucesso de todas as pessoas que trabalham duro, aquelas que ficam aquém da expectativa não têm ninguém para culpar a não ser elas mesmas, e fica difícil argumentar em defesa delas. Esse é o lado duro da meritocracia.

Se aqueles que tomam uma posição no topo e aqueles que tomam uma posição na base forem totalmente responsáveis por seu destino, a posição social, portanto, refletirá o que as pessoas merecem. Os ricos são ricos graças às suas próprias ações. Se, no entanto, os membros mais afortunados da sociedade devem gratidão por seu sucesso – à sorte ou à graça de Deus, ou ao apoio da comunidade – então o pressuposto moral para o compartilhamento do destino um do outro é mais forte. É mais fácil argumentar a favor de que estamos todos juntos nisso.

Isso talvez explique por que os Estados Unidos, com sua fé vigorosa na ideia de que somos mestres de nosso próprio destino tem um Estado de bem-estar social menos generoso do que a social-democracia da Europa, cujos cidadãos são mais inclinados a atribuir as circunstâncias de vida a forças fora de seu próprio controle. Se todo mundo pode ser bem-sucedido por meio de esforço e trabalho árduo, o governo simplesmente precisa assegurar que empregos e oportunidades estejam verdadeiramente disponíveis para todas as pessoas. Políticos estadunidenses de centro-esquerda e de centro-direita talvez discordem acerca de quais políticas a igualdade de oportunidade de fato exige. No entanto, compartilham do pressuposto de que o objetivo é proporcionar a todo mundo, seja qual for o ponto de partida da pessoa na vida, uma oportunidade de ascensão. Em outras palavras, concordam que mobilidade é a resposta para desigualdade – e aqueles que ascendem terão merecido o sucesso.

Mas a fé estadunidense na habilidade para ascender por meio de esforço e força de caráter já não é compatível com a situação real. Nas décadas subsequentes à Segunda Guerra Mundial, os estadunidenses podiam esperar que seus filhos e suas filhas viveriam uma situação econômica melhor do que a que viveram. Hoje, esse já não é mais o caso. Das crianças nascidas nos anos 1940 quase todas (90%) ganharam mais do que seus pais. Das crianças nascidas nos anos 1980, apenas metade excedeu a renda dos pais.[36]

Também é mais difícil subir da pobreza para a riqueza do que a crença popular em mobilidade ascendente poderia sugerir. Das pessoas nascidas pobres nos Estados Unidos, poucas conseguem chegar ao topo. De fato, a maioria não consegue chegar à classe média. Estudos sobre mobilidade ascendente, em geral, divide a escada da renda em cinco degraus. Das pessoas nascidas no degrau inferior, apenas por volta de 4% a 7% sobe ao topo, e apenas aproximadamente um terço alcança o degrau do meio ou algum mais alto. Apesar de os número exatos variarem de um estudo a outro, poucos estadunidenses vivem a história "dos farrapos à riqueza" glorificada pelo Sonho Americano.[37]

De fato, há menos mobilidade econômica nos Estados Unidos do que em vários outros países. Vantagens e desvantagens econômicas passam de uma geração à próxima com mais frequência do que em Alemanha, Espanha, Japão, Austrália, Suécia, Canadá, Finlândia, Noruega e Dinamarca. Nos EUA e no Reino Unido, quase metade das vantagens econômicas de pais e mães com alto rendimento são passadas para filhos e filhas. Isso é mais do que a metade das vantagens em rendimentos que crianças herdam em Canadá, Finlândia, Noruega e Dinamarca (onde a mobilidade é mais alta).[38]

Acontece que crianças dinamarquesas e canadenses têm muito mais probabilidade de ascender da pobreza para a riqueza do que crianças dos EUA.[39] Segundo essas medidas, o Sonho Americano está vivo, bem e morando em Copenhagen.

O Sonho Americano está florescendo também em Beijing. Um artigo no *The New York Times* recentemente apresentou o seguinte cenário:

> Imagine que você tenha que fazer uma aposta. Há duas pessoas de 18 anos, uma na China, a outra nos Estados Unidos, ambas pobres e com poucas perspectivas. Você precisa escolher aquela com mais chance de mobilidade ascendente.
>
> Qual você escolheria?
>
> Não há muito tempo, a resposta talvez fosse fácil. Afinal, o "Sonho Americano" havia prometido um caminho até uma vida melhor para qualquer pessoa que trabalhasse arduamente.
>
> Mas hoje a resposta é surpreendente: a China ascendeu com tanta rapidez que as chances de uma pessoa melhorar a situação de vida lá excede em muito as de uma pessoa nos Estados Unidos.[40]

Devido ao crescimento econômico sem precedentes na China desde 1980, essa conclusão é menos surpreendente do que parece. Tanto ricos quanto pobres conquistaram aumento de renda na China, enquanto nos EUA, a conquista do aumento foi, sobretudo, para pessoas no topo. Apesar de os Estados Unidos ainda serem um país muito mais rico per capita do que a China, a geração de jovens chineses de hoje é mais rica do que a geração de seus pais e mães.[41]

Ainda mais surpreendente é o fato de que, de acordo com o Banco Mundial, níveis de desigualdade de renda na China são aproximadamente iguais aos dos EUA. Mais ainda, a China agora tem maior mobilidade intergeracional do que os Estados Unidos. Isso significa que nos EUA, a terra da oportunidade, o quanto você recebe está muito mais ligado a em que ponto você começou do que na China.[42]

Quando meus estudantes encontram essas conclusões, ficam perturbados. A maioria tem uma fé instintiva no excepcionalismo estadunidense, na ideia de que Estados Unidos é um lugar onde as pessoas que trabalham duro podem avançar. Essa crença na mobilidade ascendente é a resposta tradicional dos Estados Unidos para desigualdade. Sim, os EUA podem ter uma maior desigualdade de renda do que outras democracias, eles ponderam. No entanto, aqui, diferente de sociedades de classes mais rígidas da Europa, desigualdade importa menos, porque ninguém está confinado à classe onde nasceu.

Mas, uma vez que aprendem que os Estados Unidos têm mais desigualdade e menos mobilidade do que vários outros países, ficam incomodados e perplexos. Alguns têm resistência ao que os dados sobre mobilidade mostram, indicando a própria experiência de esforço e sucesso. Um estudante meu conservador, do Texas, respondeu que em sua experiência, tudo o que realmente importa é o quanto uma pessoa trabalha duro. "Todo mundo do meu ensino médio entendeu as regras", ele disse. "Se você trabalha duro na escola e se sai bem, você entra para uma universidade boa e conquista um emprego bom. Se não, você trabalha nos campos de petróleo. E assim as coisas aconteceram." Outros, enquanto se recordam de seus esforços extenuantes durante os anos de ensino médio, reconhecem as fontes de apoio que os ajudaram a alcançar o sucesso.

Alguns de meus estudantes argumentam que, mesmo o Sonho Americano estando em conflito com os fatos, é importante não espalhar essa ideia; é melhor preservar o mito para que as pessoas continuem a acreditar que é possível ascender até onde seus talentos e trabalho árduo as levarem. Isso faria do Sonho Americano o que Platão descreveu como "nobre mentira", uma crença que, apesar de inverídica, sustenta a harmonia civil induzindo cidadãos a aceitar certas desigualdades como legítimas. No caso de Platão, era o mito de que Deus forjou as pessoas com diferentes metais na alma, dando sanção divina a um arranjo em que uma classe de guardiões liderada por um rei filósofo governa a cidade.[43] Em nosso caso, seria o mito de que, nos Estados Unidos, apesar da distância considerável entre ricos e pobres, é possível até mesmo para quem está na base conseguir, se tentar.

Meus estudantes não são os únicos equivocados acerca das perspectivas de ascensão. Quando pesquisadores perguntaram a cidadãos nos Estados Unidos e na Europa qual era a probabilidade de ascender da pobreza para a riqueza no país deles, estadunidenses e europeus que responderam, em geral, erraram. No entanto, é interessante que eles erraram em sentidos opostos: estadunidenses superestimaram a chance de ascender e europeus subestimaram-na.[44]

## VER E CRER

Esses resultados revelam algo importante sobre como compreendemos acordos sociais e políticos. Enxergamos o mundo à luz de nossas esperanças e nossos medos. À primeira vista, pode parecer que as pessoas estão simplesmente mal informadas sobre a mobilidade que prevalece na sociedade a qual pertencem. Mas o interessante, o que requer interpretação, é que as percepções equivocadas têm certa configuração. Europeus, cujas sociedades são mais igualitárias e mais móveis do que nos Estados Unidos, são excessivamente pessimistas em relação à possibilidade de ascensão, enquanto estadunidenses são demasiadamente otimistas. Por que é assim?

Em ambos os casos, crenças e convicções formatam as percepções. O forte apego de estadunidenses à iniciativa individual aliado à disposição deles para aceitar desigualdade faz com que exagerem quanto à possibilidade de ascender por meio de trabalho árduo. O ceticismo dos europeus em relação à ideia de que esforço individual conquista tudo, junto com sua tolerância menor à desigualdade, faz com que subestimem a possibilidade de ascensão.

Essa tendência a enxergar o mundo através das lentes de nossos ideais e nossas expectativas deixa evidente como a promessa meritocrática pode ser desmoralizante, até mesmo humilhante, para a classe trabalhadora e para eleitores de classe média. Em face disso, eis algo intrigante: quem poderia se opor a propostas para quebrar barreiras, nivelar o campo de batalha e melhorar as oportunidades educacionais de maneira que todas as pessoas, não apenas aquelas nascidas com privilégio, pudessem ter uma chance no Sonho Americano? A retórica da ascensão não apelaria para eleitores de classe trabalhadora e classe média, que poderiam se beneficiar das oportunidades educacionais, treinamento profissional, cuidados infantis, licença para a família e outras políticas que liberais e progressistas estivessem oferecendo?

Não necessariamente. Em 2016, enquanto os efeitos desagradáveis da globalização sobre trabalhadores comuns se tornaram mais evidentes, a retórica da ascensão oferecida pelas elites liberais expressava uma sugestão dura. Mesmo diante da desigualdade em ascensão, insistiu na ideia de que somos responsáveis por nosso destino e, portanto, merecemos o sucesso ou o infortúnio que vem em nossa direção.

Esse modo de enxergar a desigualdade alimentou a arrogância meritocrática. Reforçou a crença de que as pessoas que colheram os benefícios da globalização mereciam sua recompensa e aquelas deixadas para trás mereciam sua porção mais escassa. Larry Summers, um conselheiro em economia para o presidente Obama expressou isso de forma franca: "um dos desafios em nossa sociedade é que a verdade é um tanto desequalizadora. Um dos possíveis motivos para a desigualdade ter aumentado em nossa sociedade é que pessoas estão sendo tratadas de forma mais próxima a como devem ser tratadas."[45]

Pode-se argumentar, em defesa da retórica da ascensão, que ela descreve a oportunidade de competir em termos iguais como um ideal que vale a pena buscar, não como um fato referente ao mundo onde vivemos. Mas mérito com facilidade vai além disso. Ele começa como ideal, mas aos poucos se torna afirmação de como as coisas são.

Apesar de a retórica da ascensão ser aspiracional, indicando uma promessa que ainda precisa ser resgatada, sua articulação invariavelmente se torna congratulatória: "Aqui nos Estados Unidos, todas as pessoas que trabalham duro ascendem." Assim como a maioria das retóricas potentes, ela mistura o aspiracional com o congratulatório; afirma a esperança como se fosse fato.

A retórica de Obama é um exemplo. Durante um discurso no rádio, em 2012, ele disse: "Este é um país onde não importa sua aparência nem de onde você vem, se você estiver disposto a estudar e trabalhar duro, você pode ir até onde seus talentos o levarem. Você consegue, se tentar."[46]

As pessoas escutando Obama não se equivocariam, pensando que o presidente delas estivesse descrevendo o modo como as coisas realmente aconteciam nos Estados Unidos, não oferecendo um ideal de sociedade mais igualitária, mais móvel, que ele esperava realizar. Ele discursava em tom congratulatório, elogiando os Estados Unidos por ter alcançado uma sociedade na qual o trabalho árduo, não o privilégio herdado, era a chave do sucesso.

Ainda assim, à medida que continuou, ele mudou de congratulação para aspiração: "Eu sou o presidente dos Estados Unidos hoje somente devido à chance que minha formação educacional me proporcionou, e quero que todas as crianças nos Estados Unidos tenham essa chance. É por isso que estou lutando. E enquanto eu tiver o privilégio de ser seu presidente, é por isso que continuarei lutando."[47]

Essa tendência a alternar entre fato e esperança e voltar atrás não é ato falho nem confusão filosófica, mas uma característica típica da retórica política. Isso funciona com pungência peculiar na retórica da ascensão. Sua mistura de esperança e fato turva o sentido de vencer e perder. Se meritocracia for uma aspiração, aqueles que ficam aquém podem sempre culpar o sistema; no entanto, se meritocracia for um fato, aqueles que ficam aquém são incentivados a se culparem por isso.

Em anos recentes, foram incentivados, sobretudo, a se culparem por não terem conseguido conquistar um diploma universitário. Uma das características mais irritantes da arrogância meritocrática é seu credencialismo.

## Notas

1. Evan Osnos, *Age of Ambition: Chasing Fortune, Truth, and Faith in the New China* [Era da ambição: Correndo atrás da fortuna, verdade e fé na Nova China], Nova York: Farrar, Straus and Giroux, 2014. p. 308–10.
2. Como presidente, Bill Clinton usou essa frase 21 vezes. Por exemplo: "Temos uma responsabilidade pesada de garantir que a nenhuma criança será negada essa oportunidade porque são pobres ou porque nasceram em uma região onde não há muitas oportunidades econômicas ou porque fazem parte de uma minoria racial ou de outra forma foram deixadas para trás, porque não podemos desperdiçar uma pessoa. Este é um mundo altamente competitivo que funciona a partir da energia de pessoas, e precisamos de todas as pessoas que pudermos ter." William J.

Clinton, "Remarks in San Jose, California" [Comentários em São Jose, Califórnia], 7 de agosto, 1996, *The American Presidency Project*. Disponível em: <presidency.ucsb.edu/node/223422>.

3. Veja Yascha Mounk, *The Age of Responsibility: Luck, Choice, and the Welfare State* [A era da responsabilidade: sorte, escolha e Estado de bem-estar social], Cambridge, MA: Harvard University Press, 2017; e Jacob S. Hacker, *The Great Risk Shift* [A grande transferência de risco], New York: Oxford University Press, 2006.
4. Ronald Reagan, "Address Before a Joint Session of Congress on the State of the Union" [Discurso em sessão conjunta do Congresso sobre o Estado da União], 27 de janeiro, 1987, *The American Presidency Project*. Disponível em: <presidency.ucsb.edu/node/252758>.
5. Os usos da expressão por Coolidge, Hoover, e Franklin Delano Roosevelt podem ser encontrados no *The American Presidency Project*. Disponível em: <presidency.ucsb.edu/advanced-search>.
6. Como presidente, Reagan usou a expressão "não por culpa própria" 26 vezes; Clinton usou 72 vezes; Obama, 56 vezes. Isso foi calculado pelo autor utilizando o arquivo pesquisável em *The American Presidency Project*. Disponível em: <presidency.ucsb.edu/advanced-search>.
7. William J. Clinton, "Inaugural Address" [Discurso de posse], 20 de janeiro, 1993, *The American Presidency Project*. Disponível em: <presidency.ucsb.edu/node/219347>.
8. William J. Clinton, "Address Before a Joint Session of the Congress on the State of the Union" [Discurso em sessão conjunta do Congresso sobre o Estado da União], 24 de janeiro, 1995, *The American Presidency Project*. Disponível em: <presidency.ucsb.edu/node/221902>.
9. William J. Clinton, "Remarks on Arrival at McClellan Air Force Base, Sacramento, California" [Comentários na chegada à base McClellan das Forças Aéreas, Sacramento, Califórnia], 7 de abril, 1995, *The American Presidency Project*. Disponível em: <presidency.ucsb.edu/node/220655>.
10. William J. Clinton, "Statement on Signing the Personal Responsibility and Work Opportunity Reconciliation Act of 1996" [Fala durante a assinatura do ato de reconciliação de 1996 com responsabilidade pessoal e oportunidade de trabalho], 22 de agosto, 1996, *The American Presidency Project*. Disponível em: <presidency.ucsb.edu/node/222686>.
11. Tony Blair, *New Britain: My Vision of a Young Country* [Minha visão da Inglaterra], London: Fourth Estate, 1996. p. 19, 173. Veja também p. 273, 292.
12. Gerhard Schröder, 31 de dezembro, 2002, citado em Yascha Mounk, *The Age of Responsibility: Luck, Choice, and the Welfare State*, Cambridge, MA: Harvard University Press, 2017. p. 220–21. Traduzido por Mounk. Veja também p. 1–6.

13. Mounk, *ibid.*, citado em p. 30; veja abordagem geral em p. 28–37.
14. Ronald Reagan, "Remarks at a White House Briefing for Black Administration Appointees" [Comentários durante instrução na Casa Branca para pessoas negras nomeadas para a administração], 25 de junho, 1984, *The American Presidency Project*. Disponível em: <presidency.ucsb.edu/node/260916>; Ronald Reagan, "Radio Address to the Nation on Tax Reform" [Discurso em rádio para a nação sobre reforma tributária], 25 de maio, 1985, *The American Presidency Project*. Disponível em: <presidency.ucsb.edu/node/259932>.
15. William J. Clinton, "Remarks to the Democratic Leadership Council" [Discurso para o Conselho de Liderança Democrática], 3 de dezembro, 1993, *The American Presidency Project*. Disponível em: <presidency.ucsb.edu/node/218963>; Obama utilizou alguma versão da frase cinquenta vezes durante seu mandato; Reagan, quinze vezes; Clinton, quatorze vezes; George W. Bush, três vezes; George H. W. Bush, duas vezes; Gerald Ford, uma vez; Richard Nixon, uma vez. A frase ocorreu em três declarações escritas por Nixon e em duas por Lyndon Johnson, e não aparece em declarações nem faladas nem escritas de qualquer presidente dos EUA, antes de Johnson. A incidência de uso foi calculada utilizando o arquivo de documentos pesquisável do *The American Presidency Project*, Universidade da Califórnia Santa Barbara. Disponível em: <presidency.ucsb.edu/advanced-search>.
16. Barack Obama, "Remarks at the White House College Opportunity Summit" [Comentários durante a reunião na Casa Branca sobre oportunidades universitárias], 4 de dezembro, 2014, *The American Presidency Project*. Disponível em: <presidency.ucsb.edu/node/308043>.
17. Barack Obama, "Remarks at a Campaign Rally in Austin, Texas" [Comentários durante comício de campanha, em Austin, Texas], 17 de julho, 2012, *The American Presidency Project*. Disponível em: <presidency.ucsb.edu/node/301979>.
18. Pesquisa no Google Ngram em <books.google.com/ngrams/graph?content=you+deserve&year_start=1970&year_end=2008&corpus=15&smoothing=3&share=&direct_url=t1%3B%2Cyou%20deserve%3B%2Cc0>. De acordo com o arquivo pesquisável do *The New York Times*, "you deserve" [você merece] apareceu quatorze vezes em 1981 e 69 vezes em 2018. Também demonstrou uma aumento constante por década, subindo de 111 ocorrências nos anos 1970 para 175 nos anos 1980, 228 nos anos 1990, 480 nos anos 2000 e 475 nos anos 2010 (até 31 de julho, 2019).
19. John Lofflin, "What's New in Subliminal Messages: 'I Deserve to Succeed. I Deserve to Reach My Goals. I Deserve to Be Rich'" [O que há de novo em mensagens subliminares: "Mereço ser bem-sucedido. Mereço alcançar meus objetivos. Mereço ser rico"], *The New York Times*, 20 de março, 1988. Disponível em: <nytimes.

com/1988/03/20/business/what-s-new-subliminal-messages-deserve-succeed-deserve-reach-my-goals-deserve-be.html?searchResultPosition=1>; David Tanis, "You Deserve More Succulent Chicken" [Você merece um frango mais suculento] *The New York Times*, 29 de março, 2019, <nytimes.com/2019/03/29/dining/chicken-paillard-recipe.html?searchResultPosition=1>.

20. Veja o debate de Friedrich Hayek, John Rawls, e defensores da igualdade de sorte no capítulo 3.
21. Reagan usou "you deserve" [você merece] 31 vezes, comparado com o total de 27 usos da expressão pelos presidentes Kennedy, Johnson, Nixon, Ford e Carter, de acordo com o arquivo pesquisável de discursos presidenciais em *The American Presidency Project*. Disponível em: <presidency.ucsb.edu/advanced-search>.
22. Ronald Reagan, "Remarks and a Question-and-Answer Session with Members of the Commonwealth Club of California in San Francisco" [Comentários e sessão de perguntas e respostas com membros do Commonwealth Club da Califórnia em São Francisco], 4 de março, 1983, *The American Presidency Project*. Disponível em: <presidency.ucsb.edu/node/262792>.
23. Reagan usou "você merece" 31 vezes; Clinton, 68 vezes; Obama, 104 vezes, de acordo com o arquivo pesquisável de discursos presidenciais em *The American Presidency Project*. Disponível em: <presidency.ucsb.edu/advanced-search>. William J. Clinton, "Remarks to the Community in San Bernardino, California" [Comentários para a comunidade em San Bernardino. Califórnia], 20 de maio, 1994, *The American Presidency Project*. Disponível em: <presidency.ucsb.edu/node/220148>. Barack Obama, "Remarks at the Costco Wholesale Corporation Warehouse in Lanham, Maryland" [Comentários na Costco Wholesale Corporation Warehouse em Lanham, Maryland], 29 de janeiro, 2014, *The American Presidency Project*. Disponível em: <presidency.ucsb.edu/node/305268>. Barack Obama, "Remarks at Cuyahoga Community College Western Campus in Parma, Ohio" [Comentários na faculdade pública comunitária Cuyahoga Community College, campus oeste, em Parma, Ohio], 8 de setembro, 2010, *The American Presidency Project*. Disponível em: <presidency.ucsb.edu/node/288117>.
24. Theresa May, "Britain, the Great Meritocracy: Prime Minister's Speech" [Grã-Bretanha, a grandiosa meritocracia: Discurso da primeira ministra], 9 de setembro, 2016. Disponível em: <gov.uk/government/speeches/britain-the-great-meritocracy-prime-ministers-speech>.
25. *Ibid.*
26. Barack Obama, "Interview with Bill Simmons of ESPN" [Entrevista com Bill Simmons do ESPN], 1 de março, 2012, *The American Presidency Project*. Disponível em: <presidency.ucsb.edu/node/327087>.

27. Hillary Clinton, "Remarks at the Frontline Outreach Center in Orlando, Florida" [Comentários na ONG Centro de Assistência Frontline, em Orlando, Flórida], 21 de setembro, 2016, *The American Presidency Project*. Disponível em: <presidency.ucsb.edu/node/319595>; "Remarks at Eastern Market in Detroit, Michigan" [Comentários na Eastern Market em Detroit, Michigan], 4 de novembro, 2016, *The American Presidency Project*. Disponível em: <presidency.ucsb.edu/node/319839>; "Remarks at Ohio State University in Columbus, Ohio" [Comentários na Ohio State University em Columbus, Ohio], 10 de outubro, 2016, *The American Presidency Project*. Disponível em: <presidency.ucsb.edu/node/319580>.
28. Erin A. Cech, "Rugged Meritocratists: The Role of Overt Bias and the Meritocratic Ideology in Trump Supporters' Opposition to Social Justice Efforts" [Meritocratistas rudes: o papel do preconceito explícito e da ideologia meritocrática na oposição de apoiadores de Trump a esforços por justiça social], *Socius: Sociological Research for a Dynamic World 3* [Socius: pesquisa sociológica para um mundo dinâmico 3], 1 de janeiro, 2017. p. 1–20. Disponível em: <journals.sagepub.com/doi/full/10.1177/2378023117712395>.
29. *Ibid*., p. 7–12.
30. Nos EUA, o 1% do topo recebe 20,2% na renda nacional, enquanto a metade inferior recebe 12,5%. Nos EUA, os 10% do topo recebem quase metade (47%) da receita nacional, comparado a 37% na Europa Ocidental, 41% na China e 55% no Brasil e na Índia. Thomas Piketty, Emmauel Saez e Gabriel Zucman, "Distributional National Accounts: Methods and Estimates for the United States" [Contas nacionais distributiva], *Quarterly Journal of Economics* 133, no. 2, maio, 2018, p. 575. Disponível em: <eml.berkeley.edu/~saez/PSZ2018QJE.pdf>; Alvaredo, Chancel, Piketty, Saez e Zucman, *World Inequality Report 2018* [Relatório sobre a desigualdade mundial 2018], p. 3, 83–84. Os dados referentes à distribuição de renda nos EUA e em outros países estão disponíveis também no *World Inequality Database* [Banco de dados da desigualdade mundial], <wid.world>.
31. Nos Estados Unidos, a maior parte do crescimento econômico desde 1980 tem ocorrido nos 10% do topo, cuja renda cresceu 121%; quase nada foi para a metade inferior da população, cuja renda média (aproximadamente US$16 mil) em 2014 era quase a igual, em termos reais, à de 1980. Para homens em idade para trabalhar, a renda era, em média, "em 2014 igual a de 1964, aproximadamente US$35mil. Não houve crescimento para o trabalhador médio, ao longo de meio século". Piketty, Saez e Zucman, "Distributional National Accounts," p. 557, 578, 592–93. Veja também: Thomas Piketty, *Capital in the Twenty-First Century*, Cambridge, MA: Harvard University Press, 2014, p. 297 [Ed. bra.: *O capital no século XXI*. Rio de Janeiro: Intrínseca, 2014], no qual Piketty afirma que de 1977 a 2007, os 10% mais ricos absorveram três quartos do crescimento econômico inteiro nos EUA.

32. Estadunidenses concordam em uma proporção de 77% para 20% que "a maioria das pessoas pode ser bem-sucedida, se estiverem dispostas a trabalhar duro". Alemães concordam em uma proporção de 51% para 48%. Na França e no Japão, a maioria concorda mais com a afirmação de que "trabalho árduo não é garantia de sucesso para a maioria das pessoas", em uma proporção de 54% para 46% (França) e 59% para 40% (Japão). *Pew Global Attitudes Project* [Projeto sobre comportamento global do centro de pesquisas Pew], 12 de julho, 2012. Disponível em: <pewresearch.org/global/2012/07/12/chapter-4-the-casualties-faith-in-hard-work-and-capitalism/>.
33. Dos estadunidenses, 73% dizem que trabalho árduo é "muito importante para avançar na vida", comparado a 49% dos alemães e 25% dos franceses que responderam à pesquisa. Entre as pessoas que responderam à pesquisa na Coreia do Sul e no Japão, os números foram 34% e 42% respectivamente. *Pew Research Center, Spring 2014 Global Attitudes survey* [Centro de pesquisas Pew, pesquisa sobre comportamento global, primavera 2014]], 7 de outubro, 2014. Disponível em: <pewresearch.org/global/2014/10/09/emerging-and-developing-economies-much-more-optimistic-than-rich-countries-about-the-future/inequality-05/>.
34. Quando perguntam aos estadunidenses por que pessoas são ricas, 43% respondem que elas trabalharam mais arduamente e 42% dizem que elas tiveram vantagens na vida. Quando perguntam por que pessoas são pobres, 52% falam em circunstâncias além do controle delas e 31%, falta de esforço. Democratas e republicanos diferem em sua resposta para cada uma dessas perguntas. Amina Dunn, "Partisans Are Divided over the Fairness of the U.S. Economy – and Why People Are Rich or Poor" [Partidários estão divididos em relação à justiça da economia nos EUA – e por que pessoas são ricas ou pobres], *Pew Research Center*, 4 de outubro, 2018. Disponível em: <pewresearch.org/fact-tank/2018/10/04/partisans-are-divided-over-the-fairness-of-the-u-s-economy-and-why-people-are-rich-or-poor/>.
35. Quando perguntam a eles se "sucesso na vida é determinado, sobretudo, por forças fora de nosso controle", 74% dos sul-coreanos, 67% dos alemães e 66% dos italianos concordam, comparados com apenas 40% dos estadunidenses. *Pew Research Center, Spring 2014 Global Attitudes survey*, 9 de outubro, 2014. Disponível em: <pewresearch.org/global/2014/10/09/emerging-and-developing-economies-much-more-optimistic-than-rich-countries-about-the-future/>.
36. Raj Chetty, David Grusky, Maximilian Hell, Nathaniel Hendren, Robert Manduca e Jimmy Narang, "The Fading American Dream: Trends in Absolute Income Mobility Since 1940" [O Sonho Americano desvanecendo: tendências em mobilidade de renda absoluta desde 1940], *Science* 356 (6336), 2017, p. 398–406. Disponível em: <opportunityinsights.org/paper/the-fading-american-dream/>. Ao comparar a renda de pais com a de filhos, a mudança é ainda mais severa: 95% dos homens

nascidos em 1940 ganharam mais do que o pai; apenas 41% dos homens nascidos em 1984 excederam a renda do pai.

37. De acordo com um estudo realizado pela ONG Pew Charitable Trusts, 4% dos estadunidenses nascidos no quintil inferior ascendem para o quintil superior quando adultos, 30% ascende para o quintil médio ou superior e 43% permanecem presos ao quintil inferior. "Pursuing the American Dream: Economic Mobility Across Generations" [Em busca do Sonho Americano: mobilidade econômica através das gerações], *Pew Charitable Trusts*, julho 2012, p. 6, figura 3. Disponível em: <pewtrusts.org/~/media/legacy/uploadedfiles/wwwpewtrustsorg/reports/economic_mobility/pursuingamericandreampdf.pdf>. Um estudo realizado pelo economista de Harvard Raj Chetty e seus colegas concluiu que 7,5% dos estadunidenses nascidos no quintil interior ascendem para o quintil superior, 38% ascendem para o quintil médio ou superior e 34% permanece preso à base. Raj Chetty, Nathaniel Hendren, Patrick Kline e Emmanuel Saez, "Where Is the Land of Opportunity? The Geography of Intergenerational Mobility in the United States" [Onde é a terra da oportunidade? A geografia da mobilidade intergeracional nos Estados Unidos] *Quarterly Journal of Economics*, 129, no. 4, 2014, p. 1553–623. Disponível em: <rajchetty.com/chettyfiles/mobility_geo.pdf> (figuras sobre mobilidade em p. 16 e tabela II). De acordo com um estudo realizado por Scott Winship do instituto Archbridge Institute, apenas 3% das crianças nascidas no quintil inferior conseguem subir ao quintil do topo e apenas 26% conseguem alcançar o quintil médio ou superior; 46% permanecem presos à base. Scott Winship, "Economic Mobility in America" [Mobilidade econômica nos Estados Unidos], Archbridge Institute, março 2017, p. 18, figura 3. Disponível em: <archbridgeinst.wpengine.com/wp-content/uploads/2017/04/Contemporary-levels-of-mobility-digital-version_Winship.pdf>.

38. Miles Corak, "Income Inequality, Equality of Opportunity, and Intergenerational Mobility", *Journal of Economic Perspectives*, 27, no. 3 (verão 2013), p. 79–102 (veja figura 1, p. 82). Disponível em: <pubs.aeaweb.org/doi/pdfplus/10.1257/jep.27.3.79>.
Miles Corak, "Do Poor Children Become Poor Adults? Lessons from a Cross Country Comparison of Generational Earnings Mobility," *IZA Discussion Paper*, no. 1993, março 2006 (veja tabela 1, p. 42). Disponível em: <ftp.iza.org/dp1993.pdf>. *A Broken Social Elevator? How to Promote Social Mobility*, Paris: OECD Publishing, 2018. Disponível em: <doi.org/10.1787/9789264301085-en>. O estudo da organização internacional OECD demonstra resultados semelhantes aos de Corak, exceto para a Alemanha, que, de acordo com o estudo da OECD tem menos mobilidade do que os Estados Unidos. Veja comparação entre os países na figura 4.8, p. 195.

39. Chetty *et al.*, "Where Is the Land of Opportunity?" p. 16. Veja também Julia B. Isaacs, Isabel Sawhill e Ron Haskins, *Getting Ahead or Losing Ground: Economic Mobility in America* [Avançar ou perder terreno: mobilidade econômica nos Estados Unidos], *Economic Mobility Project* [Projeto Mobilidade Econômica]: uma iniciativa da Pew Charitable Trusts, 2008. Disponível em: <pewtrusts.org//media/legacy/uploadedfiles/wwwpewtrustsorg/reports/economic_mobility/economicmobilityinamericafullpdf.pdf>. Dados sobre mobilidade nos EUA e na Dinamarca, figura 1, p. 40.
40. Javier C. Hernández e Quoctrung Bui, "The American Dream Is Alive. In China" [O Sonho Americano está vivo na China], *The New York Times*, 18 de novembro, 2018. Disponível em: <nytimes.com/interactive/2018/11/18/world/asia/china-social-mobility.html>.
41. *Ibid.*
42. *Ibid.* O banco de dados mundial comparando mobilidade intergeracional na China e nos Estados Unidos é de Ambar Narayan *et al.*, *Fair Progress?: Economic Mobility Across Generations Around the World* [Progresso justo?: mobilidade econômica através das gerações ao redor do mundo], Washington, DC: Banco Mundial, 2018, pp. 107 (figura 3.6), 140 (Map 4.1) and 141 (figura 4.2). O estudo do The World Bank está disponível em: <org/handle/10986/28428>. Um estudo da OECD demonstra a mobilidade na China como de alguma maneira menor do que nos EUA. Veja A *Broken Social Elevator? How to Promote Social Mobility*, Paris: OECD Publishing, 2018, figura 4.8, p. 195. Disponível em: <doi.org/10.1787/9789264301085-en>.
43. *The Republic of Plato*, Livro III, 414b–17b. Tradução de Allan Bloom. New York: Basic Books, 1968, p. 93–96. [Ed. bra.: A república. Tradução de Elísio Gala. Lisboa: BookBuilders, 2017].
44. Alberto Alesina, Stefanie Stantcheva e Edoardo Teso, "Intergenerational Mobility and Preferences for Redistribution" [Mobilidade intergeracional e preferências para redistribuição], *American Economic Review* 108, no. 2, fevereiro 2018, p. 521–54. Disponível em: <pubs.aeaweb.org/doi/pdfplus/10.1257/aer.20162015>.
45. Summers citado em Ron Suskind, *Confidence Men: Wall Street, Washington, and the Education of a President* [Homens de confiança: Wall Street, Washington e a educação de um presidente], New York: Harper, 2011, p. 197.
46. Presidente Barack Obama, "The President's Weekly Address" [Discurso semanal do presidente], 18 de agosto, 2012, *The American Presidency Project*. Disponível em: <presidency.ucsb.edu/node/302249>.
47. *Ibid.*

# Capítulo 4 Credencialismo: o último preconceito aceitável

Durante anos, Michael Cohen trabalhou como advogado e negociador pessoal de Donald Trump. Em fevereiro de 2019, ele testemunhou perante o Congresso. Na ocasião, entregou seu ex-patrão e revelou algumas das atividades desagradáveis que assumiu em nome de Trump, o que incluía pagar pelo silêncio de uma estrela pornô para impedi-la de expor seu caso com Trump. Durante seu depoimento, Cohen revelou também uma outra tarefa que realizou por ordens de Trump: ameaçar processar as universidades onde Trump estudou e seus diretores, se em qualquer momento tornassem públicas suas notas ou seu resultado no exame SAT.[1]

Trump, supostamente, tinha vergonha de seu histórico escolar e, aparentemente, temia que torná-lo público pudesse prejudicar sua candidatura presidencial ou, pelo menos, sua reputação. Cohen ressaltou a hipocrisia na tentativa de Trump de esconder seus registros acadêmicos. Alguns anos antes, Trump insistira que o presidente Obama tornasse público seu histórico escolar. "Ouvi dizer que ele era um estudante terrível, terrível", Trump declarou em 2011. "Como um estudante ruim chega a Columbia e depois a Harvard? [...] Que ele mostre seu histórico."[2]

A revelação de Cohen sobre sua tentativa de manter as notas e o resultado no SAT de Trump longe do público atraiu menos atenção do que seu depoimento mais lascivo sobre subornar uma estrela pornô. Mas, como sinal destes tempos, teve mais consequências. O que revelou foi o sentido dado pelo público para o credencialismo. Nos anos 2000, os resultados de uma pessoa na faculdade, ou até mesmo nos exames para ingresso à universidade, mostravam-se grandes o suficiente para lançar glória ou descrédito sobre um presidente. Donald Trump com certeza pensou assim. Primeiro tentou desonrar Obama, exigindo sua certidão de nascimento, levantando dúvida sobre sua cidadania. Quando isso falhou, direcionou a Obama o próximo insulto mais potente que pôde imaginar, lançando dúvida sobre suas credenciais meritocráticas.

## A TRANSFORMAÇÃO DE CREDENCIAIS UNIVERSITÁRIAS EM ARMA

A linha de ataque de Trump reflete sua própria insegurança. Ao longo de sua candidatura e de sua presidência, Trump com frequência contou vantagem sobre suas credenciais intelectuais. Um estudo sobre a escolha de vocabulário presidencial concluiu que a fala dele estava no nível do quarto ano do ensino fundamental, mais baixo do que qualquer presidente no último século; seu próprio secretário de Estado teria supostamente o descrito como um "estúpido", e seu secretário de Defesa disse que a compreensão dele sobre os acontecimentos mundiais era semelhante à de um estudante do quinto ou do sexto ano do ensino fundamental. Provocado por esses e outros comentários depreciativos sobre seu intelecto, Trump fez de tudo, insistindo que era uma "pessoa inteligente", aliás, de "genialidade bastante sólida". Ao perguntarem, durante sua campanha presidencial em 2016, o nome dos especialistas em políticas estrangeiras que consultava, ele respondeu: "Converso comigo mesmo, em primeiro lugar, porque tenho um cérebro muito bom e já disse muitas coisas [...]. Meu principal consultor sou eu mesmo." Ele afirmou repetidas vezes que tem um QI alto, e seus críticos, um QI baixo, insulto que ele direcionava, sobretudo, contra afro-estadunidenses.[3]

Enamorado da genética do QI, Trump com frequência ressaltou que seu tio fora professor no MIT, "um gênio acadêmico", evidência de que ele, Trump, tinha "genes bons, genes muito bons". Pouco depois de indicar a primeira composição de seu gabinete, ele afirmou: "Temos, de longe, o QI mais alto de qualquer gabinete jamais convocado!" Em um discurso para funcionários da CIA, no dia seguinte à sua posse, Trump procurou suavizar o que imaginava serem dúvidas sobre seu intelecto: "Confie em mim, eu sou, tipo, uma pessoa inteligente."[4]

Ele frequentemente sentia necessidade de lembrar o público suas credenciais, que estudou dois anos na Universidade Fordham antes de se transferir para a Universidade da Pensilvânia, onde fez graduação na Escola de Finança Wharton. Ele se vangloriava sobre ter frequentado "a universidade mais difícil de entrar, a melhor universidade do mundo [...] coisa de supergênio".[5] Durante sua campanha em 2016, reclamou que sua necessidade de citar e defender seu crédito intelectual surgiu do preconceito da mídia contra conservadores.

> Se eu fosse candidato liberal democrata, diriam que sou uma das pessoas mais inteligentes em qualquer lugar do mundo. É verdade! Mas, quando se é conservador republicano, ele tentam – ah, como eles humilham. Por isso sempre começo: "Estudei em Wharton, fui um bom estudante, estudei ali, estudei acolá, fiz isso, construí uma fortuna." Você sabe, eu tenho que informar minhas, tipo, credenciais o tempo inteiro, porque estamos um pouco em desvantagem.[6]

Apesar de incentivado por suas próprias queixas e inseguranças, a insistência repetitiva de Trump sobre ele ser "uma pessoa inteligente", independentemente do quanto soava lamentoso e cômico para seus críticos, comprovou-se uma habilidade política. Estava em consonância com os apoiadores ofendidos da classe trabalhadora que foram a comícios e que, como ele, ressentiam a arrogância meritocrática das elites. As declarações de Trump mostravam a humilhação que uma sociedade meritocrática consegue infligir. Ele tanto insultou as elites quanto implorava por seu respeito. Em um comício em estilo de campanha, em 2017, ele atacou as elites, depois afirmou estar, ele mesmo, entre elas:

> Agora, você sabe, eu era um bom estudante. Sempre escuto falar da elite. Você sabe, a elite – eles são elite? Estudei em universidades melhores do que eles. Fui um estudante melhor do que eles. Moro em um apartamento maior e mais bonito. E moro na Casa Branca também, o que é realmente bom. Eu penso – sabe o quê? Penso que somos as elites. Eles não são as elites.[7]

Trump não foi o único político a apresentar defensivas diante de questões sobre suas credenciais meritocráticas. Em 1987, durante sua primeira campanha presidencial, Joe Biden ficou ofendido quando um eleitor o pressionou para dizer em qual faculdade de direito ele estudou e qual era a posição dele em sala de aula:

> Penso que provavelmente eu tenha um QI mais alto do que você, suspeito. Estudei direito com bolsa de estudos integral – a única pessoa em minha sala que tinha uma bolsa acadêmica integral [...] e que, de fato, ficou na metade superior da minha turma. Eu fui estudante de destaque no departamento de ciências políticas no fim do ano em que me formei. Eu me formei com três diplomas de graduação e 165 créditos – só precisava ter 123 créditos – e eu teria prazer em sentar e comparar meu QI com o seu.[8]

A verificação dos fatos concluiu que a resposta de Biden estava repleta de exagero. Ele recebera uma bolsa parcial por necessidade financeira, concluiu entre os estudantes de nível mais baixo na turma, recebeu um diploma de graduação, não três (mas o seu diploma era duplo), e assim por diante.[9] No entanto, o impressionante não é que políticos aumentem suas credenciais universitárias, mas que sintam necessidade de fazer isso.

Até mesmo aqueles cujas credenciais meritocráticas não são duvidosas algumas vezes as invocam com automoralismo defensivo. Considere a audiência de confirmação no Senado, em 2018, para Brett Kavanaugh, indicado por Trump (e posteriormente confirmado) para integrar a Suprema Corte dos EUA. O processo já estava adiantado, e a confirmação de Kavanaugh foi colocada em dúvida quando uma mulher o acusou de a ter assediado sexualmente em uma festa durante o ensino médio.

Quando senadores o questionaram sobre o suposto assédio sexual ao estar embriagado, Kavanaugh não apenas negou a acusação como também apresentou uma defesa meritocrática estranhamente absurda, descrevendo o quão dedicado foi durante o ensino médio, como conquistou o ingresso na Universidade de Yale e, em seguida, na faculdade de direito de Yale.

No anuário, ao lhe perguntarem sobre supostas referências à bebida e exploração sexual, ele respondeu: "Eu estava academicamente no topo da minha turma, ralei muito na escola. Fui capitão do principal time de basquete. Entrei para a Universidade de Yale. Quando entrei para a Universidade de Yale, entrei para a faculdade de direito de Yale [...]. Essa é a faculdade de direito número um no país. Eu não tinha conexões lá. Cheguei lá ralando muito na faculdade."[10]

As credenciais meritocráticas de Kavanaugh não foram questionadas. É difícil compreender a relevância delas para a pergunta sobre ele, aos dezoito anos, ter se embriagado e assediado sexualmente uma jovem durante uma festa. Mas em 2018, o credencialismo havia se tornado base para julgamento tão difundida que serviu como um tipo de retórica de credibilidade para todo os propósitos, utilizada em combates morais e políticos muito além das cercas do campus.

A transformação de credenciais universitárias em arma demonstra como o mérito pode se tornar uma espécie de tirania. Vale a pena fazer uma reconstrução de como isso ocorreu. A era da globalização trouxe desigualdade ampla e salários estagnados para a classe trabalhadora. Nos EUA, os 10% mais ricos receberam a maior parte dos ganhos, e a metade inferior não recebeu praticamente nada. Partidos liberais e progressistas dos anos 1990 e dos anos 2000 não abordaram diretamente essa desigualdade, buscando uma reforma estrutural da economia. Em vez disso, acolheram a globalização favorável ao mercado e abordaram os benefícios desiguais resultantes dela, buscando mais igualdade de oportunidade.

Esse era o propósito da retórica da ascensão. Se as barreiras contra a realização pudessem ser destruídas, todo mundo teria uma chance igual de alcançar o sucesso; independentemente de raça, classe ou gênero, as pessoas poderiam ascender até onde o talento e o esforço as levassem. E se as oportunidades fossem verdadeiramente iguais, seria possível dizer que as pessoas que subiram mais alto mereceram seu sucesso e as recompensas que ele traz. Essa era a promessa meritocrática. Não era uma promessa de igualdade maior, mas uma promessa de mobilidade maior e mais justa. Aceitava que os degraus na escada da renda ficavam cada vez mais distantes uns dos outros e oferecia ajuda às pessoas para competirem de forma mais justa e subirem os degraus.

É fácil enxergar por que algumas pessoas pensam que esse projeto político não é de forma alguma inspirador, sobretudo, para partidos políticos que já foram dedicados a visões mais exigentes de justiça e de bem comum. Mas deixe de lado, por ora, a questão acerca do ideal meritocrático ser uma base adequada para uma sociedade justa e considere os comportamentos voltados para o sucesso e o fracasso que ele promove.

## EDUCAÇÃO COMO RESPOSTA PARA A DESIGUALDADE

As pessoas que acolheram o projeto meritocrático sabiam que a verdadeira igualdade de oportunidade exigia mais do que eliminar a discriminação. Exigia nivelar o campo de batalha, de tal maneira que indivíduos de todos os contextos sociais e econômicos pudessem se preparar para efetivamente competir em uma economia global fundamentada no conhecimento. Isso fez com que os partidos dominantes dos anos 1990 e dos anos 2000 fizessem da educação a peça central em sua resposta para a desigualdade, os salários estagnados e a perda de empregos na indústria. "Pense em todos os problemas, todos os desafios que encaramos", disse George H. W. Bush, em 1991. "A solução para cada um começa com educação." Na Grã-Bretanha, Tony Blair, preparando sua agenda centro-reformista para o Partido Trabalhista em 1996, expressou enfaticamente: "Pergunte quais minhas três principais prioridades para o governo e eu lhe direi: educação, educação e educação."[11]

Bill Clinton expressou a importância da educação e sua conexão com empregos por meio de um par de versos rimados: "O que você pode vir a merecer depende do que você consegue aprender." Na nova era da competição global, ele argumentou, trabalhadores sem diploma universitário batalhariam para encontrar bons empregos com salários decentes. "Pensamos que todo mundo deveria ser capaz de ir para a faculdade, porque o que você pode vir a merecer depende do que você consegue aprender." Clinton usou esse par de versos em discursos e comentários mais do que trinta vezes durante seu mandato presidencial. Refletia o senso comum da época e tinha apelo bipartidário. O senador John McCain, um republicano, com frequência os utilizou durante sua campanha presidencial em 2008.[12]

Barack Obama também enxergava a educação superior como solução para os infortúnios econômicos de trabalhadores estadunidenses. "Antigamente", disse ele ao público, em uma faculdade de tecnologia no Brooklyn, "se você estivesse disposto a trabalhar duro, você não precisava, necessariamente, de uma formação educacional excelente".[13]

> Se você tivesse apenas feito o ensino médio, você talvez conseguisse um emprego em uma fábrica ou no distrito têxtil. Ou talvez você fosse capaz de simplesmente conseguir um emprego que o permitisse receber salários, acompanhar o ritmo de pessoas que tiveram a chance de ir para a faculdade. Mas aqueles dias acabaram, e aqueles dias não voltarão.
>
> Vivemos em uma economia global do século XXI. E em uma economia global, empregos podem ir para qualquer lugar. As empresas estão à procura das pessoas com melhor formação educacional, onde quer que elas morem [...]. Agora, há bilhões de pessoas de Beijing a Bangalore, a Moscou, todas as quais estão competindo diretamente com você [...]. Se você não tem uma formação educacional boa, será difícil encontrar um emprego que pague um salário suficiente para viver.[14]

Depois de dar essa dura notícia sobre a competição global, Obama garantiu à sua plateia que mais educação era a solução e concluiu com uma interpretação otimista da retórica da ascensão: ele continuaria a lutar "para garantir que não importa quem você é, de onde você vem, a aparência que você tem, este país sempre será um lugar onde você conseguirá, se tentar".[15]

Eis então o argumento básico da política liberal e progressista nas décadas que levaram ao Brexit, a Trump e à revolta populista: a economia global, como se já esperado, de alguma maneira veio até nós e chegou para ficar. A questão política central não era como reconfigurá-la, mas como se adaptar a ela e como suavizar seu efeito devastador nas perspectivas de salário e emprego de trabalhadores que estão fora do agradável círculo das profissões de elite.

A resposta: melhore as credenciais de formação educacional dos trabalhadores para eles também conseguirem "competir e ganhar na economia global". Se igualdade de oportunidade era o projeto moral e político principal, expandir o acesso à educação superior era a principal necessidade política.

Próximo ao fim da era Clinton-Obama, alguns comentaristas, em geral favoráveis ao Partido Democrata, questionaram o liberalismo meritocrático que passou a defini-la – o apoio à globalização, a valorização de um diploma universitário e a convicção de que a pessoa com talento e boas credenciais merecia chegar ao topo. Christopher Hayes, autor e apresentador de um programa de televisão no canal MSNBC, observou que nos anos recentes a esquerda conquistou seus maiores sucessos em questões que envolviam "fazer a meritocracia mais meritocrática", tal como combater a discriminação racial, incluir mulheres no contexto da educação superior e avançar com os direitos para pessoas LGBTQ. Mas falhou em áreas "que estão fora do alcance da meritocracia", por exemplo, "mitigar a crescente desigualdade de renda".[16]

> Dentro de um modelo de sistema que busca oportunidades iguais em vez de qualquer imagem de igualdade nos resultados, é inevitável que seja exigido do sistema de educação fazer o serviço pesado [...]. E à medida que a desigualdade aumenta de forma constante, exigimos mais e mais do sistema educacional, buscando-o como expiação dos outros pecados da sociedade.[17]

Thomas Frank, um autor com sensibilidades populistas, criticou o foco dos liberais em educação como remédio para desigualdade: "Para a classe liberal, qualquer problema econômico grande é, na verdade, um problema de educação, um fracasso dos perdedores em aprender as habilidades certas e obter as credenciais que todo mundo sabe serem necessárias na sociedade do futuro." Frank achou essa resposta para a desigualdade inaceitável e egocêntrica:

> De modo algum isso é de fato uma resposta; é um julgamento moral feito de cima para baixo por pessoas bem-sucedidas, a partir do ponto de vista do sucesso delas. A classe média alta é definida por sua conquista educacional e, sempre que dizem ao país que o necessário é mais formação educacional, estão dizendo: desigualdade não é um fracasso do sistema; é um fracasso seu.[18]

Frank argumentou que toda a conversa sobre educação impediu os democratas de pensarem com clareza sobre as políticas que conduziram à desigualdade. Observando que a produtividade subiu durante as décadas de 1980 e 1990, mas os salários não, ele duvidava que a desigualdade fosse devido principalmente ao fracasso da educação. "O problema real era de força de trabalho inadequada, não de inteligência inadequada do trabalhador. As pessoas que produziam estavam perdendo a possibilidade de exigir uma parte no que faziam. Os donos estavam tomando cada vez mais para eles." Não conseguir enxergar isso levou democratas a "ignorar o que estava acontecendo na economia real – do poder do monopólio à financeirização das relações trabalhistas – favorecendo uma fantasia moral que exigia deles confrontar ninguém".[19]

A menção que Frank fez a "julgamento moral feito de cima para baixo por pessoas bem-sucedidas" tocou em algo importante. Incentivar mais pessoas a fazerem faculdade é uma coisa boa. Tornar a universidade mais acessível às pessoas com meios mais modestos é ainda melhor. No entanto, como solução para a desigualdade e para a situação difícil de trabalhadores que tiveram prejuízo durante as décadas de globalização, o foco exclusivamente voltado para a educação teve um efeito colateral prejudicial: a corrosão da estima social das pessoas que não fizeram faculdade.

Isso ocorreu de duas maneiras, ambas relacionadas a comportamentos que corroem a dignidade do trabalho e da classe trabalhadora. Primeiro, a maioria dos estadunidenses não tem diploma universitário. Para quem vive o dia a dia na companhia dos profissionais gerenciais de classe média alta, isso pode ser uma surpresa. Apesar de a quantidade de formaturas ter aumentado nas décadas recentes, apenas aproximadamente um em cada três estadunidenses adultos se formou em um curso universitário de quatro anos.[20] Quando elites meritocráticas colocam sucesso e fracasso tão próximos da habilidade de uma pessoa em conquistar um diploma universitário, de forma implícita culpam quem não tem diploma por estar em condições difíceis na economia global. Além disso, se livram da responsabilidade de promover políticas econômicas que elevam a média de salário que um diploma universitário controla.

Segundo, quando dizem a trabalhadores que suas dificuldades são consequência de sua formação educacional inadequada, meritocratas moralizam sucesso e fracasso e inconscientemente promovem o credencialismo – um preconceito insidioso contra quem não fez faculdade.

O preconceito credencialista é sintoma da arrogância meritocrática. Uma vez que os pressupostos meritocráticos enrijeceram nas últimas décadas, as elites adquiriram o hábito de desprezar quem não ascende. A constante exigência para que trabalhadores e trabalhadoras melhorem sua condição por meio de um diploma universitário, ainda que bem-intencionada, no fim das contas valoriza o credencialismo e enfraquece o reconhecimento e a estima social para as pessoas que não têm as credenciais que o sistema recompensa.

## OS MELHORES E MAIS BRILHANTES

Obama foi símbolo do pensamento meritocrático que no início dos anos 2000 tornou-se senso comum da classe média alta e profissionais de alto escalão. Conforme Jonathan Alter escreveu, "até certo ponto, Obama trouxe a ideia de que profissionais de alta qualidade passaram por um processo de seleção justo, o mesmo processo que deu a Michelle e a ele o impulso para chegar na Ivy League e, portanto, de alguma maneira mereceram o status elevado."[21]

Em um livro-crônica sobre o primeiro ano de mandato de Obama, Alter observou que um quarto de seus nomeados tinham alguma conexão (como ex-aluno ou professor) com Harvard, e mais de 90% dos primeiros nomeados tinham diplomas de nível avançado. "A fé de Obama está na ascensão. Porque ele mesmo foi produto da meritocracia da grandiosa América pós-guerra, ele jamais conseguiu evitar totalmente enxergar o mundo a partir da escada do status que ele ascendeu."[22]

O gosto de Obama pelos altamente credenciados persistiu por todo seu mandato. No meio de seu segundo mandato, dois terços dos nomeados para seu gabinete estudaram em uma universidade da Ivy League e treze de 21 estudaram em Harvard ou Yale. Todos, exceto três, tinham diploma de nível avançado.[23]

Ter pessoas com formação educacional boa no governo é, em geral, desejável, desde que elas tenham bom julgamento e sejam compreensíveis em relação à vida de pessoas trabalhadoras – o que Aristóteles chamou de sabedoria prática e virtude cívica. No entanto, a história mostra pouca conexão entre credenciais acadêmicas de prestígio e sabedoria pragmática ou instinto para o bem comum no aqui e no agora. Um dos exemplos desastrosos de credencialismo que deu errado foi descrito por David Halberstam no clássico livro *The Best and the Brightest* [Os melhores e mais brilhantes]. Ele mostra como John F. Kennedy montou uma equipe com credenciais brilhantes que, com todo seu brilhantismo tecnocrático, levou os Estados Unidos para a insensatez da guerra do Vietnã.[24]

Alter enxergou uma semelhança entre a equipe de Kennedy e a de Obama, que "compartilhavam da Ivy League e de certa arrogância e distanciamento em relação à vida diária da maioria dos estadunidenses".[25] O que aconteceu foi que os conselheiros de Obama contribuíram com uma insensatez própria, menos letal do que Vietnã, mas ainda assim consequente para a configuração da política estadunidense. Insistindo em uma resposta para a crise financeira que fosse favorável a Wall Street, eles salvaram os bancos da falência sem os responsabilizar, desacreditaram o Partido Democrata aos olhos de várias pessoas trabalhadoras e ajudaram a preparar o caminho para o Trump.

O fracasso do julgamento político não estava desconectado da arrogância meritocrática. Frank descreve uma "visão amplamente compartilhada, entre democratas, de que Wall Street é um lugar de enorme prestígio meritocrático, em nível equivalente a uma pós-graduação de alta qualidade."[26]

> Obama cedeu a Wall Street de variadas maneiras porque investimento bancário significa status profissional como quase nada mais. Para as pessoas interessadas em conquistas e que estavam no governo, banqueiros de investimentos eram mais do que amigos – eram colegas de profissão; pessoas sutis, de jargão sofisticado e de uma extraordinária capacidade para inovação.[27]

Frank argumenta que esse respeito inconsciente por banqueiros de investimentos "cegou os democratas para os problemas dos megabancos, para a necessidade de uma mudança estrutural e para a epidemia de fraude que varreu o negócio". Ele cita Neil Barofsky, um ex-promotor de justiça que serviu de cão de guarda do governo no resgate dos bancos e que escreveu um livro contundente sobre o que viu. O título e o subtítulo do livro transmitem a conclusão dele: *Bailout: An Inside Account of How Washington Abandoned Main Street While Rescuing Wall Street.* [Resgate: um relato de dentro sobre como Washington abandonou a Main Street enquanto socorria Wall Street].[28]

Ainda que seja verdade o fato de que executivos de Wall Street tenham sido doadores generosos da campanha de Obama, o tratamento gentil de seu governo à indústria financeira não foi apenas uma retribuição política. Barofsky sugere uma explicação meritocrática mais ampla – a crença entre legisladores de que banqueiros de investimentos com boas credenciais mereciam a quantidade massiva de dinheiro que recebiam.

> A ideia fictícia de Wall Street sobre certos executivos financeiros serem super-homens dotados de características sobrenaturais que mereciam cada centavo do impressionante salário e das bonificações estava muito arraigada na psiquê do Tesouro Nacional. A despeito de a crise financeira ter demonstrado o quão prosaico o trabalho desses executivos acabou sendo, essa crença persistiu no Tesouro Nacional por diferentes governos. Se um executivo de Wall Street fosse contratado para receber um bônus de retenção no valor de US$ 6,4 milhões, o pressuposto era de que ele provavelmente o merecia.[29]

Além do papel que talvez tenha desempenhado na legislação, o credencialismo se infiltrou no modo de expressão dos democratas nas décadas de 1990 e 2000, e de repente reconfigurou os termos do discurso público. Em todas as eras, políticos e formadores de opinião, publicitários e anunciantes, buscam uma linguagem de julgamento e avaliação que, esperam, irá persuadir. Essa retórica, de modo geral, baseia-se em valores opostos: justo *versus* injusto, livre *versus* não livre, progressivo *versus* reacionário, forte *versus* fraco, aberto *versus* fechado. Em décadas recentes, à medida que modos meritocráticos de pensamento ascenderam, os valores opostos predominantes passaram a ser inteligente *versus* burro.

Até recentemente, o adjetivo "inteligente" descrevia, sobretudo, pessoas. Em inglês americano, chamar uma pessoa de "*smart*" [inteligente] é elogiar sua inteligência. (No inglês britânico "*clever*" transmite esse sentido.) Com o despontar da era digital, "*smart*" passou a descrever coisas – aparelhos e máquinas de tecnologia avançada, tais como "*smart cars*" [carros inteligentes], "*smartphones*" [telefones inteligentes], "*smart bombs*" [bombas inteligentes], "*smart thermostats*" [termostatos inteligentes], "*smart toasters*" [torradeiras inteligentes], e assim por diante. Mas a era digital chegou em parceria com a era da meritocracia; portanto, não é surpreendente que "inteligente" também tenha vindo para descrever modos de governar.

## A COISA INTELIGENTE A SE FAZER

Antes da década de 1980, os presidentes dos Estados Unidos raramente usavam a palavra "*smart*", e quando usavam, em geral era no sentido tradicional. (O povo estadunidense é inteligente.) George H. W. Bush começou a usar a palavra em seu novo sentido, o da era digital. Ele falava em "*smart cars*", "*smart freeways*" [autoestradas inteligentes], "*smart weapons*" [armas inteligentes], "*smart schools*" [escolas inteligentes]. O uso da palavra "*smart*" na retórica presidencial explodiu com Bill Clinton e George W. Bush, cada um a utilizou mais de 450 vezes. Obama a usou mais de 900 vezes.[30]

A mesma tendência pode ser vista em linguagem geral. Em livros, o aumento do uso da palavra "*smart*" foi constante de 1975 a 2008, praticamente triplicou; o uso da palavra "*stupid*" [estúpido] dobrou. No *The New York Times*, a palavra "*smart*" apareceu quatro vezes mais de 1980 a 2000, e em 2018 quase dobrou novamente.[31]

Como medida da influência da meritocracia na mente do público, a crescente frequência do uso da palavra "*smart*" é menos reveladora do que sua mudança de sentido. "*Smart*" não só se referia a sistemas digitais e aparelhos; a palavra cada vez mais se tornou um termo genérico para elogio, e um modo de argumentar a favor de uma política em vez de outra. Como valores opostos, "*smart*" *versus* "*dumb*" [inteligente *versus* burro] começou a deslocar contrastes éticos e ideológicos, tais como "justo *versus* injusto" ou "certo *versus* errado". Tanto Clinton quanto Obama com frequência argumentaram que sua política favorita era "não apenas a coisa certa a se fazer, é a coisa inteligente a se fazer". Esse vício de linguagem sugeria que, em uma era meritocrática, ser inteligente tinha peso persuasivo maior do que estar certo.

"Lutar contra a Aids no mundo inteiro não é apenas a coisa certa a se fazer; é a coisa inteligente", Clinton garantiu ao público estadunidense. "Em nosso mundo tão fortemente conectado, doenças infecciosas em qualquer lugar são uma ameaça para a saúde pública em todos os lugares." Adicionar um benefício para medicamentos prescritos no Medicare [programa federal de seguro saúde] não foi "apenas a coisa certa a se fazer, em termos médicos, é a coisa inteligente a se fazer". Aumentar o salário mínimo não foi "apenas a coisa certa a se fazer para famílias trabalhadoras, é a coisa inteligente a se fazer para nossa economia".[32]

Empregando a mesma expressão, Obama declarou que "proporcionar poder à mulher não é apenas a coisa certa a se fazer, é a coisa inteligente a se fazer. Quando as mulheres obtêm sucesso, nações ficam mais seguras e mais prósperas". Em discurso na Assembleia Geral da ONU, ele falou o mesmo sobre a ajuda ao desenvolvimento: "Não é apenas a coisa certa a se fazer, é a coisa inteligente a se fazer." Obama lançou esse apelo duplo à ética e à inteligência em questões que variam de reforma imigratória a aumento do seguro desemprego.[33]

A "coisa inteligente a se fazer" sempre indicou uma razão prudente ou de interesse próprio que não dependia de considerações morais. Clinton e Obama não foram, obviamente, os primeiros líderes políticos a apoiar argumentos morais com argumentos prudentes; o impressionante é que os comentários prudentes eram então uma questão de ser "inteligente".

Defender a política de uma pessoa como inteligente em vez de burra está muito próximo de modos credencialistas de falar sobre pessoas. Quando Hillary Clinton, recentemente nomeada secretária de Estado, anunciou seus representantes do Departamento de Estado, deixou explícita essa conexão: "Em meu juramento perante o Comitê do Senado para Relações Exteriores, falei sobre o uso de poder inteligente. No centro do poder inteligente estão pessoas inteligentes, e esses indivíduos talentosos estão entre os mais inteligentes que eu conheço."[34]

Em um tempo de intenso partidarismo, a linguagem de inteligente e burro tem um apelo compreensível; parece oferecer um refúgio do combate ideológico, um modo de argumentação política que se afasta da controvérsia moral e busca consenso com base no que é inteligente, sensível, prudente. Obama era atraído por esse modo de pensar e de falar aparentemente não partidário, meritocrático. Sobre questões relacionadas à igualdade de raça, etnia e gênero, Obama usou argumentos morais eloquentes, entusiasmados. Mas quando o assunto era relações exteriores ou política econômica, ele instintivamente buscava a linguagem não ideológica de inteligente *versus* burro.

O discurso mais importante no início de sua carreira política foi em 2002, quando, como senador do estado de Illinois, ele declarou sua oposição à guerra do Iraque. Foi essa postura que, seis anos depois, o diferenciaria de Hillary Clinton e ajudaria a impulsionar sua nomeação à presidência pelo partido. Mesmo antes de ascender à política em nível nacional, Obama enxergava escolhas políticas em termos de inteligente *versus* burra. "Eu não sou contrário a todas as guerras", o jovem senador disse no comício antiguerra em Chicago. "Eu me oponho à guerra burra."[35]

Quando, durante seu segundo mandato na presidência, pediram a Obama para verbalizar sua doutrina de política exterior, ele a resumiu em uma única frase direta: "Não fazer merda estúpida."[36]

Quando Obama se viu em desacordo com republicanos, em 2013, sobre como reduzir o déficit do orçamento enquanto evitava cortes automáticos de gastos gerais, novamente recorreu à linguagem de inteligente *versus* burro. "Há uma forma sensível de fazer as coisas", ele disse a construtores navais na Virgínia. Em uma coletiva de imprensa alguns dias depois, ele disse: "Não deveríamos fazer uma série de cortes burros e arbitrários." Em vez disso, defendeu "cortes inteligentes de custos" e "reforma inteligente de direitos".[37]

Obama insistiu que as medidas para cortes inteligentes de custos e aumento inteligente de renda que ele defendeu eram medidas sensíveis, não partidárias, que deveriam ficar isentas de disputas ideológicas. "Eu não penso que isso seja partidário. É o tipo de abordagem que propus durante dois anos. Foi baseada nela que concorri às eleições ano passado."[38] Ele não explicou como uma política que, segundo ele, foi base de sua campanha presidencial poderia ser considerada não partidária.

## O DESPREZO DAS ELITES

As elites pareciam desatentas não apenas em relação ao caráter partidário de suas políticas "inteligentes", mas também em relação aos comportamentos arrogantes que suas falas sobre "inteligente" e "burro" expressavam. Em 2016, várias pessoas da classe trabalhadora se irritaram com a sensação de que as elites com boa formação educacional os desprezavam com condescendência. Essa queixa, que irrompeu na reação populista contra as elites, não veio sem aviso prévio. As pesquisas comprovam o que vários eleitores da classe trabalhadora sentiam: em uma época quando o racismo e o sexismo não são mais favorecidos (desacreditados, mas não eliminados), o credencialismo é o último preconceito aceitável. Nos Estados Unidos e na Europa, o desdém por pessoas com formação educacional fraca é mais proeminente, ou pelo menos mais imediatamente reconhecido, do que o preconceito contra outros grupos desfavorecidos.

Em uma série de pesquisas conduzidas no Reino Unido, nos Países Baixos e na Bélgica, uma equipe de psicólogos sociais concluiu que participantes com formação universitária têm mais preconceito contra pessoas com menos formação educacional do que têm contra outros grupos desfavorecidos. Os pesquisadores investigaram os comportamentos de pessoas de origem europeia com boa formação educacional direcionados a pessoas que, em geral, são vítimas de discriminação – muçulmanos, pessoas de ascendência turca que moram na Europa Ocidental, pessoas que são pobres, obesas, cegas ou com menor formação educacional. Concluíram que aquelas com formação educacional fraca eram as pessoas menos apreciadas.[39]

Em um estudo semelhante conduzido nos Estados Unidos, os pesquisadores ofereceram uma lista revisada de grupos desfavorecidos, incluindo afro-estadunidenses, classe trabalhadora e pessoas que são pobres, obesas e com menor formação educacional. Os participantes estadunidenses também elencaram pessoas com menor formação educacional na base.[40]

Além de demonstrar as visões depreciativas que as elites com formação universitária têm de pessoas com menor formação educacional, os autores do estudo oferecem várias conclusões intrigantes. Primeiro, questionam a noção familiar de que elites com formação educacional são mais moralmente eruditas do que pessoas com menor formação educacional e, portanto, mais tolerantes. Os autores concluem que elites com boa formação educacional não são menos preconceituosas do que pessoas com menor formação educacional; "ao contrário, é que os alvos de preconceito são diferentes". Ademais, as elites não se sentem constrangidas com seus preconceitos. Talvez condenem racismo e sexismo, mas não se arrependem dos comportamentos negativos direcionados a pessoas com menor formação educacional.[41]

Segundo, o motivo para essa falta de constrangimento está relacionado à ênfase meritocrática em responsabilidade individual. As elites não gostam de pessoas com menor formação educacional mais do que desgostam de pessoas pobres ou que sejam da classe trabalhadora, porque consideram pobreza e status social, pelo menos em parte, resultado de fatores além do controle de uma pessoa. Em contrapartida, consideram que alcançar poucas conquistas em formação educacional representa fracasso de esforço individual e, portanto, é culpa de quem não consegue chegar à universidade. "Em comparação com a classe trabalhadora, pessoas com menor formação educacional eram consideradas mais responsáveis e mais culpadas, provocavam mais aversão e eram menos apreciadas".[42]

Terceiro, esse julgamento hostil das pessoas com menor formação educacional não é exclusivo das elites; ele é compartilhado pelos próprios participantes com menor formação educacional. Isso demonstra o quão profundamente a visão meritocrática do sucesso penetrou na vida social e como pode ser desmoralizante para pessoas que não fazem faculdade. "Não há indicação de que pessoas com menor formação educacional sejam resistentes às atribuições dadas a elas." Ao contrário, elas "até parecem internalizar" esses julgamentos hostis. Pessoas com "menor formação educacional são vistas como responsáveis e culpadas por sua situação, até mesmo pelas próprias pessoas com menor formação educacional".[43]

E, finalmente, os autores sugerem que, em uma sociedade meritocrática, a insistente ênfase na importância de fazer faculdade reforça o estigma social contra as pessoas que não têm diploma universitário. "A ideia de que educação é uma solução universal para problemas sociais pode aumentar o risco de que grupos com status social baixo sejam especificamente avaliados de forma negativa enquanto fortalecem a ideologia da meritocracia." Isso faz com que pessoas fiquem mais dispostas a aceitar a desigualdade e mais propensas a acreditar que sucesso reflete mérito.

> Se a educação for considerada responsabilidade própria de um indivíduo, as pessoas, então, provavelmente, serão menos críticas em relação à desigualdade social que resulta de diferenças em formação educacional [...]. Se resultados da formação educação são vistos como, sobretudo, merecidos, suas consequências, portanto, também serão.[44]

## GOVERNO POR DIPLOMA

Na década de 2000, cidadãos sem diploma universitário não eram apenas desprezados; nos Estados Unidos e na Europa Ocidental, eles estavam praticamente ausentes dos mandatos eletivos. No Congresso estadunidense,

95% dos membros da Casa dos Representantes e 100% dos senadores são formados em curso superior. Isso significa que os poucos com credenciais governam os muitos sem credenciais. Apesar de dois terços dos adultos estadunidenses não terem diploma universitário, somente poucos são membros do Congresso.

Nem sempre foi desse jeito. Apesar de as pessoas com boa formação educacional terem representação desproporcional no Congresso, foi apenas no início da década de 1960 que aproximadamente um quarto dos senadores e um quarto dos membros da Casa dos Representantes foram eleitos apesar da falta de um diploma universitário. Ao longo dos últimos cinquenta anos, o Congresso ficou mais diverso no que concerne à raça, etnia e gênero, porém menos diverso em relação à credencial de formação educacional e classe.[45]

Uma das consequências da divisão por diploma é o fato de que pouquíssimos membros da classe trabalhadora conseguem chegar a mandatos eletivos. Nos EUA, aproximadamente metade da mão de obra tem emprego dentro da classe trabalhadora, que é definido como trabalho manual, prestação de serviço industrial e trabalho administrativo. No entanto, menos de 2% dos membros do Congresso trabalhou em empregos como esses antes de sua eleição. Entre os legisladores dos estados, apenas 3% vieram da classe trabalhadora.[46]

O credencialismo está mudando também o perfil do governo representativo na Grã-Bretanha e na Europa. Na Grã-Bretanha, assim como nos EUA, pessoas com diplomas governam pessoas sem diploma. No Reino Unido como um todo, aproximadamente 70% não têm formação universitária; no Parlamento, apenas 12% não têm. Aproximadamente nove entre dez dos membros do Parlamento têm diploma; um quarto dos membros do Parlamento estudou em Oxford ou em Cambridge.[47]

Ao longo das últimas quatro décadas, o Partido Trabalhista na Grã-Bretanha passou por uma mudança especialmente impressionante no que concerne ao contexto de educação e classe de seus membros do Parlamento. Em 1979, 41% dos membros do Parlamento do Partido Trabalhista foram eleitos sem terem recebido um diploma universitário; em 2017, apenas 16% conseguiram isso.

Essa maré crescente do credencialismo foi acompanhada por um rápido declínio na quantidade de membros do Parlamento que são da classe trabalhadora, e que agora constituem apenas 4% da Câmara dos Comuns do Reino Unido. A composição de classe do Partido Trabalhista, que tradicionalmente representava a classe trabalhadora, passou pela mais radical mudança. Em 1979, 37% dos membros do Parlamento do Partido Trabalhista vinham de uma experiência de trabalho manual. Em 2015, apenas 7% tinham essa experiência. Conforme Oliver Heath, cientista político britânico, observou: "Essa mudança no histórico de trabalho de seus membros fez com que o Parlamento se tornasse menos representativo da população britânica geral, e o Partido Trabalhista muito menos representativo da classe trabalhadora cujos interesses tradicionalmente deveria representar."[48]

Os membros da sociedade que têm menor formação educacional estão também desaparecendo de Parlamentos por toda a Europa Ocidental, onde o padrão é semelhante às experiências estadunidense e britânica. Na Alemanha, na França, nos Países Baixos e na Bélgica, representatividade no governo se tornou quase exclusivamente o domínio de pessoas altamente credenciadas. Até mesmo em países ricos como esses, por volta de 70% da população adulta não têm diploma universitário. Mas pouquíssimos conseguem entrar para o Parlamento.[49]

No Bundestag alemão, 83% dos membros do Parlamento são formados em universidade; menos de 2% tem diploma do ensino médio profissionalizante (*Hauptschule*) como sua mais alta formação. Na França, nos Países Baixos e na Bélgica, 82% a 94% dos representantes no Parlamento têm diploma universitário. Entre membros do gabinete nesses países, as credenciais de formação educacional são ainda mais altas. No gabinete de Angela Merkel, em 2013, por exemplo, nove dos 15 ministros tinham PhD e, entre os demais, todos, exceto um, tinham diploma de mestrado. O prestígio de um PhD é tão grande na política alemã que há vários escândalos relacionados a plágio em dissertações de doutorado, o que força ministros a renunciar.[50]

A quase ausência no governo de pessoas sem formação universitária é um desdobramento da era meritocrática. No entanto, não é sem precedentes. É mais do que um pouco perturbador notar que isso é uma reversão do modo como as coisas eram antes de a maioria das pessoas trabalhadoras terem direito ao voto. O perfil de credenciais elevadas nos Parlamentos europeus de hoje assemelha-se àquele que prevalecia no fim do século XIX, quando qualificações de propriedade limitavam o sufrágio. Na Alemanha, na França, nos Países Baixos e na Bélgica, a maioria dos membros da metade ao fim do século XIX tinham diploma universitário.[51]

Isso mudou no século XX, quando o sufrágio universal e a ascensão de partidos socialistas e social-democratas democratizaram a composição dos Parlamentos. Da década de 1920 à década de 1950, membros do Parlamento, sem diploma universitário, estavam presentes em grande quantidade, contando um terço ou metade dos legisladores. Começando na década de 1960, a quantidade de pessoas com diploma começou a crescer e, na década de 2000, pessoas sem diploma universitário eram tão raras nas legislaturas nacionais quanto na época dos aristocratas e da *gentry*, a alta burguesia.[52]

Algumas pessoas podem argumentar que um governo de pessoas com boa formação educacional universitária é algo a agradecer e não pelo qual se deve arrepender. Obviamente, queremos engenheiros altamente qualificados para construir nossas pontes e médicos bem-treinados para executar nossa apendicectomia. Então, por que não buscar representantes eleitos que tenham se formado nas melhores universidades? Não seriam os líderes com alta formação educacional mais propensos a nos oferecer políticas públicas sãs e discurso político racionais do que aqueles com credenciais menos distintas?

Não necessariamente. Até mesmo uma olhada superficial no estado precário do discurso político no Congresso e nos Parlamentos europeus pode nos fazer parar para pensar. Governar bem exige sabedoria pragmática e virtude cívica – uma habilidade para deliberar sobre o bem comum para efetivamente obtê-lo. Mas nenhuma dessas capacidades é muito bem desenvolvida na maioria das universidades hoje, nem mesmo naquelas com a mais alta reputação. E experiência histórica recente sugere pouca relação entre capacidade para julgamento político, o que envolve caráter moral além de argúcia, e a habilidade para alcançar boas notas nos exames padrão e conquistar uma vaga em universidades de elite. A ideia de que "os melhores e mais brilhantes" governam melhor do que seus colegas cidadãos com menos credenciais é um mito que surgiu a partir da arrogância meritocrática.

Dois dos quatro presidentes estadunidenses icônicos no monte Rushmore (George Washington e Abraham Lincoln) não tinham diploma universitário. O último presidente dos EUA sem diploma, Harry S. Truman, em geral é elencado entre os melhores presidentes dos Estados Unidos.[53]

Franklin D. Roosevelt, ex-aluno de Harvard, concebeu e implementou o New Deal com um time eclético de conselheiros mais capazes, mas muito menos credenciados do que aqueles que serviram recentemente a presidentes democratas. Isso se deve, ao menos em parte, ao fato de que na década de 1930 as profissões na área de economia não tinham a influência nas políticas feitas em Washington que passaram a ter em décadas recentes.[54] Thomas Frank descreve o histórico variado daqueles que implementaram o New Deal:

> Harry Hopkins, confidente mais próximo de Roosevelt, era assistente social em Iowa. Robert Jackson, o procurador geral dos EUA indicado por Roosevelt à Suprema Corte, era advogado sem diploma de direito. Jesse Jones, responsável pelo programa de resgate, foi um executivo de Texas sem escrúpulos para colocar as instituições financeiras mais proeminentes da nação como recebedoras. Marriner Eccles, o visionário que Roosevelt indicou para presidir o sistema de reserva federal, foi banqueiro de cidade pequena, em Utah, sem diploma avançado. Henry Wallace, que foi provavelmente o melhor secretário da agricultura da nação, estudou na universidade estadual Iowa State.[55]

O credencialismo ascendente de décadas recentes também não conseguiu melhorar a governança no Reino Unido. Hoje, apenas 7% da população britânica estuda em escolas particulares e menos de 1% estuda em universidades de Oxford ou Cambridge. Mas as elites governantes vêm desses lugares, de modo desproporcional. Aproximadamente dois terços do gabinete de Boris Johnson em 2019 estudou em escolas particulares e quase metade se formou em Oxbridge. Desde a Segunda Guerra Mundial, a maioria dos ministros de gabinetes conservadores e aproximadamente um terço dos ministros em governos trabalhistas estudaram em escolas particulares.[56] Mas um dos mais bem-sucedidos governos britânicos desde a guerra foi o com menos credenciais e o mais abrangente e representativo em termos de classe.

Em 1945, o Partido Trabalhista de Clement Attlee derrotou os conservadores de Winston Churchill. Attlee era formado em Oxford, mas apenas um em cada quatro ministros de seu gabinete estudou em escola particular, uma proporção mais baixa do que em qualquer gabinete britânico desde então. Sete de seus ministros haviam trabalhado como mineiros de carvão.[57]

O muito respeitado secretário de relações exteriores de Attlee, Ernest Bevin, que se tornou um dos arquitetos do mundo pós-guerra, abandonou a escola aos 11 anos de idade e ascendeu como líder sindical. Herbert Morrison, líder da Câmara dos Comuns e vice-primeiro ministro, abandonou a escola aos 14 anos de idade e ascendeu à proeminência por meio do governo local, ajudando a criar o sistema de transporte público de Londres. O ministro da Saúde, Aneurin Bevan, que deixou a escola aos 13 anos de idade e trabalhou como mineiro em Wales, liderou a criação do Serviço Nacional de Saúde Britânico. O governo de Attlee, considerado "a administração mais significativamente reformadora da Grã-Bretanha do século XX", proporcionou à classe trabalhadora poder e, de acordo com seu biógrafo, "estabeleceu os termos éticos nos quais foi fundamentado o novo contrato social da Grã-Bretanha".[58]

Transformar Congresso e Parlamentos em domínio exclusivo das classes com credenciais não tornou o governo mais eficiente, mas o tornou menos representativo. Além disso, distanciou pessoas da classe trabalhadora de partidos dominantes, sobretudo os de centro-esquerda, e polarizou a política ao longo da linha educacional. Uma das mais profundas divisões na política hoje é entre pessoas com e pessoas sem diploma universitário.

## DIVISÃO POR DIPLOMA

Em 2016, dois terços das pessoas brancas com diploma universitário votaram em Donald Trump. Hillary Clinton obteve mais de 70% dos votos de pessoas com diplomas avançados. Estudos eleitorais concluíram que educação, não renda, era melhor para prever o apoio a Trump. Entre eleitores com semelhante renda, aqueles com formação educacional melhor votaram em Hillary Clinton, enquanto os que tinham formação inferior votaram em Trump.[59]

A divisão por diploma está ligada à oscilação mais significativa da eleição presidencial anterior. Em 48 dos cinquenta condados com proporções mais altas de pessoas com formação universitária, Hillary Clinton, na verdade, foi melhor do que Barack Obama quatro anos antes. Em 47 dos cinquenta condados com proporções mais baixas de pessoas com formação universitária, ela foi consideravelmente pior. Não é de se espantar que Trump tenha afirmado, enquanto comemorava uma das prévias de sua vitória: "Eu amo pessoas com baixo nível de formação educacional!".[60]

Ao longo de grande parte do século XX, partidos de esquerda atraíram pessoas com menor nível de formação educacional, enquanto partidos de direita atraíram pessoas com um nível maior. Na era da meritocracia, esse padrão foi revertido. Hoje, pessoas com um nível de formação educacional votam em partidos de centro-esquerda e pessoas com menos recursos, em partidos de direita. O economista Thomas Piketty mostrou que essa reversão se desdobrou, em um paralelo impressionante, nos EUA, no Reino Unido e na França.[61]

Da década de 1940 à década de 1970, pessoas sem diploma universitário votaram confiantes no Partido Democrata, nos Estados Unidos, no Partido Trabalhista, na Grã-Bretanha e nos variados partidos de centro-esquerda na França. Durante a década de 1980 e a de 1990, a separação por diploma diminuiu consideravelmente, e na década de 2000 e 2010, partidos de esquerda perderam o apoio de eleitores sem formação educacional universitária.[62]

A reversão é complicada pelo fato de que eleitores ricos ainda, em geral, apoiam partidos de direita, ainda que a maioria dos eleitores com alta formação educacional prefiram a centro-esquerda. E nos Estados Unidos, eleitores afro-estadunidenses, latino-americanos e asiático--estadunidenses de todos os contextos educacionais continuam a apoiar o Partido Democrata. Mas nos anos 2010, a educação tornara-se a mais decisiva divisão política, e partidos que antes representavam trabalhadores cada vez mais representavam as elites meritocráticas.[63]

Nos Estados Unidos, quando o Partido Democrata passou a ser identificado com a classe média alta, eleitores brancos sem formação educacional universitária se distanciaram dele. Essa tendência continuou depois das eleições de Trump. Nas eleições para o Congresso em 2018, 61% de eleitores brancos sem formação educacional universitária apoiaram os republicanos e apenas 37% votaram nos democratas. A crescente divisão por diploma também pode ser notada ao observar os trinta distritos congressionais com a maior proporção de pessoas com diploma universitário. Em 1992, quando Bill Clinton foi eleito presidente, esses distritos foram divididos de modo uniforme; metade elegeu democratas para o Congresso e metade elegeu republicanos. Em 2018, os democratas venceram em todos, exceto três deles.[64]

No Reino Unido, a base de apoio do Partido Trabalhista presenciou uma mudança semelhante. No início dos anos 1980, aproximadamente um terço dos membros do Parlamento partidários do Partido Trabalhista vieram da classe trabalhadora; em 2010, menos de um em dez. De acordo com Oliver Heath, o declínio na quantidade de membros do Parlamento com origem na classe trabalhadora na hierarquia do Partido Trabalhista teve "impacto substancial na popularidade relativa do partido entre eleitores da classe trabalhadora", que cada vez mais enxergava o partido como "conduzido por uma elite metropolitana fora de alcance".[65]

O desafeto refletiu primeiro na declinante participação entre eleitores com menor formação educacional. Então, em 2016, houve expressão no referendo para sair da União Europeia. Eleitores de baixa renda estavam mais propensos a votar a favor do Brexit do que os de alta renda. Mas diferenças em formação educacional eram mais evidentes. Mais de 70% de eleitores sem diploma universitário votaram a favor do Brexit, enquanto mais de 70% de pessoas com diploma de pós-graduação votaram para permanecer.[66]

O padrão pode ser observado também em disparidades nas eleições regionais. Das vinte autoridades locais com a menor porcentagem de pessoas com diploma universitário, quinze votaram para sair. Das vinte áreas com maior formação educacional, todas votaram para permanecer.[67]

Na França, apesar do diferente sistema de partidos, a mesma divisão por diploma se desenvolveu nas últimas décadas. Desde os anos 1980, pessoas sem formação universitária se distanciaram do Partido Socialista e de outros partidos de esquerda, que se tornaram os partidos de elites da educação. Nas décadas de 1950 e 1960, partidos de esquerda eram partidos da classe trabalhadora; a quantidade de eleitores da esquerda sem graduação era aproximadamente 20 pontos percentuais mais alta do que entre pessoas com formação universitária. Em 1980, a distância havia diminuído e, em 2010, houve uma reversão; agora, a quantidade de pessoas com diploma universitário que são eleitores da esquerda é 10 pontos percentuais mais alta do que a quantidade de pessoas sem graduação – uma diferença de 30 pontos.[68]

Piketty especula que a transformação dos partidos de esquerda de partidos trabalhistas para partidos de intelectuais e de elites profissionais pode ser explicação para o fato de que não reagiram à crescente desigualdade das décadas recentes. Enquanto isso, pessoas que não têm credenciais educacionais altamente potentes ressentem-se da globalização que promovem as elites e se voltam para candidatos populistas, nativistas, tais como Trump, nos Estados Unidos, e Marine Le Pen, que lidera um partido nacionalista e anti-imigrante na França.[69]

Em 2017, Emmanuel Macron, um centrista liberal, derrotou Le Pen nas eleições para presidência da França. A eleição de Macron foi aclamada por alguns comentaristas como um sinal de que a revolta populista poderia ser pacificada por um candidato jovem, atraente, que oferecia um programa de globalização favorável ao mercado, que faz lembrar o de Clinton, o de Blair e o de Obama. Como seus opostos meritocráticos nos EUA e no Reino Unido, ele buscou seu mais forte apoio entre eleitores com formação educacional universitária e diplomas avançados.[70]

Mas a popularidade de Macron logo enfraqueceu, e seu governo foi confrontado com uma série de protestos nas ruas por cidadãos que vestiam os coletes amarelos de segurança (*gilets jaunes*) usados por motoristas cujo carro estragou na estrada. Os que protestavam, a maioria de classe média e trabalhadora residente em áreas fora de Paris, estavam irritados com o aumento dos impostos sobre combustível, a indiferença de Macron e as políticas econômicas que faziam pouco por pessoas deixadas para trás pela globalização. Quando, em meio à crise, perguntaram a um político antigo do partido de Macron quais erros do governo haviam provocado os protestos, ele respondeu: "Provavelmente fomos inteligentes demais, sutis demais."[71]

O credencialismo implacável dos nossos dias empurrou eleitores da classe trabalhadora na direção de partidos populistas e nacionalistas e aprofundou a separação entre pessoas com e pessoas sem diploma universitário. Também levou a visões cada vez mais partidárias da educação de nível superior, a instituição mais emblemática do projeto meritocrático. Recentemente, em 2015, republicanos e democratas disseram que faculdades e universidades têm efeito positivo no país. Esse não é mais o caso. Hoje, 59% dos republicanos acreditam que faculdades e universidades têm efeito negativo no modo como as coisas andam no país, e apenas 33% enxergam a educação de nível universitário com aprovação. Em contrapartida, uma quantidade imensa de democratas (67% *versus* 18%) acredita que faculdades e universidades têm efeito positivo.[72]

Um dos desastres resultantes do triunfo da meritocracia é, provavelmente, a perda de apoio amplo do público à educação superior. Uma vez que foi vista como mecanismo de oportunidade, a universidade se tornou, pelo menos para algumas pessoas, símbolo de privilégio credencialista e de arrogância meritocrática.

A retórica da ascensão, com seu foco obstinado em educação como resposta para a desigualdade, tem culpa parcial. Construir uma política a partir da ideia de que o diploma universitário é condição para trabalho digno e estima social tem efeito corrosivo na vida democrática. Isso desvaloriza a contribuição de quem não tem diploma, alimenta preconceito contra membros da sociedade que têm menor formação educacional, exclui com efeito a maioria das pessoas trabalhadoras do governo representativo e provoca reações políticas.

## CONVERSA TECNOCRÁTICA

Conectada aos males do credencialismo está a transformação tecnocrática do discurso público. Quanto mais a legislação for descrita em termos de "inteligente *versus* burro", maior será a exigência por pessoas "inteligentes" (especialistas e elites) para decidir as coisas, em vez de permitir aos cidadãos debater e decidir quais políticas decretar. Para as elites meritocráticas, a retórica do "inteligente" e "burro" parece oferecer uma alternativa não partidária para divergências morais e ideológicas. Mas essas discordâncias estão no cerne da política democrática. Um esforço determinado demais para ascender acima do terreno confuso da discórdia partidária pode levar a um discurso tecnocrático público que desvia a política das questões de justiça e bem comum.

Barack Obama é um desses casos. Ao discursar sobre resgatar a promessa de direitos iguais para todos os estadunidenses, a retórica dele por vezes crescia em uma eloquência sem igual entre as figuras políticas de hoje. Seu elogio a "Amazing Grace" em Charleston, Carolina do Sul, para honrar a memória de paroquianos assassinados na igreja por um atirador cheio de ódio, foi um dos mais emocionantes discursos entre os presidentes estadunidenses dos tempos modernos.

Ainda assim, quando o assunto era sua visão de governança democrática, Obama era tecnocrata por essência. Como isso pode parecer um argumento duro sobre um presidente popular, deixe-me explicar. Governar uma sociedade democrática requer batalhar contra divergências. Governar perante divergências pressupõe uma visão sobre como elas surgem e como devem ser superadas neste ou naquele momento, para este ou aquele propósito público. Obama acreditava que a fonte principal da discordância democrática é que o cidadão comum não tem informação suficiente.

Se falta de informação for o problema, a solução é aqueles com uma noção maior dos fatos tomar decisões em nome de seus companheiros cidadãos ou, pelo menos, informá-los, dizer a eles o que precisam saber para tomar decisões sensíveis por conta própria. A liderança presidencial é muito mais uma questão de coleta e divulgação de fatos do que uma questão de persuasão moral.

Obama verbalizou essa visão de governo com notável transparência durante seu discurso em 2007 para funcionários da Google, no início de sua campanha presidencial. Uma das coisas que aprendeu enquanto viajava pelo país, contou para eles, foi que "o povo estadunidense é, em sua essência, de pessoas decentes. Há uma generosidade de espírito ali e há senso comum ali, mas não são usados." O motivo:

> Sobretudo o povo: eles apenas são mal-informados ou estão ocupados demais, estão tentando fazer com que filhos e filhas possam ir à escola, estão trabalhando, eles simplesmente não têm informação suficiente ou não são profissionais em selecionar toda a informação que está disponível e, assim, nosso processo político é distorcido. Mas se você fornecer boa informação, seus instintos são bons e eles tomarão boas decisões. E a posição do presidente é o púlpito excelente para dar boa informação.[73]

Desde que Theodore Roosevelt cunhou o termo há um século, *bully pulpit* [púlpito excelente] refere-se à presidência como lugar de inspiração moral e exortação. Hoje, o púlpito excelente seria um local para fatos e dados, para boa informação. Essa é a essência de um conceito tecnocrático de política, que carrega mais do que um sopro da arrogância meritocrática. Se as pessoas comuns que povoam a terra, independentemente do quão "decentes" forem, "não são profissionais" em selecionar toda a informação, verdadeiros profissionais deverão fazer a seleção para elas e proporcionar a elas os fatos de que precisam.

Obama enxergou isso como o modo de consertar o processo político "distorcido" dos Estados Unidos. O desafio não era dispersar a grande concentração de poder econômico que afetava o processo político ou despertar no público um senso mais agudo de bem comum. Era proporcionar informação melhor e mais precisa. "Realmente estou ansioso por fazer isso, porque acredito muito em razões e fatos e evidência e ciência e críticas", disse ele à plateia na Google. "Quero restaurar na Casa Branca aquela ideia de que decisões são fundamentadas em fatos."[74]

Pode-se pensar que essa declaração de fé tecnocrática tinha como principal intenção conquistar apoiadores na indústria tecnológica. No entanto, ao longo de sua presidência e desde então, Obama tem sido fiel a essa visão da política. Mais exemplos desse modo de pensar destacam a afinidade entre política tecnocrática e neoliberalismo. Em extensão muito maior do que os presidentes anteriores, Obama recorreu a jargões familiares entre economistas acadêmicos e executivos corporativos. Quando defendia a reforma do sistema de saúde, por exemplo, falou menos sobre o argumento moral a favor da cobertura universal do que sobre a necessidade "de dobrar a curva do custo"; com isso ele quis dizer reduzir o custo ascendente com despesas relacionadas à saúde. Apesar de "dobrar a curva do custo" não ter provocado muita paixão no eleitorado, ele usou essa expressão em diferentes versões mais de sessenta vezes ao argumentar sobre os méritos de seu plano de saúde.[75]

Em anos recentes, economistas argumentaram a favor do uso de incentivos de mercado para provocar comportamentos desejáveis. Essa ênfase em incentivos espalhou-se tanto que deu origem a um novo verbo: "incentivar". Semelhante a vários cientistas sociais, consultores de gerenciamento e executivos de negócios do início do século XXI, Obama adotou "incentivar" como modo de descrever como os mecanismos de mercado poderiam alcançar resultados desejáveis. Ele ofereceu políticas para "incentivar" desenvolvimento tecnológico, emprego em pequenas empresas, desenvolvimento de energia limpa, melhoria na gestão de recursos hídricos, boas práticas de cibersegurança, programas de climatização, nutrição mais saudável, serviço eficiente de proteção à saúde, ambientes escolares confiáveis, conduta de negócios responsável e uma série de outras metas.

Incentivar foi um conceito tecnocrático que se encaixou bem com o instinto de Obama para evitar disputas partidárias ou ideológicas. Empregava estímulo financeiro para trazer à tona o propósito do público e, então, pareceu alcançar o meio termo confortável entre um mandato de governo e uma opção de livre mercado. Enquanto presidentes anteriores raramente utilizaram a palavra, Obama falou em "incentivar" este ou aquele comportamento em mais de cem ocasiões.[76]

Mais do que qualquer outro aspecto de sua retórica política, a constante fala de Obama sobre políticas "inteligentes" destacou a conexão entre tecnocracia e meritocracia. Para Obama, "inteligente" era o principal termo de elogio para: "diplomacia inteligente", "política de relações exteriores inteligente", "regulamentações inteligentes", "crescimento inteligente", "cortes inteligentes de gastos", "investimentos inteligentes em educação", "políticas de imigração inteligentes", "projetos de infraestrutura inteligentes", "aplicação inteligente da lei", "governo inteligente", "política inteligente de mercado", "política inteligente de energia", "política inteligente de clima", "reforma inteligente de direitos", "reforma inteligente de mercado", "regulamentações ambientais inteligentes", "políticas inteligentes contra-terrorismo", "agricultura inteligente direcionada pelo clima", "desenvolvimento inteligente", "inovação inteligente favorável ao mercado" e, sobretudo, "rede elétrica inteligente". Durante seu mandato presidencial, Obama elogiou "rede elétrica inteligente" ou "tecnologias de rede elétrica inteligente" em mais de cem ocasiões. De modo geral, ele usou o adjetivo "inteligente" em relação a políticas e programas mais de novecentas vezes.[77]

Um dos defeitos da abordagem tecnocrática à política é que ela coloca a tomada de decisões nas mãos das elites e, portanto, tira o poder dos cidadãos comuns. Outro é que abandona o projeto de persuasão política. Incentivar pessoas a agir com responsabilidade – conservar energia ou ficar atento a seu peso corporal ou observar práticas éticas de negócios – não é apenas uma alternativa para coagir essas pessoas, é também uma alternativa para persuadi-las.

## TECNOCRACIA *VERSUS* DEMOCRACIA

A conversa economicista ideologicamente evasiva que emana das elites meritocráticas coincidiu com um tempo em que o discurso público cada vez mais é rude e estridente, com partidários gritando e tuitando uns para os outros. O que o discurso tecnocrático e as discussões aos gritos têm em comum é que não conseguem se envolver de forma substancial com as convicções morais que animam os cidadãos democráticos; e também não cultivam o hábito de refletir juntos sobre conceitos concorrentes de justiça e bem comum.

As convulsões populistas de 2016 – o referendo na Grã-Bretanha e a eleição de Trump nos Estados Unidos – repudiavam as elites meritocráticas e a abordagem neoliberal e tecnocrática à política. Em resposta a previsões de economistas de que sair da União Europeia resultaria em dificuldades econômicas para o Reino Unido, um líder proponente do Brexit disse: "O povo deste país já está cansado de especialistas."[78]

De sua parte, Obama lutou para compreender o terremoto político que ocorreu no fim de seu mandato presidencial. Em 2018, dois anos depois que Trump foi eleito para sucedê-lo, Obama admitiu que defensores da globalização "não se adaptaram com rapidez suficiente ao fato de que pessoas estavam sendo deixadas para trás". O consenso em Washington "ficou confortável demais. Principalmente depois da Guerra Fria, houve esse período de grandiosa presunção dos Estados Unidos e das elites estadunidenses, pensando que nós tínhamos tudo sob controle".[79]

Mas o diagnóstico principal que Obama fez da política polarizada na era Trump tinha a ver com a inabilidade do público de concordar com fatos básicos. A razão para "vermos tanto impasse e veneno e polarização em nossa política", ele disse, é em parte porque "não temos uma base comum de fatos e informação". Pessoas que assistiam à Fox News e pessoas que liam *The New York Times* viviam em "realidades completamente diferentes", "com não apenas opiniões diferentes, mas fatos diferentes [...]. É algo epistemológico".[80]

Ele ofereceu um exemplo vívido do que enxergava como realidades discordantes:

> O maior desafio que teremos que enfrentar nos próximos dez, quinze, vinte anos é retornar a uma conversa cívica durante a qual se eu disser que isto é uma cadeira, concordamos que isto é uma cadeira. Agora, podemos discordar em relação a ela ser ou não uma boa cadeira, a precisarmos ou não de substituí-la, a colocá-la ou não ali. Mas você não pode dizer que é um elefante.[81]

Obviamente, as disputas factuais que figuram no debate político não são tão simples quanto é descrever uma peça de mobília. Mas o "elefante" na sala era a mudança climática. Obama quis dizer que é difícil ter um debate racional sobre mudança climática com pessoas que negam o acontecimento ou o papel do ser humano como causador dele.

Obama por certo tinha em mente que seu sucessor, incentivado por pessoas que negam a mudança climática, havia tirado os Estados Unidos do acordo climático de Paris, que ele, Obama, assinara. Ele atribuiu isso não apenas à discordância ideológica, mas à rejeição de Trump e de seus apoiadores republicanos à ciência.

De fato, o slogan "Eu acredito nas ciências" tornou-se palavra de ordem em comícios de democratas. Hillary Clinton o proclamou em seu discurso de aceitação da indicação, em 2016; Obama o utilizou enquanto era presidente e vários candidatos em busca da indicação em 2020 para concorrer à presidência fizeram dele um refrão durante a campanha. O fato de o slogan, de modo implícito, relegar as ciências ao campo da fé parece não ter diminuído sua popularidade.[82]

Para reforçar sua crença antiga da importância dos fatos, Obama gostava de citar o senador Daniel Patrick Moynihan, que certa vez disse a um obstinado oponente: "Você tem direito a suas próprias opiniões, mas não tem direito a seus próprios fatos." Ao contar a história, Obama algumas vezes acrescentava que Moynihan "era muito inteligente", e seu oponente "não era tão inteligente quanto ele".[83]

No entanto, atribuir divergência política a uma recusa simples de encarar fatos ou de aceitar as ciências é uma interpretação equivocada da interação entre fatos e opinião na persuasão política. A ideia de que todos nós deveríamos concordar com os fatos, como fundamento pré-político, e então proceder ao debate de nossas opiniões e convicções, é um pensamento tecnocrático. O debate político é, com frequência, sobre como identificar e caracterizar os fatos relevantes à controvérsia em questão. Quem conseguir formular os fatos já estará à frente para vencer a discussão. Para Moynihan, ao contrário, nossas opiniões direcionam nossas percepções; elas não entram em cena somente depois de os fatos terem sido dissecados.

## DEBATE SOBRE MUDANÇA CLIMÁTICA

Se a principal fonte de oposição às ações relacionadas à mudança climática fossem falta de informação ou recusa em aceitar as ciências, seria possível esperar da oposição ser mais forte entre pessoas com menor formação educacional e conhecimento científico. No entanto, não é esse o caso. Estudos sobre a opinião pública demonstram que quanto mais as pessoas sabem sobre ciências, mais polarizado é seu ponto de vista sobre a mudança climática.

Republicanos são mais céticos do que democratas em relação ao aquecimento global, e a divisão partidária aumenta conforme o nível de formação educacional. Entre republicanos com ensino médio ou formação inferior, 56% acreditam que, em geral, exagera-se sobre o aquecimento global. Entre republicanos com diploma universitário, 74% pensam desse modo. Entre democratas, uma maior formação educacional leva a maior preocupação com a mudança climática. Entre democratas com ensino médio ou menos, 27% consideram que há exagero em relação ao aquecimento global; entre democratas com diploma universitário, somente 15% pensam assim.[84]

A divisão partidária na preocupação em relação à mudança climática é, portanto, entre pessoas com diploma universitário, quase o dobro (59%), se comparado às pessoas com diploma de ensino médio (30%). O mesmo padrão ocorre em relação à crença de que o ser humano tem um papel na causa da mudança climática. Quando perguntam a republicanos se "aquecimento global é causado por mudanças naturais no ambiente", a maioria diz "sim", e a maioria dos democratas diz "não". Mas a divisão partidária entre pessoas com diploma universitário (53%) é muito maior do que entre pessoas com menor formação educacional (19%).[85]

Estudos mais detalhados concluíram que a polarização política em relação à mudança climática revelam não apenas níveis gerais de formação educacional, mas também conhecimento científico. Pessoas com maior conhecimento científico, medidos a partir de cursos feitos na área de ciências e exames de conhecimentos científicos, são mais propensos a aderir ao ponto de vista do partido em relação à mudança climática do que pessoas que sabem menos sobre ciências.[86]

Essas descobertas questionam o conceito de que pessoas não dispostas a apoiar medidas para aliviar a mudança climática simplesmente estão mal informadas sobre as ciências. A divisão partidária relacionada à mudança climática não é sobretudo sobre fatos e informação, é sobre política. É equívoco pressupor que quanto mais pessoas sabem sobre ciências, mais propensas estão a convergir para medidas voltadas ao combate da mudança climática. A crença dos tecnocratas de que, se ao menos pudéssemos concordar com os fatos, teríamos um debate racional sobre política, compreende mal o projeto da persuasão política.

Em um discurso no MIT, em 2018, Obama imaginou o debate racional que o país poderia ter sobre mudança climática, se ao menos todas as pessoas concordassem com os fatos básicos:

> Você e eu podemos ter uma discussão sobre mudança climática em que você conclui: "Não vamos impedir a China e a Índia de queimar um monte de carvão, isso tem ocorrido há muito tempo, apenas precisamos nos adaptar e, talvez, inventemos alguma fonte nova de energia na hora certa, e por isso sou contra o Acordo de Paris."
>
> Eu vou reagir e dizer: "Bem, não, no fim das contas, se apenas investirmos em tecnologia inteligente e criarmos um modelo regulatório inteligente, que incentiva investimento em energia limpa, poderemos, na verdade, solucionar esse problema agora, e se não fizermos isso, será uma catástrofe."[87]

Obama desejou que pudéssemos ter um debate saudável como esse e lamentou o fato de pessoas que negam a mudança climática terem tornado isso impossível.[88]

Mas um debate como esse, se fosse possível, seria um modo empobrecido de argumento político. Pressupõe que nossa única escolha é entre resignação e imprudência por um lado e um conserto tecnocrático de valores neutros por outro. Mas isso ignora considerações morais e políticas mais profundas subjacentes à polêmica da mudança climática.

O apelo da posição tecnocrática, mas também sua fraqueza, é sua neutralidade de valores aparentemente sem atritos. A conversa sobre "tecnologia inteligente" e "modelo regulatório inteligente" paira sobre questões morais e políticas que fazem da mudança climática uma questão intimidadora e difícil: o que seria necessário para combater a influência exagerada da indústria de combustíveis fósseis na política democrática? Deveríamos reconsiderar o comportamento consumista que nos leva a tratar a natureza como instrumento, como um lixão para aquilo que o papa Francisco chamou de "cultura do jogar fora"?[89] E as pessoas que se opõem a ações do governo para reduzir emissão de carbono, não porque rejeitam as ciências, mas porque não confiam no governo para agir segundo os interesses deles, sobretudo, em uma reconfiguração econômica de grande escala, e não confiam nas elites tecnocráticas que projetariam e implementariam essa reconfiguração?

Essas não são perguntas científicas para serem respondidas por especialistas. São perguntas sobre poder, moralidade, autoridade e confiança, o que quer dizer que são perguntas para cidadãos democráticos.

Uma das falhas das elites bem credenciadas, meritocráticas que governaram nas últimas quatro décadas é que elas não souberam colocar questões como essas no cerne do debate político. Agora, enquanto nos questionamos se normas democráticas sobreviverão, reclamações sobre a arrogância das elites meritocráticas e sua visão tecnocrática restrita podem parecer triviais. No entanto, foi a política delas que nos trouxe até este momento, que produziu o descontentamento que autoritários populistas exploram. Aceitar as falhas da meritocracia e da tecnocracia é um passo indispensável para abordar aquele descontentamento e redefinir uma política do bem comum.

## Notas

1. Grace Ashford, "Michael Cohen Says Trump Told Him to Threaten Schools Not to Release Grades" [Michael Cohen disse que Trump o pediu para ameaçar escolas para que não revelassem suas notas], *The New York Times*, 27 de fevereiro, 2019. <nytimes.com/2019/02/27/us/politics/trump-school-grades.html>. Transcrição

completa: “Michael Cohen’s Opening Statement to Congress” [Discurso de abertura de Michael Cohen para o Congresso], *The New York Times*, 27 de fevereiro, 2019. <nytimes.com/2019/02/27/us/politics/cohen-documents-testimony.html?module=inline>.

2. Maggie Haberman, “Trump: How’d Obama Get into Ivies?” [Trump: Como Obama conseguiu entrar em universidades da Ivy League?], *Politico*, 25 de abril, 2011. <politico.com/story/2011/04/trump-howd-obama-get-into-ivies-053694>.
3. Nina Burleigh, “Trump Speaks at Fourth-Grade Level, Lowest of Last 15 Presidents, New Analysis Finds” [Trump fala em nível de estudante de quarto ano do ensino fundamental, mais baixo nível entre os últimos quinze presidentes, conclusões de nova análise], *Newsweek*, 8 de janeiro, 2018. <newsweek.com/trump-fire-and-fury-smart-genius-obama-774169>; dados e metodologia disponível em: <blog.factba.se/2018/01/08/>; Rebecca Morin, “‘Idiot,’ ‘Dope,’ ‘Moron’: How Trump’s Aides Have Insulted the Boss” [“Idiota”, “imbecil”, “estúpido”: como os ajudantes de Trump insultaram o patrão], *Politico*, 4 de setembro, 2018. <politico.com/story/2018/09/04/trumps-insults-idiot-woodward-806455>; Valerie Strauss, “President Trump Is Smarter than You. Just Ask Him” [O presidente Trump é mais inteligente do que você. Pergunte para ele], *The Washington Post*, 9 de fevereiro, 2017. <washingtonpost.com/news/answer-sheet/wp/2017/02/09/president-trump-is-smarter-than-you-just-ask-him/>; Andrew Restuccia, “Trump Fixates on IQ as a Measure of Worth” [Trump está obcecado por QI como medida de valor] *Politico*, 30 de maio, 2019. <politico.com/story/2019/05/30/donald-trump-iq-intelligence-1347149>; David Smith, “Trump’s Tactic to Attack Black People and Women: Insult Their Intelligence” [A tática de Trump para atacar pessoas negras e mulheres: insultar a inteligência dessas pessoas], *The Guardian*, 10 de agosto, 2018. <theguardian.com/us-news/2018/aug/10/trump-attacks-twitter-black-people-women>.
4. Strauss, “President Trump Is Smarter Than You. Just Ask Him”, *The Washington Post*, 9 de fevereiro, 2017; Donald J. Trump, “Remarks at the Central Intelligence Agency in Langley, Virginia” [Comentários na Agência Central de Inteligência em Langley, Virginia], 21 de janeiro, 2017, *The American Presidency Project*. <presidency.ucsb.edu/node/323537>.
5. Trump citado em Michael Kranish, “Trump Has Referred to His Wharton Degree as ‘Super Genius Stuff’” [Trump se referiu a seu diploma da Wharton como “coisa de supergênio”], *The Washington Post*, 8 de julho, 2019. <washingtonpost.com/politics/trump-who-often-boasts-of-his-wharton-degree-says-he-was-admitted-to-the-hardest-school-to-get-into-the-college-official-who-reviewed-his-application-recalls-it-differently/2019/07/08/0a4eb414–977a-11e9–830a-21b9b36b64ad_story.html>.

6. Strauss, "President Trump Is Smarter Than You. Just Ask Him," *The Washington Post*, 9 de fevereiro, 2017.
7. Donald J. Trump, "Remarks at a 'Make America Great Again' Rally in Phoenix, Arizona" [Comentários em um comício "Faça a América grandiosa novamente", em Phoenix, Arizona], 22 de agosto, 2017, *The American Presidency Project*. <presidency.ucsb.edu/node/331393>.
8. Vídeo com os comentários de Biden. <youtube.com/watch?v=QWM6EuKxz5A>. Comparação entre Trump e Biden apresentada em Meghan Kruger, "Who's the Smartest of Them All? Trump and Biden Both Say 'Me,'" [Quem é o mais inteligente deles? Trump e Biden, ambos, dizem "Eu"], *The Washington Post*, 17 de julho, 2019. <washingtonpost.com/opinions/whos-the-smartest-of-them-all-trump-and-biden-both-say-me/2019/07/17/30221c46-a8cb-11e9–9214–246e594de5d5_story.html>.
9. James R. Dickenson, "Biden Academic Claims 'Inaccurate'" [Declarações de Biden sobre experiência acadêmica "inexatas"], *The Washington Post*, 22 de setembro, 1987. <washingtonpost.com/archive/politics/1987/09/22/biden-academic-claims-inaccurate/932eaeed-9071–47a1-aeac-c94a51b668e1/>.
10. Audiência de Kavanaugh: transcrição, *The Washington Post*, 27 de setembro, 2018. <washingtonpost.com/news/national/wp/2018/09/27/kavanaugh-hearing-transcript/>.
11. George H. W. Bush, "Address to the Nation on the National Education Strategy" [Discurso para a nação sobre estratégia nacional de educação], 18 de abril, 1991, *The American Presidency Project*. <presidency.ucsb.edu/node/266128>. Blair citado em Ewen Macaskill, "Blair's Promise: Everyone Can Be a Winner" [A promessa de Blair: todo mundo pode ser vencedor], *The Guardian*, 2 de outubro, 1996. <theguardian.com/education/1996/oct/02/schools.uk>.
12. William J. Clinton, "Remarks at a Democratic National Committee Dinner" [Comentários durante um jantar do comitê nacional democrata] 8 de maio, 1996, *The American Presidency Project*. <presidency.ucsb.edu/node/222520>. Clinton usou uma das versões dos termos ("o que você aprende" ou "o que você consegue aprender") 32 vezes, de acordo com pesquisa do arquivo online em *The American Presidency Project*, <presidency.ucsb.edu/advanced-search>. A versão de John McCain inverteu os versos no par de Clinton: "Na economia global, o que você aprende é o que você merece." Para um exemplo: McCain, "Address at Episcopal High School in Alexandria, Virginia" [Discurso na escola de ensino médio Episcopal High School em Alexandria], 1 de abril, 2008, *The American Presidency Project*. <presidency.ucsb.edu/node/277705>.
13. Barack Obama, "Remarks at Pathways in Technology Early College High School in New York City" [Comentários na escola de ensino médio Pathways in Technology Early College High School na cidade de Nova York], 25 de outubro,

2013, *The American Presidency Project*. Disponível em: <presidency.ucsb.edu/node/305195>.

14. *Ibid.*
15. *Ibid.*
16. Christopher Hayes, *The Twilight of the Elites: America After Meritocracy* [O crepúsculo das elites: os Estados Unidos depois da meritocracia]. Nova York: Crown Publishers, 2012, p. 48.
17. *Ibid.*
18. Thomas Frank, *Listen, Liberal–or What Ever Happened to the Party of the People?* [Escute, liberal: ou, o que houve com o partido do povo?]. Nova York: Metropolitan Books, 2016, p. 34–35.
19. *Ibid.*, p. 72–73. Para obter dados sobre a divergência entre produtividade e remuneração desde 1979, veja "Productivity-Pay Gap" [Diferença salarial na produção], *Economic Policy Institute* [Instituto de política econômica], julho 2019. <epi.org/productivity-pay-gap/>.
20. Em 2018, 35% dos estadunidenses com 25 anos e mais completaram quatro anos de faculdade, até 25% em 1999 e 20% em 1988. *United States Census Bureau* [Departamento de censo dos Estados Unidos], CPS Historical Time Series Tables [Tabelas históricas de séries temporais de pesquisa sobre a população contemporânea], 2018, tabela A-2. <census.gov/data/tables/time-series/demo/educational-attainment/cps-historical-time-series.html>.
21. Jonathan Alter, *The Promise: President Obama, Year One* [A promessa: presidente Obama, ano um]. Nova York: Simon and Schuster, 2010, p. 64.
22. *Ibid.*
23. Patrick J. Egan, "Ashton Carter and the Astoundingly Elite Educational Credentials of Obama's Cabinet Appointees" [Ashton Carter e as surpreendentes credenciais educacionais de elite dos nomeados pelo gabinete de Obama], *The Washington Post*, 5 de dezembro, 2014. <washingtonpost.com/news/monkey-cage/wp/2014/12/05/ashton-carter-and-the-astoundingly-elite-educational-credentials-of-obamas-cabinet-appointees/>. Citado em Frank, Listen, Liberal, p. 164.
24. David Halberstam, *The Best and the Brightest* [Os melhores e mais brilhantes]. NovaYork: Random House, 1969.
25. Alter, *The Promise*, p. 63.
26. Frank, *Listen, Liberal*, p. 40.
27. *Ibid.*, p. 165–66.
28. *Ibid.*, p. 166; Neil Barofsky, *Bailout: An Inside Account of How Washington Abandoned Main Street While Rescuing Wall Street* [Resgate: um relato de dentro sobre como Washington abandonou a Main Street enquanto socorria Wall Street]. Nova York: Free Press, 2012.

29. Barofsky, *Bailout*, p. 139.
30. Pesquisa do autor, usando o arquivo online de discursos presidenciais no *The American Presidency Project*. <presidency.ucsb.edu/advanced-search>.
31. A frequência da palavra em livros foi pesquisada no Google Ngram, em: <books.google.com/ngrams/>. No *The New York Times*, a palavra "*smart*" apareceu 620 vezes em 1980, 2.672 vezes em 2000. A palavra foi pesquisada por ano em: <nytimes.com/search?query=smart>.
32. William J. Clinton, "The President's Radio Address" [Discurso do presidente no rádio], 19 de agosto, 2000, *The American Presidency Project*. Disponível em: <presidency.ucsb.edu/node/218332>. "Remarks on Proposed Medicare Prescription Drug Benefit Legislation and an Exchange with Reporters" [Comentários sobre a proposta de lei para benefício em medicação no Medicare e um compartilhamento com repórteres], 14 de junho, 2000, *The American Presidency Project*. <presidency.ucsb.edu/node/226899>. "The President's Radio Address" [Discurso do presidente no rádio], 2 de setembro, 2000, *The American Presidency Project*. <presidency.ucsb.edu/node/218133>.
33. Barack Obama, "Statement on International Women's Day" [Declaração no Dia Internacional da Mulher], 8 de março, 2013, *The American Presidency Project*. <presidency.ucsb.edu/node/303937>. "Remarks to the United Nations General Assembly in New York City" [Comentários na Assembleia Geral da ONU], 20 de setembro, 2016, *The American Presidency Project*. <presidency.ucsb.edu/node/318949>. "Remarks on Immigration Reform" [Comentários sobre reforma imigratória], 24 de outubro, 2013, *The American Presidency Project*. <presidency.ucsb.edu/node/305189>. "Remarks at Forsyth Technical Community College in Winston-Salem, North Carolina" [Comentários na escola técnica pública Forsyth Technical Community College, em Winston-Salem, Carolina do Norte], 6 de dezembro, 2010, *The American Presidency Project*. <presidency.ucsb.edu/node/288963>.
34. Hillary Clinton citada em "Press Release – President Obama Announces Key State Department Appointments" [Press Release – presidente Obama anuncia principais decisões do Departamento de Estado], 6 de março, 2009, *The American Presidency Project*. <presidency.ucsb.edu/node/322243>.
35. Transcrição do discurso de Obama em 2002. <npr.org/templates/story/story.php?storyId=99591469>.
36. Obama citado em David Rothkopf, *Foreign Policy*, 4 de junho, 2014. <foreignpolicy.com/2014/06/04/obamas-dont-do-stupid-shit-foreign-policy/>.
37. Barack Obama, "Remarks at Newport News Shipbuilding in Newport News, Virginia" [Comentários na construção naval de Newport News, em Newport News, Virginia], 26 de fevereiro, 2013, *The American Presidency Project*. <presidency.ucsb.edu/node/303848>. "The President's News Conference" [Coletiva de imprensa

do presidente], 1 de março, 2013, *The American Presidency Project*. <presidency.ucsb.edu/node/303955>.

38. Barack Obama, "The President's News Conference", 1º de março, 2013.
39. Toon Kuppens, Russell Spears, Antony S. R. Manstead, Bram Spruyt e Matthew J. Easterbrook, "Educationism and the Irony of Meritocracy: Negative Attitudes of Higher Educated People Towards the Less Educated" [Educacionismo e a ironia da meritocracia: comportamentos negativos de pessoas com alta formação educacional direcionados a pessoas com menos formação educacional], *Journal of Experimental Social Psychology* [Revista de psicologia social experimental], 76 (maio de 2018), p. 429–47.
40. *Ibid.*, p. 441–42.
41. *Ibid.*, p. 437, 444.
42. *Ibid.*, p. 438–39, 441–43.
43. *Ibid.*, p. 444.
44. *Ibid.*, p. 441, 445.
45. Jennifer E. Manning, "Membership of the 116th Congress: A Profile" [Membros do 116º Congresso: um perfil] Congressional Research Service [Serviço de pesquisa do Congresso], 7 de junho, 2019, p. 5. <crsreports.congress.gov/product/pdf/R/R45583>. A. W. Geiger, Kristen Bialik, e John Gramlich, "The Changing Face of Congress in 6 Charts" [A mudança do perfil do Congresso em seis gráficos], Pew *Research Center*, 15 de fevereiro, 2019. <pewresearch.org/fact-tank/2019/02/15/the-changing-face-of-congress/>.
46. Nicholas Carnes, *The Cash Ceiling: Why Only the Rich Run for Office – and What We Can Do About It* [Porque somente os ricos são candidatos a mandatos oficiais e o que podemos fazer sobre isso], Princeton: Princeton University Press, 2018, p. 5–6.
47. Dados sobre os membros do Parlamento foram consultados em: Rebecca Montacute e Tim Carr, "Parliamentary Privilege – the MPs in 2017" [Privilégio no Parlamento – os membros do Parlamento em 2017], resumo de pesquisa, The Sutton Trust, junho de 2017, p. 1–3, <suttontrust.com/research-paper/parliamentary-privilege-the-mps-2017-education-background/>. Veja também Lukas Audickas e Richard Cracknell, "Social Background of MPs 1979–2017" [Contexto social de membros do Parlamento 1979-2017], Biblioteca da Câmara dos Comuns do Reino Unido, 12 de novembro, 2018. <researchbriefings.parliament.uk/ResearchBriefing/Summary/CBP-7483#fullreport>, que fornece dados um pouco mais baixos (82%) para membros do Parlamento com diploma universitário. O número referente à população geral (70% sem diploma) é de Bagehot, "People Without Degrees Are the Most Under-represented Group" [Pessoas sem diploma são o grupo com menor representatividade], *The Economist*, 12 de maio, 2018.

48. *Ibid*., "Social Background of MPs 1979–2017," House of Commons Library, p. 11–12. Ashley Cowburn, "Long Read: How Political Parties Lost the Working Class" [Artigo de opinião: Como partidos políticos perderam a classe trabalhadora], *New Statesman*, 2 de junho, 2017. <newstatesman.com/2017/06/long-read-how-political-parties-lost-working-class>. Oliver Heath, "Policy Alienation, Social Alienation and Working-Class Abstention in Britain, 1964–2010" [Alienação política, alienação social e abstenção da classe trabalhadora na Grã-Bretanha, 1964-2010], *British Journal of Political Science* 48, issue 4 (outubro 2018), p. 1063. <doi.org/10.1017/S0007123416000272>.
49. Mark Bovens e Anchrit Wille, *Diploma Democracy: The Rise of Political Meritocracy* [Democracia do diploma: a ascensão da meritocracia política]. Oxford: Oxford University Press, 2017, p. 1–2, 5.
50. *Ibid*., p. 112–16, 120. Conor Dillon, "Tempting PhDs Lead Politicians into Plagiarism" [A tentação do PhD conduz políticos ao plágio], *DW*, 13 de fevereiro, 2013. <p.dw.com/p/17dJu>.
51. Bovens and Wille, *Diploma Democracy*, p. 113–16.
52. *Ibid.*
53. Jackie Bischof, "The Best US Presidents, as Ranked by Presidential Historians" [Os melhores presidentes dos EUA, conforme elencados por historiadores presidenciais], *Quartz*, 19 de fevereiro, 2017. <qz.com/914825/presidents-day-the-best-us-presidents-in-history-as-ranked-by-presidential-historians/>. Brandon Rottinghaus e Justin S. Vaughn, "How Does Trump Stack Up Against the Best – and Worst – Presidents?" [Como pode-se comparar Trump com os melhores – e os piores – presidentes?], *The New York Times*, 19 de fevereiro, 2018. <nytimes.com/interactive/2018/02/19/opinion/how-does-trump-stack-up-against-the-best-and-worst-presidents.html>.
54. Veja: Binyamin Appelbaum, *The Economists' Hour: False Prophets, Free Markets, and the Fracture of Society* [A vez dos economistas: falsos profetas, livre mercado e a fratura na sociedade]. New York: Little, Brown and Company, 2019, p. 3–18.
55. Frank, *Listen, Liberal*, p. 39.
56. Dados sobre a porção da população geral que estudou em escola particular (7%) e Oxford ou Cambridge (1%) foram consultados em Elitist Britain 2019: "The Educational Backgrounds of Britain's Leading People" [Grã-Bretanha elitista 2019: histórico de formação educacional de líderes da Grã-Bretanha], The Sutton Trust and Social Mobility Commission, 2019, p. 4. <suttontrust.com/wp-content/uploads/2019/06/Elitist-Britain-2019.pdf>. Dados sobre o gabinete de Boris Johnson e a porcentagem ministros que estudaram em escola particular ao longo do tempo foram consultados em Rebecca Montacute e Ruby Nightingale, Sutton Trust Cabinet Analysis 2019 [Análise dos gabinetes pela Sutton Trust 2019]. <suttontrust.com/research-paper/sutton-trust-cabinet-analysis-2019/>.

57. Sutton Trust Cabinet Analysis 2019. Adam Gopnik, "Never Mind Churchill, Clement Attlee Is a Model for These Times" [Não tem importância, Churchill, Clement Attlee é modelo para esses tempos], *The New Yorker*, 2 de janeiro, 2018. <newyorker.com/news/daily-comment/never-mind-churchill-clement-attlee-is-a-model-for-these-times>.
58. Gopnik, "Never Mind Churchill, Clement Attlee is a Model for These Times". O histórico da classe trabalhadora de Bevin e Morrison são discutidos em Michael Young, "Down with Meritocracy" [Abaixo a meritocracia], *The Guardian*, 28 de junho, 2001. <theguardian.com/politics/2001/jun/29/comment>. Sobre o histórico de Bevan, veja BBC, "Aneurin Bevan (1897–1960)". <bbc.co.uk/history/historic_figures/bevan_aneurin.shtml>. As avaliações do governo de Attlee foram consultadas em BBC, "Clement Attlee (1883–1967)". <bbc.co.uk/history/historic_figures/attlee_clement.shtml>. E John Bew, Clement Attlee. *The Man Who Made Modern Britain* [Clemente Attlee: o homem que fez a Grã-Bretanha moderna]. Nova York: Oxford University Press, 2017, citado em Gopnik.
59. Sobre os eleitores brancos sem formação universitária de Trump veja sondagens de 2016, CNN, disponíveis em: <cnn.com/election/2016/results/exit-polls>. Os dados sobre eleitores de Clinton que tinham diploma avançado foram consultados em Thomas Piketty, "Brahmin Left vs. Merchant Right: Rising Inequality & the Changing Structure of Political Conflict" [Esquerda brâmane *versus* direita mercantil: desigualdade em ascensão e mudança da estrutura do conflito político], *WID.world Working Paper Series*, março 2018. <piketty.pse.ens.fr/files/Piketty2018.pdf>, figura 3.3b. Sobre educação *versus* renda, veja Nate Silver, "Education, Not Income, Predicted Who Would Vote for Trump" [Educação, não renda, previu quem votaria em Trump], 22 de novembro, 2016. <FiveThirtyEight.com>, <fivethirtyeight.com/features/education-not-income-predicted-who-would-vote-for-trump/>.
60. Silver, "Education, Not Income, Predicted Who Would Vote for Trump." Trump citado em Susan Page, "Trump Does the Impossible – Again" [Trump faz o impossível – novamente], *USA Today*, 25 de fevereiro, 2016. <usatoday.com/story/news/politics/elections/2016/02/24/analysis-donald-trump-does-impossible-again/80843932/>.
61. Thomas Piketty, "Brahmin Left vs. Merchant Right: Rising Inequality & the Changing Structure of Political Conflict."
62. *Ibid.*, figuras 1.2c e 1.2d.
63. *Ibid.*, p. 3. Sondagens de 2018, *CNN*. <cnn.com/election/2018/exit-polls>.
64. Sondagens de 2018, CNN. <cnn.com/election/2018/exit-polls>. Aaron Zitner e Anthony DeBarros, "The New Divide in Politics: Education" [O novo divisor em política: educação], *The Wall Street Journal*, 10 de novembro, 2018. <wsj.com/articles/midterm-results-point-to-a-new-divide-in-politics-education-1541865601>.

65. Oliver Heath, "Policy Alienation, Social Alienation and Working-Class Abstention in Britain, 1964–2010," p. 1064, figura 4. Oliver Heath, "Has the Rise of Middle Class Politicians Led to the Decline of Class Voting in Britain?" [A ascensão de políticos de classe média levou ao declínio da votação por classe na Grã-Bretanha?], 12 de fevereiro, 2015, LSE blogs. <blogs.lse.ac.uk/politicsandpolicy/the-rise-of-middle-class-politicians-and-the-decline-of-class-voting-in-britain/>.
66. "People Without Degrees Are the Most Under-represented Group," *The Economist*, 12 de maio, 2018. <economist.com/britain/2018/05/12/people-without-degrees-are-the-most-under-represented-group>; Matthew Goodwin e Oliver Heath, "Brexit Vote Explained: Poverty, Low Skills and Lack of Opportunities" [Votos a favor do Brexit explicados: pobreza, poucas habilidades e falta de oportunidade], Joseph Rowntree Foundation, 31 de agosto, 2016. <jrf.org.uk/report/brexit-vote-explained-poverty-low-skills-and-lack-opportunities>.
67. Goodwin e Heath, "Brexit Vote Explained: Poverty, Low Skills and Lack of Opportunities."
68. Thomas Piketty, "Brahmin Left vs. Merchant Right: Rising Inequality & the Changing Structure of Political Conflict," p. 13, figuras 2.3a–2.3e.
69. *Ibid.*, p. 2, 61.
70. Jérôme Fourquet, "Qui sont les Français qui soutiennent Emmanuel Macron?" [Quem são os franceses que apoiam Emmanuel Macron?], *Slate*, 7 de fevereiro, 2017. <slate.fr/story/136919/francais-marchent-macron>.
71. Pascal-Emmanuel Gobry, "The Failure of the French Elite" [O fracasso da elite francesa], *The Wall Street Journal*, 22 de fevereiro, 2019. Veja também Christopher Caldwell, "The People's Emergency" [A emergência do povo], *The New Republic*, 22 de abril, 2019. <newrepublic.com/article/153507/france-yellow-vests-uprising-emmanuel-macron-technocratic-insiders>.
72. Kim Parker, "The Growing Partisan Divide in Views of Higher Education" [A crescente divisão partidária em pontos de vista sobre a educação superior], *Pew Research Center*, 19 de agosto, 2019. <pewsocialtrends.org/essay/the-growing-partisan-divide-in-views-of-higher-education/>.
73. Obama citado em Adam J. White, "Google.gov", *The New Atlantis*, primavera de 2018, p. 15, <thenewatlantis.com/publications/googlegov>. O video da fala de Obama está disponível em <youtube.com/watch?v=m4yVlPqeZwo&feature=youtu.be&t=1h1m42s>.
74. *Ibid.* Veja também: Steven Levy, *In the Plex: How Google Thinks, Works, and Shapes Our Lives* [Dentro do Plex: como Google pensa, trabalha e molda nossa vida]. Nova York: Simon & Schuster, 2011, p. 317.
75. Pesquisa do autor sobre o uso de "curva de custos" por Obama, usando o arquivo online do *The American Presidency Project*. <presidency.ucsb.edu/advanced-search>.

76. Pesquisa do autor sobre o uso de "incentivar" por Obama, usando o arquivo online do *The American Presidency Project*. <presidency.ucsb.edu/advanced-search>.
77. Pesquisa do autor sobre o uso de "inteligente" por Obama, usando o arquivo online do *The American Presidency Project*. <presidency.ucsb.edu/advanced-search>.
78. Henry Mance, "Britain Has Had Enough of Experts, says Gove" [A Grã-Bretanha já está cansada de especialistas, disse Gove], 3 de junho, 2016, *Financial Times*. <ft.com/content/3be49734–29cb-11e6–83e4-abc22d5d108c>.
79. Peter Baker, "From Obama and Baker, a Lament for a Lost Consensus" [De Obama e Baker, um lamento por um consenso perdido]. *The New York Times*, 28 de novembro, 2018. <nytimes.com/2018/11/28/us/politics/obama-baker-consensus.html>.
80. Citações do discurso de Obama durante a conferência Sloan Sports Analytics do MIT, 23 de fevereiro, 2018. Apesar de a sessão ter sido informal, uma gravação em áudio dos comentários de Obama está publicada no website da *Reason*, uma revista libertária. <reason.com/2018/02/26/barack-obama-mit-sloan-sports>.
81. Obama citado em Baker, "From Obama and Baker, a Lament for a Lost Consensus." A citação, propriamente dita, está em C-SPAN vídeo do presidente Obama na Rice University, 27 de novembro, 2018. <c-span.org/video/?455056–1/president-obama-secretary-state-james-baker-discuss-bipartisanship>.
82. Hillary Clinton, "Address Accepting the Presidential Nomination at the Democratic National Convention in Philadelphia, Pennsylvania" [Discurso de aceitação da indicação para candidatura à presidência durante a Convenção Nacional Democrata, 28 de julho, 2016, *The American Presidency Project*. <presidency.ucsb.edu/node/317862>. Barack Obama, "Remarks to the Illinois General Assembly in Springfield, Illinois" [Comentários para a Assembleia Geral e Illinois, em Springfield, Illinois], 10 de fevereiro, 2016, *The American Presidency Project*. <presidency.ucsb.edu/node/312502>. Katie M. Palmer, "Cool Catchphrase, Hillary, but Science Isn't about Belief" [Slogan legal, Hillary, mas ciência não é crença], *Wired*, 29 de julho, 2016. <wired.com/2016/07/cool-catchphrase-hillary-science-isnt-belief/>.
83. Obama citou Moynihan em várias ocasiões, inclusive em Barack Obama, *The Audacity of Hope: Thoughts on Reclaiming the American Dream* [A audácia da esperança: pensamentos sobre resgatar o Sonho Americano]. Nova York: Three Rivers Press, 2006. Em sua visita à Google durante sua campanha, em 2007 (citado em Adam J. White, "Google.gov," *The New Atlantis*, primavera 2018, p. 16), e em seus comentários de 2018 no MIT, onde acrescentou a observação sobre Moynihan ser inteligente. <reason.com/2018/02/26/barack-obama-mit-sloan-sports>.
84. Frank Newport e Andrew Dugan, "College-Educated Republicans Most Skeptical of Global Warming" [Republicanos com formação universitária são mais céticos

em relação ao aquecimento global], *Gallup*, 26 de março, 2015. <news.gallup.com/poll/182159/college-educated-republicans-skeptical-global-warming.aspx>. Em 2018, 69% dos republicanos e apenas 4% dos democratas consideravam aquecimento global, em geral, um exagero; 89% dos democratas e apenas 35% dos republicanos acreditavam que o aquecimento global é causado por atividade humana. Veja Megan Brenan e Lydia Saad, "Global Warming Concern Steady Despite Some Partisan Shifts" [Preocupação com aquecimento global é estável, apesar de algumas mudanças partidárias], *Gallup*, 28 de março, 2018. <news.gallup.com/poll/231530/global-warming-concern-steady-despite-partisan-shifts.aspx>.

85. *Ibid.*
86. Caitlin Drummond e Baruch Fischhoff, "Individuals with Greater Science Literacy and Education Have More Polarized Beliefs on Controversial Science Topics" [Indivíduos com maior instrução na área de ciências e formação educacional têm crenças mais polarizadas em relação a tópicos científicos controversos], *Proceedings of the National Academy of Sciences* [Anais da Academia Nacional de Ciências, PNAS] 114, nº 36, 5 de setembro, 2017, p. 9587–92. <doi.org/10.1073/pnas.1704882114>.
87. Obama citado em Robby Soave, "5 Things Barack Obama Said in His Weirdly Off-the-Record MIT Speech" [cinco coisas que Barack Obama disse em seu discurso estranhamente informal no MIT], 27 de fevereiro, 2018, *Reason*. <reason.com/2018/02/26/barack-obama-mit-sloan-sports>, inclui um registro em áudio de seu discurso.
88. *Ibid.*
89. Encyclical Letter Laudato Si' of the Holy Father Francis, "On Care for Our Common Home" [Carta Encíclica Laudato Si do Santíssimo Padre Francisco sobre O cuidado da casa comum], 24 de maio, 2015, parágrafo 22. <w2.vatican.va/content/dam/francesco/pdf/encyclicals/documents/papa-francesco_20150524_enciclica-laudato-si_en.pdf>.

# Capítulo 5 Ética do sucesso

Imagine duas sociedades, ambas, em graus semelhantes, desiguais em renda e riqueza. A cada cem dólares de renda nacional, os 20% mais ricos recebem US$ 62, enquanto os 20% mais pobres ficam apenas com US$ 1,70. Se você juntar toda a renda da metade inferior da sociedade, teria apenas US$ 12,50, muito menos do que a quantidade recebida somente pelo 1% mais rico (US$ 20,20). Disparidades de riqueza são ainda maiores.[1]

Se as desigualdades gritantes incomodam você, é possível que considere essas duas sociedades injustas. No entanto, antes de decidir, talvez solicite mais informação. Talvez queira saber, por exemplo, como surgiram essas distribuições desiguais.

## MERITOCRACIA *VERSUS* ARISTOCRACIA

Então, imagine que a primeira sociedade seja uma aristocracia na qual renda e riqueza são determinadas pelo acaso do nascimento e passadas adiante de uma geração para a próxima. Pessoas que nascem em família nobre são ricas, pessoas que nascem em família de camponeses são pobres. O mesmo será verdadeiro para seus filhos e suas filhas e para filhos e filhas destes. E imagine que a segunda sociedade seja uma meritocracia. Suas desigualdades em renda e riqueza não são resultantes de privilégio hereditário, mas do resultado do que as pessoas conquistaram por meio de esforço e talento.

Saber disso provavelmente levaria você a preferir a segunda sociedade à primeira. Uma aristocracia é injusta, porque consigna pessoas à classe em que nasceu. Não permite que elas ascendam. Uma meritocracia, ao contrário, possibilita às pessoas melhorar suas condições ao exercitarem seus talentos e sua engenhosidade. Esse é um argumento potente a seu favor. Para reforçar: uma meritocracia não dá cabo da desigualdade. Precisamente, porque pessoas são diferentes em seus talentos e ambições, algumas ascendem mais alto que outras. Mas pelo menos pode-se dizer que essas desigualdades refletem o mérito das pessoas em vez de refletir a circunstância em que nasceram.

Pessoas que se preocupam com desigualdade talvez ainda pressionem para obter mais informação. Suspeitarão que, mesmo em uma sociedade meritocrática, pelo menos algumas das pessoas no topo se beneficiaram de um ponto de partida favorável na vida – uma família amorosa, solidária e possivelmente abastada, uma escola boa com professores dedicados e assim por diante. Antes de declarar a sociedade meritocrática justa, esses céticos vão querer saber se existem políticas que garantem a todas as crianças, independentemente de contexto familiar, as oportunidades educacionais e culturais para alcançar seu potencial máximo.

Um modo de pensar sobre o que faz uma sociedade justa é perguntar qual tipo de sociedade você escolheria caso não soubesse se crescerá em uma família rica ou pobre. A partir desse padrão, a maioria das pessoas concordaria que uma meritocracia com oportunidades verdadeiramente iguais é mais justa do que uma aristocracia. Mas, por ora, deixe a questão da justiça de lado e considere outra característica das duas sociedades desiguais que imaginamos. Suponha que soubesse com antecedência se estaria no topo ou na base. Em qual dessas duas sociedades você preferiria viver se fosse rico ou rica, e em qual preferiria viver se fosse pobre?

Lembre-se: ambas as sociedades são muito desiguais. Se você estiver no 1% do topo, sua renda será, em média (imaginemos), US$ 1,3 milhão por ano; se você estiver nos 20% da base, será apenas US$ 5.400 por ano.[2] É uma diferença gritante. Talvez você conclua, uma vez que a diferença entre rico e pobre é igualmente dura em ambas as sociedades, que saber qual posição você ocupará não ajuda a decidir a sociedade de sua preferência.

Entretanto, renda e riqueza não seriam suas únicas preocupações. Se fosse rico ou rica, talvez preferisse uma sociedade que possibilitasse a você legar sua riqueza e seu privilégio a suas crianças. Isso seria um argumento a favor da sociedade aristocrática. Se fosse pobre, talvez preferisse a sociedade que proporcionasse a você ou a suas crianças uma oportunidade de ascender. Isso seria um argumento a favor da sociedade meritocrática.

Uma reflexão mais além, no entanto, sugere uma consideração compensatória em cada caso. As pessoas se importam não apenas com a quantidade de dinheiro que elas têm, mas também com o significado de sua riqueza ou pobreza para sua posição social e sua autoestima. Se você tivesse nascido nas classes mais altas de uma aristocracia, teria consciência de que seu privilégio era resultado de sua boa sorte, não de suas próprias ações. Enquanto que, se você ascendesse, por meio de esforço e talento, até o cume de uma meritocracia, poderia se orgulhar do fato de que seu sucesso foi conquistado, não herdado. Diferentemente do privilégio aristocrático, o sucesso meritocrático traz um senso de realização pela conquista do espaço de alguém. Desse ponto de vista, é melhor ser rico ou rica em uma meritocracia do que em uma aristocracia.

Por razões semelhantes, ser pobre em uma meritocracia é desmoralizante. Se, em uma sociedade feudal, você nascesse em condição de servidão, sua vida seria dura, mas não se sentiria oprimido ou oprimida pelo pensamento de que a responsabilidade por estar nessa posição de subordinação é sua. E nem trabalharia acreditando que a pessoa proprietária de terras para quem labuta alcançou sua posição por ser mais capaz e ter mais talento do que você. Saberia que essa pessoa não merecia mais do que você, apenas tinha mais sorte.

Se, ao contrário, você estivesse na base de uma sociedade meritocrática, seria difícil resistir ao pensamento de que sua desvantagem era, pelo menos em parte, resultado de suas ações, um reflexo do fato de você não conseguir demonstrar talento e ambição suficientes para estar à frente. Uma sociedade que permite às pessoas ascender, e que honra a ascensão, apresenta um veredicto duro sobre aquelas que não conseguem fazer isso.

## O LADO SOMBRIO DA MERITOCRACIA

O termo "meritocracia" foi inventando a partir dessa preocupação. Michael Young foi um sociólogo britânico afiliado ao Partido Trabalhista. Em 1958 ele escreveu um livro chamado *The Rise of the Meritocracy* [A ascensão da meritocracia].[3] Para Young, meritocracia descrevia distopia, não ideal. Ele escreveu em um momento em que o sistema de classe britânico colapsava e abria caminho para um sistema de avanço educacional e profissional baseado em mérito. Isso era uma coisa boa, porque possibilitava que crianças da classe trabalhadora desenvolvessem o talento que possuíam e fugissem da vida consignada ao trabalho manual.

Mas Young também vislumbrou o lado sombrio da meritocracia. Escrevendo como se fosse um historiador examinando o passado a partir do ano de 2033, ele descreveu com clareza inquietante a lógica moral da sociedade meritocrática que começava a se desdobrar na Grã-Bretanha do pós-guerra do seu tempo. Sem defender a vigente ordem fundamentada em classe, Young sugeriu que a arbitrariedade moral e a injustiça manifesta pelo menos tiveram este efeito desejável: atenuou a autoestima da classe alta e impediu que a classe trabalhadora enxergasse sua situação como fracasso pessoal.

Pessoas que foram "arremessadas" ao topo por riquezas e influência do pai e da mãe "não conseguiam dizer a si mesmas com total convicção 'eu sou a melhor pessoa para o trabalho' porque sabiam que não conquistaram seu lugar em competição aberta e, se fossem honestos, teriam de reconhecer que uma dúzia de seus subordinados poderiam ter sido tão bons, ou talvez melhores".[4]

> O homem de classe social alta tinha que realmente ser insensível para não ter notado, em algum momento da vida, que um soldado em seu regimento, um mordomo ou uma faxineira em sua casa, um motorista de táxi ou de ônibus ou o trabalhador humilde com rosto enrugado e olhos atentos ao transporte ferroviário ou ao bar no interior – para não ter notado que entre essas pessoas havia inteligência, sagacidade e sabedoria pelo menos iguais às dele mesmo.[5]

Ainda que algum "homem de classe alta" se enganasse a ponto de acreditar que merecia o lugar no topo, seus subordinados não tinham essa ilusão. Sabiam "que vários chefes estavam ali não tanto por aquilo que sabiam, mas por quem eles conheciam e por quem eram seu pai e sua mãe". Saber que o sistema era fraudado dava poder à classe trabalhadora para questioná-lo politicamente. (Esse era o motivo para se ter um partido trabalhista.) Também importante, a arbitrariedade do sistema de classe poupava os trabalhadores de seu autojulgamento a partir do status inferior que a sociedade designou para eles.[6]

> O trabalhador disse para si mesmo: "Aqui estou, um trabalhador. Por que sou um trabalhador? Será que não sirvo para mais nada? Claro que não. Se eu tivesse tido uma oportunidade apropriada eu teria mostrado ao mundo. Um doutor? Um cervejeiro? Um ministro? Eu poderia ter feito qualquer coisa. Nunca tive a oportunidade. E então, sou um trabalhador. Mas não pense que no fundo eu seja pior do que qualquer outra pessoa."[7]

Young sugere que estar consciente da arbitrariedade moral da posição social de uma pessoa tem certa vantagem: evita que tanto vencedores quanto perdedores acreditem que merecem sua sina. Isso não justifica o sistema de classe. Mas explicita uma característica paradoxal de uma ordem meritocrática. Alocar empregos e oportunidades conforme o mérito não reduz a desigualdade, mas reconfigura a desigualdade para alinhá-la à habilidade. No entanto, essa reconfiguração cria o pressuposto de que as pessoas recebem o que merecem. E esse pressuposto aprofunda a diferença entre rico e pobre.

> Agora que as pessoas são classificadas conforme sua habilidade, a diferença entre classes inevitavelmente aumentou. As classes altas não são mais [...] enfraquecidas pela autodesconfiança e autocrítica. Hoje, pessoas renomadas sabem que sucesso é apenas recompensa por sua própria capacidade, por seus próprios esforços e por sua própria realização inegável. Elas merecem pertencer a

> uma classe superior. Sabem também que, para começar, não são apenas de alto calibre, mas que uma formação educacional de primeira classe foi construída a partir dos talentos natos delas.[8]

Young não só previu a arrogância meritocrática das elites, como também vislumbrou a afinidade delas com a experiência tecnocrática, a tendência a desprezar quem não tem suas credenciais brilhantes e o efeito corrosivo desses comportamentos no discurso público. As elites em ascensão "se aproximam como quase ninguém de uma compreensão da complexidade total e sempre crescente de nossa civilização técnica. São treinadas em ciências, e foram os cientistas que herdaram a terra". O intelecto e a formação educacional superiores dão a elas pouco motivo ou situação para se envolverem em discussões sérias com pessoas que não têm diploma universitário.

> Como podem ter um diálogo com as classes inferiores quando elas [as elites] falam outra linguagem, mais rica e mais precisa? Hoje, a elite sabe que [...] os inferiores a ela socialmente são inferiores também em outros modos – ou seja, nas duas qualidades vitais de inteligência e formação educacional, que receberam o lugar mais importante no sistema de valores mais consistente do século XXI.[9]

"Um de nossos problemas tipicamente modernos", Young observou (e lembre-se de que ele "observava" como se vivesse em 2033), é que "alguns membros da meritocracia [...] ficaram tão impressionados com a própria importância, de tal forma que perderam a empatia pelas pessoas que governam". Ele acrescentou de modo sardônico que alguns meritocratas eram "tão sem tato que até pessoas de baixo calibre foram de tal forma ofendidas sem necessidade".[10] (A afirmação de Hillary Clinton durante sua campanha de 2016 sobre metade dos apoiadores de Donald Trump serem "um bando de deploráveis" vem à mente.)[11]

O ressentimento contra as elites era composto pela autodesconfiança que a meritocracia inflige nas pessoas que não conseguem ascender.

> Todas as pessoas, independentemente do quão humildes, sabem que tiveram todas as oportunidades [...]. Não estariam obrigadas a reconhecer que têm um status inferior, não como no passado, porque tiveram a oportunidade negada, mas porque elas *são* inferiores? Pela primeira vez na história humana o homem inferior não tem apoio disponível para sua autoestima.[12]

Young previu que essa infusão tóxica de arrogância e ressentimento alimentaria uma reação política. Ele concluiu seu conto distópico com a previsão de que, em 2034, as classes com menor formação educacional ascenderiam em uma revolta populista contra as elites meritocráticas. Em 2016, quando a Grã-Bretanha votou a favor do Brexit e os Estados Unidos elegeram Trump, a revolta chegou 18 anos antes do programado.

## A MERITOCRACIA REVISITADA

As duas sociedades que descrevi anteriormente não são puramente hipotéticas. As desigualdades de renda que as atormentam são as mesmas que prevalecem nos Estados Unidos hoje.[13] Em sua maioria, essas desigualdades são defendidas, quando são defendidas, a partir de algo como fundamentos meritocráticos. Ninguém argumenta que os ricos deveriam ser ricos porque nasceram de pai e mãe ricos. Pessoas que criticam a desigualdade talvez reclamem que aquelas que aboliriam taxação de herança, digamos, endossam de modo implícito privilégios hereditários. Mas ninguém defende privilégio hereditário abertamente nem contesta o princípio de que carreiras deveriam estar abertas a talentos.

A maioria de nossos debates sobre acesso a empregos, formação educacional e carreira pública partem da premissa de oportunidades iguais. Nossas divergências são menos sobre o princípio propriamente dito do que sobre suas exigências. Por exemplo, pessoas que criticam ações afirmativas em contratação e ingresso na universidade argumentam que tais políticas são inconsistentes com igualdade de oportunidade, porque julgam os inscritos a partir de fatores que não são o mérito. Defensores de ações afirmativas respondem que tais políticas são necessárias para tornar a igualdade de oportunidade uma realidade para membros de grupos que sofreram discriminação ou estiveram em desvantagem.

Pelo menos no que diz respeito a princípio e retórica política, a meritocracia acabou ganhando. Em democracias por todo o mundo, políticos da centro-esquerda e da centro-direita alegam que são as suas políticas que possibilitarão a todos os cidadãos, independentemente de raça ou etnia, gênero ou classe, competir em pé de igualdade para ascender até onde seus esforços e talentos os levarem. Quando pessoas reclamam da meritocracia, a reclamação, em geral, não é sobre o ideal, mas sim, sobre não conseguirmos viver de acordo com ele: os ricos e poderosos fraudaram o sistema para perpetuar seus privilégios; as classes média alta e alta descobriram como passar suas vantagens adiante, para suas crianças, convertendo a meritocracia à aristocracia hereditária; universidades que alegam selecionar estudantes com base em mérito oferecem vantagens para filhos e filhas de pessoas ricas e de pessoas com conexões. De acordo com essas reclamações, a meritocracia é um mito, uma promessa distante ainda a ser resgatada.[14]

Essa reclamação é certamente válida. Mas e se o problema for mais profundo? E se o problema real com a meritocracia não for o fato de não termos conseguido alcançá-la, mas sim o fato de o ideal ser falho? E se a retórica da ascensão não for mais inspiradora não simplesmente porque a mobilidade social estacionou, mas, ainda mais fundamental, porque ajudar pessoas a subir a escada do sucesso em uma meritocracia competitiva é um projeto político vazio, que reflete uma concepção empobrecida de cidadania e liberdade?

A fim de explorar essa pergunta mais complexa, precisamos examinar duas objeções à meritocracia como projeto moral e político. Uma diz respeito à justiça; a outra, a comportamentos direcionados ao sucesso e ao fracasso. A primeira objeção duvida que até mesmo uma meritocracia totalmente realizada, na qual empregos e pagamentos refletem perfeitamente os esforços e os talentos das pessoas, seria uma sociedade justa. A segunda objeção argumenta que, mesmo uma meritocracia sendo justa, não seria uma boa sociedade. Geraria arrogância e ansiedade entre os vencedores e humilhação e ressentimento entre os perdedores – comportamentos em conflito com o florescimento do ser humano e nocivo para o bem comum.

Críticas filosóficas à meritocracia concentram-se, sobretudo, na primeira objeção. Por motivos que ainda exploraremos, a maioria dos filósofos e das filósofas contemporâneos rejeita a noção de que a sociedade deveria alocar empregos e pagamentos com base no que as pessoas merecem. Isso coloca as pessoas da filosofia em discordância com as intuições morais que formam o senso comum, e vale a pena tentar descobrir quem está certo – filósofos e filósofas ou o público.

Apesar de a primeira objeção, sobre justiça, ser a mais familiar em círculos de filosofia, a segunda, sobre arrogância e humilhação, talvez tenha mais consequências para a compreensão de nossa atual situação política. Os protestos populistas contra elites meritocráticas não são apenas sobre justiça, mas também sobre estima social. Compreender esse protesto é identificar e acessar os lamentos e ressentimentos que o motivam. Eles são legítimos ou mal direcionados? Na medida em que sejam legítimos, o que pode ser feito para abordá-los?

## UMA MERITOCRACIA PERFEITA SERIA JUSTA?

Imagine que, certo dia, conseguíssemos remover todos os obstáculos injustos ao sucesso, de tal maneira que todo mundo, inclusive aqueles de contextos humildes, pudessem competir com filhos e filhas de pessoas privilegiadas em campo nivelado. Imagine que alcancemos, de fato, o que proclamamos como princípio, que todos os cidadãos deveriam ter uma oportunidade igual para ascender até onde seus talentos e seu trabalho árduo possam levá-los.

Obviamente, uma sociedade como essa é difícil de alcançar. Superar a discriminação não seria suficiente. A instituição da família complica o projeto de dar a todo mundo uma oportunidade igual. Não é fácil equilibrar as vantagens que pais e mães abastados conferem a filhos e filhas. Não estou pensando principalmente em riqueza herdada. Um imposto sobre heranças que seja robusto resolveria isso. Estou pensando nos modos cotidianos através dos quais pais e mães conscienciosos ajudam filhos e filhas. Até mesmo o melhor e mais inclusivo sistema educacional teria dificuldade para equipar estudantes de contextos pobres para competir em pé de igualdade com crianças de famílias que oferecem quantidades abundantes de atenção, recursos e conexões.

Mas suponha que isso pudesse ser feito. Suponha que conseguíssemos realizar a promessa de dar a todas as crianças uma oportunidade igual para competir por sucesso na escola, no local de trabalho e na vida. Isso seria suficiente para se ter uma sociedade justa?

É tentador dizer: “Sim, é óbvio. Não é esse o Sonho Americano – criar uma sociedade aberta, com mobilidade, na qual o filho ou a filha de um agricultor ou de um imigrante totalmente sem dinheiro possa ascender e se tornar um CEO?” E enquanto esse sonho traz em si uma fascinação específica para estadunidenses, ele também tem ressonância em sociedades democráticas por todo o mundo.

Uma sociedade perfeitamente móvel é um ideal inspirador por dois motivos. Primeiro, expressa certa ideia de liberdade. Nosso destino não deveria ser fixo por circunstâncias de nascimento, mas deveria ser nossa decisão. Segundo, indica uma esperança de que o que alcançamos reflete o que merecemos. Se somos livres para ascender com base em nossas próprias escolhas e talentos, parece justo dizer que as pessoas bem-sucedidas merecem o sucesso delas.

Entretanto, apesar de seu apelo potente, há motivo para duvidar que até mesmo uma meritocracia perfeitamente realizada seria uma sociedade justa. Para começar, é importante notar que o ideal meritocrático está relacionado à mobilidade, não à igualdade. Ele não diz que há algo de errado com grandes lacunas entre ricos e pobres; apenas insiste que filhos e filhas de ricos e filhos e filhas de pobres deveriam ser capazes, ao longo do tempo, de trocar de lugar baseado no seu mérito – para ascender ou cair como resultado do seu esforço e talento. Ninguém deveria ficar preso à base ou estabelecido no topo, devido a preconceito ou privilégio.

O que importa para uma meritocracia é que todo mundo tenha uma oportunidade igual para subir as escadas do sucesso; não há nada a dizer sobre qual deveria ser a distância entre os degraus da escada. O ideal meritocrático não é remédio para desigualdade; ele é justificativa para desigualdade.

Isso não é, por si só, um argumento contra ele. Mas levanta uma questão: a desigualdade que surge da competição meritocrática é justificável? Defensores da meritocracia dizem que sim; desde que todas as pessoas compitam em um campo nivelado, o resultado é justo. Até mesmo uma competição justa tem vencedores e perdedores. O que importa é que todos comecem a corrida no mesmo ponto de partida, já que tiveram acesso igual a treinamento, aconselhamento, nutrição e assim por diante. Se esse for o caso, o vencedor da corrida merecerá o prêmio. Não há injustiça no fato de que algumas pessoas correm mais rápido do que outras.

## MERECEMOS NOSSOS TALENTOS?

Se esse argumento é convincente ou não, depende do status moral dos talentos. Lembre-se da retórica da ascensão tão proeminente no discurso público desses dias. Independentemente do quão humilde for nossa origem, os políticos proclamam, todos deveríamos ascender até onde nosso talento e nosso trabalho árduo nos levar. Mas por que exatamente a essa altura? Por que pressupor que nossos talentos deveriam determinar nosso destino e que é nosso mérito ou merecemos as recompensas que fluem a partir deles?

Há dois motivos para questionar esses pressupostos. Primeiro, eu ter este ou aquele talento não é resultado de minha ação, mas uma questão de sorte. Meritocratas reconhecem que eu não mereço os benefícios que surgem de ter nascido em uma família rica. Então, por que outras formas de sorte – tais como ter talento natural abundante – seriam diferentes? Se eu ganhasse US$ 1 milhão na loteria do estado, ficaria satisfeito com minha sorte. Mas seria insensatez alegar que recebi uma herança ou que o fato de ter ganhado estaria relacionado a mérito. Da mesma forma, se eu tivesse comprado um bilhete de loteria e não tivesse ganhado, talvez estivesse frustrado, mas não poderia reclamar que algo merecido me foi negado.

Segundo, viver em uma sociedade que premia os talentos que por acaso tenho também não é algo que eu possa alegar ser crédito meu. Isso também é uma questão de sorte. LeBron James ganha dezenas de milhões de dólares jogando basquete, um jogo muito popular. Para além de ser abençoado com talentos atléticos prodigiosos, LeBron tem sorte de viver em uma sociedade que os valoriza e os recompensa. Não é resultado de uma ação dele viver nos dias de hoje, quando as pessoas amam o esporte no qual ele se destaca, em vez de viver na Florença renascentista, quando pintores de afresco, não jogadores de basquete, eram muito cotados.

O mesmo pode ser dito das pessoas que se destacam em profissões que nossa sociedade valoriza menos. O campeão mundial de queda de braço talvez seja tão bom na queda de braço quanto LeBron é no basquete. Não é culpa dele o fato de que, exceto por alguns frequentadores de bar, ninguém está disposto a pagar para assisti-lo a pregar o braço de um adversário à mesa.[15]

Grande parte do apelo da fé meritocrática consiste na ideia de que nosso sucesso é resultado de nossas próprias ações, pelo menos sob as condições certas. Na medida em que a economia é um campo de competição justa, não poluída por privilégio ou preconceito, nós somos responsáveis por nosso destino. Obtemos sucesso ou fracassamos conforme nossos méritos. Recebemos o que merecemos.

Isso é um contexto libertador, porque sugere que podemos ser agentes humanos autorrealizados, autores de nossa sina, mestres de nosso destino. É também moralmente satisfatório, porque sugere que a economia pode reagir à noção antiga de justiça, dando às pessoas o que lhes é devido.

Mas o reconhecimento de que nossos talentos não são resultados de nossas próprias ações complica essa ideia de autorrealização. Coloca em questão a crença meritocrática de que superar preconceito e privilégio é suficiente para produzir uma sociedade justa. Se nossos talentos forem dons aos quais devemos gratidão – seja à loteria genética, seja a Deus – será equívoco e vaidade pressupor que merecemos os benefícios que fluem deles.

## O ESFORÇO NOS TORNA DIGNOS?

Defensores da meritocracia respondem invocando esforço e trabalho árduo. Argumentam que as pessoas que ascendem devido ao trabalho árduo são responsáveis pelo sucesso resultante de seus esforços e dignos de elogio por sua diligência. Isso é verdade, até certo ponto. Esforço importa, e ninguém, independentemente do quão talentoso ou talentosa, alcança o sucesso sem trabalhar para cultivar seus talentos. Até mesmo o mais talentoso músico precisa dedicar longas horas à prática, a fim de se tornar bom o suficiente para tocar no Carnegie Hall. Até mesmo o mais talentoso atleta deve passar por duros meses de treinamento, a fim de entrar para o time olímpico.

Não obstante a importância do esforço, o sucesso é raramente resultado apenas do trabalho árduo. O que destaca vencedores de medalhas olímpicas e estrelas da NBA de atletas menores não são apenas as rotinas extenuantes de treinamento. Vários jogadores de basquete praticam tanto quanto LeBron, mas poucos conseguem se equiparar a suas proezas na quadra. Eu poderia treinar noite e dia, mas jamais nadarei mais rápido que Michael Phelps. Usain Bolt, velocista medalha de ouro considerado o corredor mais rápido do mundo, reconheceu que seu parceiro de treinamento Yohan Blake, também um velocista talentoso, dedica-se mais do que ele. Esforço não é tudo.[16]

Os defensores da meritocracia sabem disso, é óbvio. Eles não alegam que o atleta que se dedica mais merece a medalha de ouro, que o cientista mais diligente merece o prêmio Nobel, nem que o trabalhador que despende mais esforço merece o salário mais alto, independentemente de seus resultados.

Essas pessoas sabem que sucesso é um amálgama de talento e esforço que não é fácil de desenredar. Sucesso gera sucesso, e quem não tem os talentos que a sociedade recompensa talvez pense ser difícil reunir motivação para lutar. No entanto, o argumento meritocrático não é sobretudo uma afirmação sociológica sobre a eficácia do esforço. É, acima de tudo, uma alegação moral sobre ação humana e liberdade.

A ênfase da meritocracia em esforço e trabalho árduo busca defender a ideia de que, sob as condições certas, somos responsáveis por nosso sucesso e, portanto, capazes de alcançar liberdade. Além disso, busca vindicar a crença no fato de que se a competição for verdadeiramente justa, o sucesso se alinhará com virtude; quem trabalha duro e segue as regras conquistará as recompensas que merece.

Queremos acreditar que o sucesso no esporte e na vida é algo que conquistamos, não uma coisa herdada. Dons inatos e as vantagens que eles trazem confundem a fé meritocrática. Lançam dúvida sobre a convicção de que exaltação e recompensa fluem a partir somente do esforço. Diante dessa confusão, aumentamos a importância do esforço e da luta. Essa distorção pode ser vista, por exemplo, na cobertura televisiva das olimpíadas, que se concentra menos nas proezas dos atletas do que em histórias comoventes sobre as dificuldades que eles precisam transpor, os obstáculos que têm que superar e as batalhas que enfrentaram para vencer uma lesão ou uma dificuldade quando eram crianças ou uma turbulência política na sua terra natal.[17]

Isso pode ser visto na esmagadora maioria (77%) de estadunidenses que, apesar da dificuldade de ascender, acredita que "grande parte das pessoas consegue alcançar sucesso, se estiver disposta a trabalhar duro".[18] Vejo exagero semelhante na ênfase ao empenho em meus estudantes em Harvard, que, apesar de terem talentos impressionantes e com frequência circunstâncias de vida favoráveis, invariavelmente atribuem seu ingresso na universidade a esforço e trabalho árduo.

Se o ideal meritocrático é falho porque ignora as arbitrariedades morais do talento e exagera na importância moral do esforço, resta questionar quais conceitos alternativos de justiça estão disponíveis – e quais noções de liberdade e merecimento oferecem em substituição.

## DUAS ALTERNATIVAS PARA MERITOCRACIA

Ao longo dos últimos cinquenta anos, dois relatos de sociedade justa configuraram o argumento político na maioria das sociedades democráticas. Um pode ser chamado liberalismo de livre mercado (ou "neoliberalismo", como europeus o chamam), o outro, liberalismo de

Estado de bem-estar (ou "liberalismo igualitário"). Essas duas filosofias públicas estão em um relacionamento complexo com a meritocracia. Ambas oferecem argumentos convincentes contra a ideia meritocrática de que uma sociedade justa distribui renda e riqueza com base no que as pessoas merecem.

No entanto, na prática, cada uma gera comportamentos direcionados a sucesso difíceis de distinguir dos meritocráticos. Nenhuma oferece um relato sobre o bem comum suficientemente robusto para conter a arrogância e a humilhação às quais as meritocracias estão propensas. Apesar de rejeitar a noção de que vencedores em uma sociedade de mercado competitiva merecem moralmente suas conquistas, essas filosofias públicas não oferecem antídoto contra a tirania do mérito. Ainda assim, é instrutivo ver por que ambas rejeitam mérito como base da justiça, apesar das desavenças.

### *Liberalismo de livre mercado*

Talvez a maior influência para o liberalismo de livre mercado no século XXI tenha sido promovida por Friedrich A. Hayek, um filósofo economista nascido na Áustria. Fonte de inspiração para Margaret Thatcher e outros proponentes do capitalismo *laissez-faire*, Hayek foi oposição a esforços governamentais para reduzir a desigualdade econômica, argumentou contra tributação progressiva e enxergou o Estado de bem-estar social como antagônico da liberdade.

Em seu livro *Os fundamentos da liberdade* (1960 [Ed. bras.: 1983]), Hayek argumenta que a única igualdade compatível com a liberdade é a igualdade puramente formal de todos os cidadãos perante a lei. Carreiras deveriam ser abertas a todo mundo, mas o Estado não deveria tentar criar um campo nivelado, proporcionando oportunidades de formação educacional iguais ou compensatórias, projeto que ele enxergava como irreal e, no fim, coercitivo. A menos que a família fosse abolida, crianças invariavelmente cresceriam em uma família que variaria conforme as vantagens que oferece, e qualquer tentativa de proporcionar a todas as crianças perspectivas iguais de sucesso envolveria uma insuportável coerção estatal. Hayek rejeita a noção de que "a todos devem ser garantidos um igual ponto de partida e os mesmos resultados" de sucesso. Tal princípio exigiria que o Estado controlasse "todas as circunstâncias relevantes para as perspectivas de um indivíduo", um projeto extenso que Hayek considera "o oposto da liberdade".[19]

Uma vez que ele se opunha à redistribuição de renda, era possível esperar que Hayek insistisse na ideia de que o livre mercado dá às pessoas recompensas econômicas que elas merecem. No entanto, ele não faz isso. Na verdade, ele argumenta que resultados de mercado nada têm a ver com gratificar mérito. Eles simplesmente refletem o valor que consumidores dão aos bens e serviços que vendedores e prestadores têm a oferecer. Hayek define uma distinção entre mérito e valor. Mérito envolve um julgamento moral sobre o que as pessoas merecem, enquanto valor é apenas uma medida do que os consumidores estão dispostos a pagar por este ou aquele bem.[20]

É um equívoco, Hayek argumenta, moralizar demais recompensas econômicas, pressupondo que elas refletem o mérito das pessoas que as recebem. Um dos motivos que levam Hayek a querer esvaziar esse conceito moralizante é para desarmar uma objeção familiar às desigualdades de renda e riqueza produzidas por mercados livres. A objeção mais convincente à desigualdade, ele sugere, surge da preocupação de que "as diferenças na recompensa não correspondem a diferenças palpáveis nos méritos daqueles que a recebem".[21]

A resposta de Hayek para essa objeção é reveladora. Em vez de tentar demonstrar que as pessoas que conquistam belas recompensas no mercado as merecem por questões morais, ele rejeita a ideia de que recompensas econômicas refletem méritos das pessoas ou mérito moral. Essa é a força de sua distinção entre mérito e valor. Em uma sociedade livre, minha renda e riqueza refletirão o valor de bens e serviços que eu ofereci, mas esse valor é determinado por contingências de recursos e demandas. Não está relacionado nem ao meu mérito nem à minha virtude, nem mesmo à importância moral da contribuição que eu faço.

A fim de ilustrar a ideia de Hayek, pense em um exemplo. Algumas pessoas argumentam que gerentes de fundo de cobertura não merecem ganhar mais dinheiro do que professores de escola; gerenciar dinheiro é bem menos admirável e importante do que lecionar e inspirar jovens. Uma pessoa defensora do livre mercado talvez responda dizendo que gerentes de fundo de cobertura são responsáveis por investir as pensões duramente conquistadas por professores, bombeiros e fundos patrimoniais universitários, portanto, a importância moral do trabalho deles faz com que sejam dignos da vasta soma de dinheiro que ganham. No entanto, Hayek não dá esse tipo de resposta. O argumento dele é mais radical. Rejeita a própria ideia de que o dinheiro que as pessoas ganham deveria refletir o que elas merecem.

Hayek apoia esse argumento com a observação de que o fato de eu ter talentos que a sociedade por acaso premia não é resultado de minha própria ação, mas, sim, contingente moral, uma questão de sorte:

> Os dons inatos de uma pessoa, assim como os dons adquiridos, têm obviamente um valor para os semelhantes, que independe da consideração a ela devida por possuí-los. O indivíduo pode fazer muito pouco para alterar a situação, quer quando seus talentos são muito comuns, quer quando são excepcionalmente raros. Uma mente brilhante ou uma bela voz, um rosto bonito ou mãos habilidosas, presença de espírito ou uma personalidade cativante são, em grande medida, tão independentes dos esforços de um indivíduo quanto as oportunidades ou as experiências que já teve. Em todos esses exemplos, o valor que a capacidade ou os serviços de alguém tem para nós, e pelo qual esse indivíduo é recompensado, pouca relação tem com o que possamos chamar de mérito moral ou merecimento.[22]

Para Hayek, negar que recompensas econômicas são uma questão de mérito é uma forma de afastar demandas por redistribuição por quem acredita que gerentes de fundo de cobertura não merecem ganhar mais do que professores. Hayek tem capacidade para responder a isso, ainda que consideremos a vocação para lecionar mais admirável do que gerenciar dinheiro, as rendas e os salários não são recompensas por bom caráter ou conquistas dignas, mas simplesmente são pagamentos que refletem o valor econômico de bens e serviços que os participantes do mercado têm a oferecer.

Diferentemente de Hayek, defensores do liberalismo de Estado de bem-estar defendem taxar os ricos para ajudar os pobres. No entanto, supreendentemente compartilham do ponto de vista de Hayek de que a distribuição de renda e de riqueza deveria ser baseada no mérito ou no merecimento das pessoas.

### *Liberalismo de Estado de bem-estar*

Liberalismo de Estado de bem-estar (ou "liberalismo igualitário", como também pode ser chamado) encontra sua expressão filosófica total na obra de John Rawls, o notável filósofo político estadunidense do século XX. Em sua obra clássica *Uma teoria da justiça* (1971 [Ed. bras.: 2016]), Rawls argumenta que até mesmo um sistema com igualdade justa de oportunidade, tal que compensa totalmente pelos efeitos da diferença de classe, não resultaria em uma sociedade justa. O motivo: se pessoas competissem em um campo verdadeiramente nivelado, os vencedores seriam aqueles dotados dos melhores talentos. Mas diferenças de talento são tão moralmente arbitrárias quanto são as diferenças de classe.[23]

"Mesmo que funcione perfeitamente eliminando a influência das contingências sociais", Rawls argumenta, uma meritocracia justa "ainda permite que a distribuição de renda e riqueza seja influenciada pela distribuição natural de habilidades e talentos".[24] Desigualdades de renda devido a talentos naturais não são mais justas do que as desigualdade que surgem de diferenças de classe. "De um ponto de vista moral, ambas parecem igualmente arbitrárias."[25] Portanto, até mesmo uma sociedade que alcançou igualdade verdadeira de oportunidade não seria necessariamente uma sociedade justa. Teria que competir também com as desigualdades que surgem devido a diferenças nas habilidades inatas das pessoas.

Como competir com elas? Alguns defensores da meritocracia receiam que a única alternativa para igualdade de oportunidades seja igualdade de resultado, um tipo de igualdade niveladora que prejudicaria os talentosos para evitar que tivessem vantagem na competição. Em um conto intitulado "Harrison Bergeron", o autor Kurt Vonnegut Jr. imagina um futuro distópico no qual pessoas com inteligência superior, força física e boa aparência são obrigadas a usar coisas que lhes causem impedimentos e disfarces para compensar suas vantagens inatas.[26]

Mas Rawls demonstra que essa não é a única maneira de compensar pelos talentos desiguais. "Ninguém merece a maior capacidade natural que tem, nem um ponto de partida mais favorável na sociedade. Mas, é claro, isso não é motivo para ignorar essas distinções [...]."[27] Há uma outra maneira de lidar com elas. Em vez de prejudicar o talento, Rawls faria com que vencedores e vencedoras compartilhassem a vitória com as pessoas menos afortunadas do que eles e elas. Não faça os melhores corredores calçarem tênis de chumbo; permita que corram em velocidade máxima. No entanto, reconheça com antecedência que as vitórias não pertencem somente a essas pessoas. Incentive quem tem talento a cultivar e exercitar seus talentos, mas compreendendo que as recompensas colhidas por esses talentos no mercado deveriam ser compartilhadas com a comunidade inteira.

Rawls chama esse modo de lidar com talentos desiguais de "princípio da diferença". Ele parte da meritocracia, não impedindo pessoas talentosas de exercitarem seus talentos, mas nega que seja mérito delas ou que mereçam as recompensas resultantes desses talentos na sociedade de mercado.

Rawls escreveu:

> O princípio da diferença representa um consenso em se considerar, em certos aspectos, a distribuição de talentos naturais como um bem comum, e em partilhar os maiores benefícios sociais e econômicos, possibilitados pela complementaridade dessa distribuição. Os que foram favorecidos pela natureza, sejam eles quem forem, podem beneficiar-se de sua boa sorte apenas em termos que melhorem a situação dos menos felizes. [A sociedade poderia ser ordenada] de modo que as contingências trabalhem para o bem dos menos favorecidos.[28]

O meritocrata talvez responda que, ainda que nossos talentos inatos sejam uma questão de boa sorte, nosso esforço depende de nós. Portanto, merecemos o que conquistamos por meio de esforço e trabalho árduo. Rawls discorda. "Mesmo a disposição de fazer um esforço, de tentar, e de ser assim merecedor, no sentido comum do termo, em si mesma depende de circunstâncias sociais e familiares felizes." Nem mesmo o esforço pode salvar a ideia de que recompensas de mercado deveriam refletir merecimentos morais.

> Também é problemática a questão de saber se merecemos o caráter superior que nos possibilita fazer o esforço de cultivar nossas habilidades; pois esse caráter depende em grande parte de circunstâncias familiares e sociais felizes no início da vida, às quais não podemos alegar que temos direito.[29]

Assim como Hayek, Rawls enfatiza a arbitrariedade moral do talento e rejeita a ideia de que resultados de mercado refletem mérito ou merecimento. Mas, para Rawls, isso argumenta a favor da tributação redistributiva, e não contra ela. Para as pessoas que negariam ao Estado o direito de taxar uma porção de sua renda arduamente conquistada, argumentando que a merecem, Rawls responde que a quantidade de dinheiro que ganhamos depende de fatores que, de um ponto de vista moral, são arbitrários. Não se trata de minha ação o fato de o mercado remunerar os talentos que tenho nem o fato de eu possuir tais talentos. Portanto, não tenho direito de reclamar se as leis tributárias exigem que eu entregue uma porção de minha renda para pagar a escola ou as estradas, ou para ajudar pessoas pobres.

Pode-se argumentar que, ainda que eu não mereça moralmente os benefícios que o mercado concede por meus talentos, uma outra questão é como esses benefícios deveriam ser distribuídos. A sociedade deveria distribuí-los para a comunidade como um todo ou para os menos afortunados membros dela, ou ainda (como pensa Hayek), simplesmente lançá-los e deixá-los onde caírem? O argumento de Rawls de que conquistas do mercado refletem fatores arbitrários, do ponto de vista moral, é um argumento negativo potente; ele enfraquece a alegação meritocrática de que o rico merece o dinheiro que recebe. No entanto, não determina que a comunidade tenha um argumento moral legítimo para esse dinheiro, ou alguma parte dele.

Isso dependeria de mostrar que, de várias formas, estamos em dívida com a comunidade que torna nosso sucesso possível e, portanto, obrigados a contribuir para seu bem comum.[30]

Tanto política quanto filosoficamente, liberais de Estado de bem-estar são melhores em verbalizar o argumento negativo – contra a reivindicação de um indivíduo sozinho de seu sucesso – do que o argumento afirmativo – a favor da dívida de um indivíduo à comunidade. Lembre-se da tentativa de Barack Obama de evocar a mútua dependência e obrigação de cidadãos durante sua campanha de reeleição em 2012:

> Se você foi bem-sucedido, não chegou lá sozinho. Você não chegou por conta própria. Sempre me impressiono com pessoas que pensam: "Bem, deve ter sido simplesmente porque fui muito inteligente." Há muitas pessoas inteligentes por aí. "Deve ter sido porque me dediquei ao trabalho mais do que todas as outras pessoas." Deixe-me lhes dizer uma coisa: há muita gente que trabalha duro por aí.
>
> Se você foi bem-sucedido, alguém ao longo do caminho ofereceu a você alguma ajuda. Houve um excelente professor em algum momento de sua vida. Alguém ajudou a criar esse sistema estadunidense inacreditável que temos e que permite a você prosperar. Alguém investiu em estradas e pontes. Se você tem um negócio – você não o construiu. Alguma outra pessoa fez isso acontecer.[31]

Republicanos se prenderam às duas últimas frases para retratar Obama como apóstolo do grande governo hostil aos empreendedores. Obviamente, ele não quis dizer que meu negócio ou o seu foi, realmente, construído por "alguma outra pessoa". Ele estava tentando dizer que os bem-sucedidos não são os únicos responsáveis por seu sucesso, mas sim, devem agradecimentos à comunidade que torna isso possível, não apenas construindo estradas e pontes, mas também cultivando nossos talentos e valorizando nossas contribuições. "Você não está sozinho, estamos nisso juntos", ele acrescentou depois de algumas frases.[32]

Mais do que um ato falho, a tentativa desajeitada de Obama de descrever a dívida moral que pessoas bem-sucedidas têm com seus companheiros cidadãos e cidadãs reflete um ponto fraco na filosofia do liberalismo de Estado de bem-estar, que não consegue proporcionar um senso de comunidade adequado à solidariedade que exige. Isso pode explicar a legitimidade vacilante do Estado de bem-estar social em décadas recentes, não apenas nos Estados Unidos, mas também na Europa, onde serviços públicos e redes de segurança tradicionalmente têm sido mais generosos. Também pode explicar a incapacidade de democracias liberais de oferecer resistência à desigualdade desenfreada de décadas recentes e à crescente onda de sentimento meritocrático, em retórica política e em comportamento público, que a racionalizou.

## REJEIÇÃO AO MÉRITO

Tanto Hayek quanto Rawls rejeitam o mérito ou o merecimento como base de justiça. Para Hayek, negar que recompensas econômicas seja uma questão de mérito é um modo de afastar exigências por redistribuição.

Para Rawls, negar que recompensas econômicas sejam uma questão de mérito ou merecimento é vantajoso para a posição política oposta. É um modo de afastar objeções à redistribuição por pessoas ricas que alegam, por exemplo, serem merecedoras do dinheiro que receberam e que é, portanto, errado taxar uma parcela dessa renda para fins de redistribuição. Rawls pode responder que receber muito dinheiro não é medida de mérito ou valor de uma pessoa, simplesmente reflete a feliz coincidência entre as habilidades que uma pessoa tem a oferecer e as habilidades que o mercado exige. Uma vez que leis tributárias justas estejam em prática, as pessoas terão direito de manter qualquer que seja a porção de sua renda que o código tributário especificar. Mas não terão direito de alegar que as leis tributárias deveriam ser escritas primeiro para honrar ou remunerar seus méritos e suas realizações.[33]

Apesar de Rawls e Hayek divergirem politicamente, a rejeição deles ao mérito como base da justiça destaca dois compromissos filosóficos de que eles compartilham. Um é sobre a dificuldade de alcançar uma concordância, em sociedades plurais, sobre quais virtudes e qualidades de caráter são dignas de recompensa. O outro é sobre liberdade. "Recompensa proporcional ao mérito deve, na prática, significar recompensa de acordo com o mérito avaliável", Hayek escreveu, "mérito que os outros possam reconhecer e quanto ao qual haja concordância de opinião, e não o mérito determinado pela opinião de algum poder mais elevado." A dificuldade de identificar mérito dá origem a um problema mais profundo. Dada a discordância inevitável em relação a quais atividades são meritórias ou louváveis, qualquer tentativa de basear justiça distributiva em mérito moral em vez de valor econômico levaria à coerção. "Uma sociedade na qual a posição dos indivíduos tivesse de corresponder a conceitos humanos de mérito moral seria justamente o oposto de uma sociedade livre."[34]

Rawls também aponta para a discordância disseminada sobre mérito e merecimento, e receios de que fundamentar justiça em merecimento está em desacordo com a liberdade. Diferentemente de Hayek, Rawls não concebe liberdade em termos de mercado. Para Rawls, a liberdade consiste em buscar nosso próprio conceito de vida boa enquanto respeitamos o direito dos outros de fazer o mesmo. Isso significa respeitar princípios de justiça, com os quais nós e todos os nossos companheiros cidadãos e cidadãs concordam, se cada um de nós deixar de lado nossos interesses particulares e vantagens. Pensar em justiça por esse ponto de vista – sem saber se seríamos ricos ou pobres, fortes ou fracos, saudáveis ou doentes – não nos levaria a afirmar qualquer distribuição de renda resultante do mercado. Ao contrário, Rawls argumenta, isso nos levaria a aceitar apenas as desigualdades que ajudam as pessoas que têm menos vantagens em nossa sociedade.

Apesar de Rawls rejeitar a distribuição de renda que resulta do livre mercado, ele tem isto em comum com Hayek: os princípios de justiça de Rawls não buscam remunerar mérito ou virtude. Em sociedades pluralistas, pessoas discordam em relação ao que conta como meritório ou virtuoso, porque esses julgamentos dependem de conceitos controversos sobre a melhor maneira de viver. Do ponto de vista de Rawls, fundamentar princípios de justiça em um conceito como esse seria enfraquecer a liberdade; imporia em algumas pessoas os valores de outras; e assim desrespeitaria o direito de cada pessoa de escolher e buscar sua própria concepção de vida boa.

Portanto, apesar de suas diferenças, tanto Hayek quanto Rawls rejeitam a ideia de que recompensas econômicas deveriam refletir o que as pessoas merecem. Ao fazer isso, reconhecem estar questionando a sabedoria convencional. A noção de que justiça significa dar às pessoas o que elas merecem parece profundamente cravada na opinião comum não instruída. Rawls observa que "o senso comum tende a supor" que renda e riqueza deveriam ser distribuídas conforme mérito moral, e Hayek admite que essa renúncia do mérito "à primeira vista [...] pode parecer tão estranha e mesmo tão chocante", que ele precisa pedir "ao leitor que deixe em suspenso seu julgamento" até conseguir explicar.[35]

No entanto, mesmo que o liberalismo de livre mercado e o liberalismo de Estado de bem-estar tenham estabelecido os termos para o discurso público ao longo dos últimos cinquenta anos, eles não deslocaram a convicção amplamente disseminada de que o quanto as pessoas recebem deveria refletir o que elas merecem.[36] Ao contrário, durante aquelas décadas, comportamentos meritocráticos direcionados ao sucesso estavam no controle da situação, até mesmo quando a mobilidade estacionou e a desigualdade se aprofundou.

## MÉRITO E OS MERCADOS

Eis aqui uma característica intrigante da política contemporânea: por que, apesar da rejeição dos pressupostos meritocráticos pelas principais filosofias públicas do momento, a retórica política e os comportamentos públicos se prendem à noção de que recompensa econômica ou está alinhada ou deveria estar alinhada com mérito e merecimento? Seria simplesmente por que aquela filosofia é distante demais do mundo para influenciar a direção dos pensamentos e das ações de cidadãos comuns? Ou certas características do liberalismo de livre mercado e o liberalismo de Estado de bem-estar abrem caminho para entendimentos meritocráticos de sucesso que eles oficialmente rejeitam?

Acredito que é a segunda opção. Um exame mais de perto dessas duas versões de liberalismo revela que a renúncia, em ambos os casos, ao mérito e ao merecimento não é tão completa como pode parecer à primeira vista. Ambas rejeitam a noção meritocrática de que, em uma competição justa, os ricos são mais merecedores do que os pobres. No entanto, as alternativas que oferecem podem fazer emergir comportamentos característicos de sociedades meritocráticas – arrogância entre pessoas bem-sucedidas e ressentimento entre quem está em desvantagem.

Isso pode ser notado com mais evidência na distinção que Hayek faz entre mérito e valor. Hayek com razão observa que conceber desigualdades de renda como reflexo de mérito desigual piora a situação.

> Uma sociedade em que se pressupõe, em geral, que uma elevada renda é prova de mérito e uma baixa renda equivale a falta de mérito; em que todos acreditam que a posição e a remuneração correspondem ao mérito; [...] seria provavelmente muito mais insuportável para os que não tiveram êxito do que outra em que se reconhecesse abertamente não existir relação necessária entre mérito e sucesso.[37]

Hayek cita Anthony Crosland, figura do Partido Trabalhista da Grã-Bretanha, cujo livro influente *The Future of Socialism* [O futuro do socialismo] (1956) também enfatizou o efeito desmoralizante que uma meritocracia pode ter nas pessoas que não ascendem:

> Quando se sabe que as oportunidades são desiguais, e os critérios de seleção favorecem a maior riqueza ou a origem, podemos consolar-nos dizendo que nunca tivemos uma oportunidade adequada, que o sistema foi iníquo e os padrões de julgamento, muito parciais. Mas se a seleção se faz claramente segundo o mé-

> rito das pessoas, esse consolo desaparece e o fracasso produz um sentimento de total inferioridade, para o qual não haverá desculpa ou conforto possível; e isto, por uma peculiaridade da natureza humana, na realidade aumenta a inveja e o ressentimento com o sucesso alheio.[38]

Hayek argumenta que manter em mente a diferença entre mérito e valor faz com que as desigualdades de renda sejam menos desagradáveis. Se todo mundo soubesse que tais desigualdades nada tivessem a ver com o mérito das pessoas, os ricos ficariam menos orgulhosos e os pobres, menos ressentidos do que estariam em outra situação. Mas se, conforme Hayek afirma, o valor econômico é a base legítima para desigualdade, não é tão óbvio que comportamentos desagradáveis direcionados ao sucesso sejam minados.

Para refletir: quão diferente realmente é a história que os bem-sucedidos contam para si mesmos, se acreditarem que o sucesso deles mede o valor de sua contribuição, em vez de sua virtude ou seu mérito? E quão diferente é a história que pessoas em desvantagem contam para si mesmas, se acreditam que suas batalhas não refletem mal sobre seu caráter, somente no valor baixo daquilo que têm a oferecer?

Moral e psicologicamente, a distinção entre mérito e valor se torna muito tênue. Isso é verdade, sobretudo, em sociedades de mercado, em que dinheiro é a medida da maioria das coisas. Em sociedades assim, lembrar os ricos de que a riqueza deles reflete (somente) o valor superior de suas contribuições à sociedade é um antídoto improvável contra arrogância e autoparabenização. Lembrar aos pobres que a pobreza deles reflete (somente) o valor inferior de suas contribuições dificilmente é um tônico estimulante para sua autoestima.

A facilidade com que julgamentos de valor passam a ser julgamentos de mérito reflete o pressuposto familiar, mas questionável, de que o valor de mercado de uma pessoa é uma boa medida de sua contribuição para a sociedade. Hayek aceita esse pressuposto sem críticas. Ele simplesmente destaca que nosso valor de mercado é determinado por fatores além de nosso controle e, portanto, não é uma medida para nosso mérito. Mas ele não leva em consideração a possiblidade de que o valor da contribuição de uma pessoa para a sociedade poderia ser algo diferente de seu valor de mercado.

Uma vez que o valor de mercado substitua a contribuição social, no entanto, fica difícil resistir ao pensamento de que as pessoas merecem, por questão de justiça, seja qual for a renda correspondente a seu valor de mercado ou, no jargão da economia, o "produto marginal". De acordo com uma análise econômica padrão, mercados perfeitamente competitivos pagam cada trabalhador ou trabalhadora o valor de seu "produto marginal", o valor do resultado atribuído àquela pessoa.

Se, não obstante a complexidade da economia, for possível identificar e individualizar desse modo o valor de mercado de cada pessoa, e se valor de mercado for a medida verdadeira de contribuição social, fica-se a um passo curto de concluir que pessoas merecem moralmente um pagamento de acordo com seu "produto marginal", ou valor de mercado.

Uma versão recente desse argumento foi desenvolvida por N. Gregory Mankiw, economista de Harvard que trabalhou como conselheiro econômico do presidente George W. Bush. Mankiw começa por afirmar um princípio utilizado de modo amplo e intuitivamente atraente: "Pessoas deveriam receber o que elas merecem. Uma pessoa que contribui mais para a sociedade merece uma renda mais alta, que reflete aquelas contribuições mais grandiosas." Ele oferece, como exemplo, Steve Jobs, fundador da Apple, e J. K. Rowling, autora dos populares livros de Harry Potter. A maioria das pessoas concorda que eles merecem os milhões que ganharam, Mankiw sugere, porque sua renda exorbitante reflete o grande valor que iPhones e fascinantes contos de aventura têm para a sociedade.[39]

Mankiw estenderia essa reflexão a todas as rendas em uma economia de mercado competitivo: moralidade deveria endossar os resultados gerados por mercados competitivos, tanto para os cuidadores quanto para os gerentes de fundo de cobertura. Uma vez que "a renda de cada pessoa reflete o valor de sua contribuição para a produção de bens e serviços da sociedade", Mankiw argumenta, "pode-se facilmente concluir que, sob essas circunstâncias idealizadas, cada pessoa recebe seu justo merecimento".[40]

O pressuposto de que pessoas merecem moralmente, seja qual for a renda que um livre mercado atribui a elas, é um retorno aos antigos dias de economia neoclássica. Críticos a essa noção, incluindo alguns economistas, em geral amigáveis com o livre mercado, há muito tempo destacaram seus defeitos. Como já vimos, Hayek rejeita esse conceito com base na ideia de que aquilo que as pessoas ganham depende de suas habilidades inatas, que não são resultados de uma ação própria da pessoa que é dotada dessa habilidade. Também depende dos caprichos da oferta e procura. Se meus talentos são raros ou exuberantes não é resultado de minha própria ação, ainda assim, são decisivos para a renda que comandam no mercado. A teoria do "merecimento justo" de Mankiw ignora essas contingências.

## VALOR DE MERCADO *VERSUS* VALOR MORAL

Talvez a mais devastadora crítica da ideia de que o resultado de mercado reflete o mérito moral tenha sido apresentada nos anos 1920 por Frank Knight, um dos fundadores da economia neoclássica. Knight, crítico do New Deal, lecionava na Universidade de Chicago, onde entre seus estudantes estavam Milton Friedman e outros que mais tarde se tornariam importantes economistas libertários. Ainda assim, Knight foi mordaz na crítica contra a noção de que mercados recompensam mérito. "É um pressuposto comum [...] o de que a contribuição produtiva é uma medida ética de merecimento", ele escreveu. Mas "um exame da questão mostrará prontamente que a contribuição produtiva pode ter pouco ou nenhum sentido ético."[41]

Knight oferece dois argumentos contra atribuir mérito moral a resultados de mercado. Um é o argumento sobre talentos adotado por Hayek e por Rawls, ambos os quais o citam.[42] Ter talentos que me possibilitem atender a demandas de mercado é tão resultado de minha própria ação quanto herdar uma propriedade valiosa. "É difícil ver que [...] possuir a capacidade de prover serviços que são demandados [...] constitui uma reivindicação ética para uma porção superior do dividendo social, exceto até o ponto em que a capacidade é, em si, produto de esforço consciencioso." Mais ainda, a renda que meus talentos geram depende de quantas outras pessoas também os têm. Ser dotado de talentos que são, por acaso, escassos e ainda assim altamente remunerados certamente aumenta minha receita, mas não é nada pelo qual eu possa reivindicar crédito. "É duro observar como é mais meritório simplesmente ser diferente de outras pessoas do que ser igual a elas."[43]

O segundo argumento de Knight vai mais longe. Questiona um pressuposto que Hayek valoriza pouco. Trata-se do pressuposto que iguala valor de mercado à contribuição social. Como Knight destaca, atender à demanda de mercado não é necessariamente a mesma coisa que fazer uma contribuição verdadeiramente valiosa para a sociedade.

Servir à demanda de mercado é simplesmente uma questão de satisfazer quaisquer que sejam os desejos e anseios que as pessoas possam ter. Mas a importância ética de satisfazer esses desejos depende do valor moral deles. Avaliar o valor deles envolve julgamento moral, reconhecidamente contestável, que a análise econômica não consegue proporcionar. Portanto, mesmo deixando de lado a questão dos talentos, é um equívoco pressupor que o dinheiro que as pessoas ganham atendendo às preferências do consumidor reflete o mérito ou o mérito moral. Seu significado ético depende de considerações morais que nenhum modelo econômico pode fornecer.

> Não podemos aceitar a satisfação dos desejos como critério final de valor, porque, de fato, não reconhecemos nossos anseios como finais; em vez de aquiescer à visão de que não há disputas sobre gostos, disputamos sobre eles mais do que sobre qualquer outra coisa; nosso problema mais difícil em estimar valor é a avaliação de nossos desejos, propriamente ditos, e nosso anseio mais perturbador é aquele por desejos do tipo "certo".[44]

A compreensão de Knight separa dois conceitos que Hayek conflui – o valor de uma contribuição econômica conforme medida pelo mercado e seu valor real. Imagine o professor de química do ensino médio na série de televisão chamada *Breaking Bad*, que utiliza sua experiência como químico para fazer a muito procurada (apesar de ilegal) droga metanfetamina. Aquela que ele produz é tão pura que seria responsável por milhões no mercado de drogas, e a renda que ele recolhe excede em muito seu modesto salário de professor. A maioria das pessoas concordaria, no entanto, que sua contribuição como professor tem muito mais valor do que sua contribuição como traficante de drogas.

O motivo nada tem a ver com imperfeições de mercado ou com o fato de que as leis banindo drogas limitam o fornecimento e, portanto, aumentam o lucro das pessoas que as vendem ilegalmente. Ainda que metanfetamina fosse legal, um químico talentoso provavelmente ganharia mais dinheiro produzindo a droga do que lecionando para estudantes. Mas isso não significa que a contribuição de um traficante de metanfetamina seja mais valiosa do que a de um professor.

Ou, imagine o bilionário magnata dos cassinos Sheldon Adelson. Um dos homens mais ricos do mundo, ele ganha mil vezes mais do que um enfermeiro ou um médico. Mas mesmo pressupondo que mercados para magnatas donos de cassino e para profissionais da saúde sejam perfeitamente competitivos, não há qualquer motivo para acreditar que o valor de mercado deles reflete o verdadeiro valor de sua contribuição social. Isso é porque o valor de suas contribuições depende da importância moral dos fins a que servem, não do quão efetivamente satisfazem a demanda do consumidor. Importar-se com a saúde das pessoas é moralmente mais relevante do que atender a seus desejos de jogar nos caça-níqueis.

Knight argumenta ainda que "os desejos que um sistema econômico opera para gratificar são produzidos principalmente pelo próprio funcionamento do sistema". A ordem econômica não apenas satisfaz a demanda preexistente; "sua atividade se estende à formação e transformação radical, quiçá a criar abertamente os próprios desejos". Qualquer avaliação ética de um sistema econômico deve, portanto, considerar "os tipos de desejos que ele tende a gerar ou nutrir", não apenas sua eficiência em satisfazer "anseios conforme eles existam em um dado momento".[45]

Essas considerações levam Knight a rejeitar a ideia que Mankiw defende: que, em um mercado perfeitamente competitivo, pessoas merecem moralmente o produto marginal de seu trabalho. Knight ridiculariza essas afirmações como "conclusões éticas familiares de economias apologéticas".[46]

Apesar de Knight, um cético em relação a projetos ambiciosos de reforma social, ser lembrado como proponente líder da economia *laissez-faire*, ele protestou contra a ideia de preços de mercado serem medidas para mérito moral ou valor ético.

> O produto, ou contribuição, é sempre medido em termos de preço, o que não corresponde a valor ético ou importância humana. O valor monetário de um produto é uma questão de "demanda", que, por sua vez, reflete os gostos e o poder de compra do público consumidor e a disponibilidade de mercadorias substitutas. Todos esses fatores são, sobretudo, criados e controlados pelo funcionamento do sistema econômico, propriamente dito [...]. Assim, seus resultados não podem conter em si nenhuma importância ética como padrão para julgar o sistema.[47]

Apesar de Knight não alegar que oferece uma teoria ética que poderia acessar a importância moral de vários desejos e anseios, ele rejeita a visão, comum entre economistas, de que não há gostos que possam ser julgados, de que é impossível hierarquizar alguns desejos como superiores ou mais dignos que outros. Um sistema econômico deveria ser julgado menos por sua eficiência em satisfazer a demanda do consumidor do que "pelos desejos que ele gera [e] o tipo de caráter que forma nas pessoas [...]. De ponto de vista ético, a criação dos desejos certos é mais importante do que satisfazê-los".[48]

Ao questionar o pressuposto de que o valor de mercado das contribuições produtivas tem importância ética, Knight oferece uma crítica à meritocracia mais completa do que a de Hayek, e menos suscetível ao autoelogio. Hayek diz aos ricos que apesar de a riqueza deles não ser uma medida para seu mérito, ela reflete o valor superior de sua contribuição para a sociedade. Para Knight, isso é excessivamente lisonjeiro. Ser bom em ganhar dinheiro não mede nem nosso mérito nem o valor de nossa contribuição. Tudo o que as pessoas bem-sucedidas podem dizer com honestidade é que conseguiram, por meio de uma mistura incomensurável de genialidade ou astúcia, tempo ou talento, sorte ou coragem ou determinação sombria, atender de modo efetivo à confusão de desejos e anseios, independentemente de serem importantes ou frívolos, que constitui a demanda de consumidor em qualquer momento. Satisfazer a demanda do consumidor não tem, em si, valor; seu valor depende, caso a caso, do status moral do fim a que serve.

## POR MERECIMENTO OU POR DIREITO?

Resta perguntar como o liberalismo igualitário também alimenta a arrogância meritocrática, apesar de rejeitar a ideia de que pessoas merecem, do ponto de vista moral, as recompensas econômicas que os mercados oferecem. Para começar, é importante explicar o que Rawls quer dizer ao rejeitar merecimento como a base da justiça. Ele não quer dizer que ninguém pode reivindicar de forma legítima a renda ou a posição que ele ou ela conquista. Em uma sociedade justa, pessoas que trabalham arduamente e seguem as regras têm direito ao que recebem.

Neste ponto, Rawls faz uma sutil, mas importante, distinção entre mérito moral e o que ele chama de "direito a expectativas legítimas". A diferença é esta: ao contrário de uma reivindicação por merecimento, um direito pode surgir apenas quando determinadas normas do jogo são estabelecidas. Pode nos dizer como determinar as regras, para começar. O raciocínio de Rawls é que não podemos saber quem tem direito ao quê antes de identificarmos os princípios da justiça que deveriam governar aquelas regras e, de forma mais ampla, a estrutura básica da sociedade.[49]

Veja como essa distinção é relevante para o debate sobre meritocracia: basear justiça em mérito moral seria estabelecer as regras a fim de recompensar quem tem virtude e quem tem mérito. Rawls rejeita isso. Ele pensa ser um equívoco considerar um sistema econômico – ou, nesse caso, uma Constituição – como um esquema para honrar virtude ou cultivar o bom caráter. Considerações acerca de justiça são anteriores a considerações acerca de mérito e virtude.

Este é o cerne do posicionamento de Rawls contrário à meritocracia. Em uma sociedade justa, quem fica rico ou alcança posição de prestígio tem direito a seu sucesso, não porque ele atesta seu mérito superior, mas apenas na medida em que esses benefícios são parte de um sistema que é justo com todo mundo, inclusive com os piores membros da sociedade.

"Um sistema justo, portanto, determina aquilo a que as pessoas têm direito; satisfaz as suas expectativas legítimas, que são fundadas nas instituições sociais. Mas aquilo a que elas têm direito não é proporcional nem depende do seu valor intrínseco." Os princípios de justiça que definem as obrigações e os direitos das pessoas "não mencionam o mérito moral, e as partes distributivas não tendem a lhe corresponder".[50]

O que está em jogo na renúncia de Rawls são duas questões – uma política, a outra filosófica. Politicamente, Rawls deseja demonstrar que uma pessoa abastada não pode contestar com legitimidade a redistribuição tributária afirmando que sua riqueza é seu feito, algo que moralmente merece. Esse é o argumento sobre arbitrariedade moral de talento e outras contingências que contribuem para o sucesso. Se sucesso em uma economia de mercado depende muito de sorte, fica difícil alegar que o dinheiro que recebemos é uma recompensa por mérito e merecimento superiores.

> Nenhum dos preceitos de justiça tem como objetivo recompensar a virtude. A maior remuneração obtida por talentos naturais raros, por exemplo, deve cobrir os custos de especialização e estimular os esforços de aprendizado, assim como dirigir a habilidade para onde ela favoreça da melhor forma o interesse comum. As partes distributivas resultantes não se correlacionam com a virtude, uma vez que, de um ponto de vista moral, a dotação inicial de bens naturais e as contingências de seu crescimento e desenvolvimento nos primeiros anos de vida são arbitrárias.[51]

Do ponto de vista filosófico, a afirmação de que princípios de justiça devem ser definidos independentemente de considerações acerca de mérito, virtude ou mérito moral é exemplo de uma característica mais geral do liberalismo de Rawls. Essa é a alegação de que o "direito" (modelo de obrigações e direitos que governam a sociedade como um todo) é anterior ao "bom" (variadas concepções de virtude e de uma vida boa que as pessoas buscam dentro do modelo). Princípios de justiça que afirmassem um conceito específico de mérito, virtude ou mérito moral não seriam neutros em relação a conceitos contrários da vida boa que cidadãos, em sociedades pluralistas, defendem. Tais princípios iriam impor em algumas pessoas os valores de outras e, portanto, não respeitariam o direito de todo mundo escolher e buscar o próprio modo de viver.

Rawls explica a prioridade de justiça acima de mérito por meio de uma analogia: não estabelecemos a instituição da propriedade porque acreditamos que ladrões têm mau-caráter e queremos uma instituição que nos permita puni-los por isso. Isso seria, de certa maneira, uma teoria "meritocrática" da punição. Colocaria o bom antes do certo. Mas isso inverte a lógica moral. Em vez disso, estabelecemos a instituição da propriedade por motivos de eficiência e justiça; então, se pessoas roubarem, reforçamos a lei, punindo-as. Por terem violado o direito de outros, tornam-se dignas de punição. A ideia do castigo é penalizar ladrões por cometer uma injustiça, sem estigmatizar por mau-caratismo (apesar de isso talvez ser um efeito colateral).[52]

Rawls argumenta que uma abordagem meritocrática para recompensas econômicas também reverteria a relação apropriada entre certo e bom. "Uma sociedade [que] se organiza com o objetivo de recompensar o mérito moral tomado como um princípio básico seria o mesmo que criar a instituição da propriedade para punir ladrões".[53]

## COMPORTAMENTOS DIRECIONADOS AO SUCESSO

A princípio, o modo não meritocrático de Rawls de pensar sobre o sucesso econômico deveria tornar humilde a pessoa bem-sucedida e consolar quem está em desvantagem. Deveria refrear a tendência à arrogância meritocrática entre elites e evitar a perda de autoestima de quem não tem poder ou riqueza. Se eu realmente acreditar que meu sucesso é devido à minha boa sorte e não resultado de minha própria ação, fico mais propenso a sentir obrigação de compartilhar essa sorte com outras pessoas.

Esses sentimentos estão escassos ultimamente. Humildade entre os bem-sucedidos não é uma característica proeminente da vida social e econômica contemporânea. Um impulso direcionado à reação populista é o senso disseminado entre trabalhadores e trabalhadoras de que as elites os desprezam. Uma vez que esse seja o caso, poderia simplesmente demonstrar que o Estado de bem-estar social contemporâneo fica aquém do ideal de sociedade justa proposto por Rawls. Ou ainda, poderia sugerir que o liberalismo igualitário não questiona a autossatisfação das elites de forma nenhuma.

É sem dúvida verdade que o Estado de bem-estar social contemporâneo, sobretudo nos Estados Unidos, não está de acordo com a visão de uma sociedade justa de Rawls. Várias das desigualdades de renda e poder que testemunhamos hoje não surgem de um sistema de igualdade justa de oportunidade nem oferece vantagem para quem é menos abastado. Isso leva os liberais a interpretarem o ressentimento da classe trabalhadora contra as elites como uma queixa sobre injustiça. Se a raiva contra as elites estiver baseada apenas nisso, a solução é apostar mais no projeto de expansão de oportunidades e melhorar as perspectivas econômicas dos menos abastados.

Mas essa não é a única maneira de interpretar a reação populista contra as elites. Os comportamentos arrogantes direcionados ao sucesso, que convidam essa reação, poderiam muito bem ser alimentados pelo senso de direito que a filosofia de Rawls afirma, ainda que rejeite o mérito moral. Para pensar: até mesmo uma sociedade que é perfeitamente justa, conforme Rawls define justiça, admite determinadas desigualdades – aquelas resultantes de oportunidades iguais justas e que oferecem vantagem para pessoas menos abastadas. Imagine como, seguindo os princípios rawlsianos, um CEO rico poderia justificar suas vantagens para um trabalhador de chão de fábrica:

> Não sou mais digno do que você nem moralmente merecedor da posição de privilégio que tenho. Meus benefícios e remuneração generosos são simplesmente o necessário incentivo para me induzir,

> e a outros como eu, a desenvolver nossos talentos pelo bem de todo mundo. Não é culpa sua que você não tenha os talentos de que a sociedade precisa, nem é resultado de minha própria ação que eu tenha tais talentos em abundância. Por isso, parte de minha renda é taxada, a fim de ajudar pessoas como você. Não mereço moralmente meu salário e posição superiores, mas tenho direito a eles conforme regras justas de cooperação social. E, lembre-se, você e eu teríamos concordado com essas regras, se tivéssemos pensado nisso antes; sabíamos quem estaria no topo e quem estaria na base. Então, por favor, não guarde rancor. Meus privilégios fazem você estar melhor do que estaria em outra situação. A desigualdade que você pensa ser irritante é para seu próprio bem.[54]

Para reforçar, essa racionalização não justificaria todas as desigualdades de renda, riqueza, poder e oportunidade que existem hoje. O que ela revela, no entanto, é que comportamentos meritocráticos direcionados ao sucesso não são necessariamente suavizados ou deslocados por teorias liberais de justiça distributiva. O direito a expectativas legítimas pode ser uma fonte tão poderosa de arrogância meritocrática e ressentimento da classe trabalhadora quanto as reivindicações baseadas em mérito, virtude ou merecimento.

Lembre-se da analogia com punição. Ainda que o motivo para punir o roubo seja defender a instituição da propriedade, um efeito colateral típico dessa punição é a estigmatização dos ladrões. Da mesma maneira, ainda que o motivo para pagar mais a médicos do que a faxineiros seja o fato de que a diferença nos pagamentos é parte de uma estrutura básica justa que funciona a favor de pessoas menos abastadas, um efeito colateral previsível de pagamentos diferentes como esses é honrar o talento especial e as contribuições dos médicos. Ao longo do tempo, esses "efeitos colaterais" normativos estabelecem comportamentos direcionados ao sucesso (e ao fracasso) difíceis de distinguir dos meritocráticos.

A estima social flui, praticamente inelutável, para pessoas que gozam de vantagens econômicas e de formação educacional, sobretudo se elas conquistam essas vantagens sob termos justos de cooperação social. Liberais talvez respondam: uma vez que a todos os membros da sociedade seja garantido respeito igual como cidadão, estima social não é uma questão política. Decidir quais habilidades e conquistas são dignas de admiração é uma questão de normas sociais e valores pessoais – uma questão do que é bom, não do que é certo.[55]

Mas essa resposta ignora o fato de que honrar e reconhecer são ações políticas de importância essencial e há muito reconhecidas como tal. Aristóteles considerou justiça, sobretudo, uma questão de distribuição de cargos e honras, não a distribuição de renda e riqueza. A revolta popular contra as elites hoje é alimentada, em grande parte, pela raiva que eleitores da classe trabalhadora têm daquilo que entendem ser desprezo da classe média alta por pessoas sem diploma universitário. Insistir na prioridade do certo sobre o bom faz da estima social uma questão de moralidade pessoal e, portanto, cega os liberais à política da arrogância e da humilhação.

No entanto, é insensatez insistir que o comportamento condescendente da classe média alta credenciada direcionado aos operários é questão de normas sociais que a política não consegue ou não deveria abordar. Questões acerca de honra e reconhecimento não podem ser nitidamente separadas de questões acerca da justiça distributiva. Isso é verdade, principalmente, quando, no fim, comportamentos paternalistas direcionados a pessoas em desvantagem ficam implícitos no caso para compensá-los. Algumas vezes, esses comportamentos encontram expressões explícitas. Como Thomas Nagel, filósofo liberal igualitário, escreveu: "Quando injustiças raciais e sexuais tiverem sido reduzidas, ficaremos ainda com a grande injustiça do inteligente e do burro, que são recompensados de formas tão diferentes por esforços comparáveis."[56]

"O inteligente e o burro" é uma expressão reveladora. Ela confirma as piores suspeitas de populistas sobre as elites liberais. Longe da sensibilidade democrática de Rawls, que busca uma sociedade na qual nós "[concordamos] em [nos] valer dos acidentes da natureza ou das circunstâncias naturais",[57] a expressão de Nagel revela a arrogância meritocrática para a qual estão inclinadas algumas versões do liberalismo de Estado de bem-estar.

## ACASO E ESCOLHA

A tendência do liberalismo de Estado de bem-estar a abastecer a política com arrogância e humilhação ficou mais explícita no trabalho de filósofos liberais igualitários das décadas de 1980 e 1990. A partir do argumento de Rawls de que a distribuição de talentos é arbitrária de um ponto de vista moral, esses filósofos discutiram sobre o fato de que uma sociedade justa deveria compensar pessoas pela má sorte de todos os tipos – nascer pobre, com alguma deficiência física ou com escassez de talentos, sofrer um acidente e outros infortúnios ao longo da vida. Como um determinado filósofo escreveu: "justiça distributiva determina que as pessoas que têm sorte deveriam transferir parte ou tudo do que ganham como resultado de sorte a quem é desafortunado".[58]

À primeira vista, essa filosofia de "igualitarismo da sorte", como veio a ser conhecida, parece uma resposta generosa para os acidentes da sorte. Ao buscar reparar benefícios e cargas injustos que a loteria da vida outorga, parece oferecer uma alternativa humanitária para a sociedade meritocrática competitiva.

No entanto, em uma análise mais detalhada, a filosofia de igualitarismo de sorte exige julgamentos mais rigorosos de mérito e merecimento. Porque ela argumenta que pessoas deveriam ser compensadas apenas quando seu infortúnio for devido a fatores além de seu controle, condiciona a assistência pública (digamos bem-estar social ou sistema de saúde público) na determinação acerca de uma pessoa em necessidade estar carente devido à má sorte ou a escolhas ruins. Isso exige de legisladores descobrir quem entre os pobres é vítima da circunstância e, portanto, é merecedor de ajuda e quem é responsável por sua pobreza e, portanto, não é merecedor.[59]

Elizabeth Anderson, uma crítica mordaz do igualitarismo da sorte, chama essa distinção entre pobre merecedor e não merecedor de uma releitura do "pensamento da Poor Law" [Lei dos Pobres].[60] Coloca o Estado na posição de interrogar cidadãos carentes para determinar se teriam driblado a pobreza caso tivessem feito escolhas melhores. Essa análise sobre responsabilidade é um modo pouco atraente do ponto de vista moral de conceber as obrigações que cidadãos democratas devem uns aos outros por, pelo menos, dois motivos.

Primeiro, baseia nossa obrigação de ajudar as pessoas com necessidades, não em compaixão ou solidariedade, mas em como elas se tornaram necessitadas. Em alguns casos, isso faz sentido do ponto de vista moral. A maioria das pessoas concordaria que alguém capaz e que se recusa a trabalhar simplesmente por indolência, mesmo quando empregos decentes estão disponíveis, tem pouca justificativa para receber auxílio público. Ao escolher não trabalhar, a pessoa fica responsável pelas consequências. Mas alguns defensores do igualitarismo da sorte defendem uma ideia bem mais ampla de responsabilidade. Argumentam que até mesmo não conseguir contratar um seguro devido às várias adversidades possíveis constitui o tipo de escolha que faz pessoas serem responsáveis por quase todos os infortúnios que caem sobre elas. Se, por exemplo, uma pessoa sem seguro sofre uma lesão grave em um acidente de carro, o defensor do igualitarismo da sorte vai querer saber se ela poderia ter contratado um seguro. Somente se nenhum tipo de apólice estivesse disponível ou fosse acessível, a comunidade seria obrigada a ajudar pagar as contas do hospital.[61]

Segundo, além de sua severidade direcionada ao imprudente, o igualitarismo da sorte é aviltante para pessoas que se qualificam para receber auxílio público, caracterizando-as como vítimas indefesas. Eis aqui um paradoxo. Igualitários da sorte dão um peso moral grande à habilidade que as pessoas têm de escolher. Buscam compensar o acaso, de forma que a renda das pessoas e as perspectivas de vida possam refletir suas próprias escolhas. Mas essa ética exigente de responsabilidade e escolha carrega uma implicação dura: quem precisa de auxílio deve ser capaz de demonstrar que sua necessidade não é resultado de sua própria ação. Para se qualificar a receber auxílio público, pessoas devem se apresentar como vítimas de forças além de seu controle, e devem se conceber como tal.[62]

Esse incentivo perverso vai além da autoimagem do requerente para os termos do discurso público. Liberais que defendem o Estado de bem-estar social com base no igualitarismo da sorte são levadas, quase inevitavelmente, a uma retórica vitimista que enxerga quem é beneficiado pelas políticas de bem-estar social como pessoa sem agência, incapazes de agir com responsabilidade.[63]

Mas ajudar quem está em desvantagem, com base na ideia de que são vítimas de circunstâncias além de seu controle, tem um preço moral e cívico caro. Apoia a visão depreciativa de que pessoas que se beneficiam de políticas de bem-estar social têm pouco a contribuir e são incapazes de agir com responsabilidade. E como Anderson com razão observou, negar que pessoas necessitadas de auxílio público podem fazer escolhas significativas é difícil de conciliar com respeitá-las como cidadãs iguais, capazes de compartilhar em um governo autônomo.[64]

Em suma, o igualitarismo da sorte "não oferece qualquer auxílio àqueles que rotula de irresponsáveis e oferece auxílio constrangedor a quem rotula inferior por natureza", Anderson escreveu. "Assim como no regime da Poor Law, abandona quem está em desvantagem por escolha própria a seu destino miserável, e define os desfavorecidos merecedores em termos de inferioridade nata de talento, inteligência, habilidade ou apelo social".[65]

Semelhante a outras versões do liberalismo, a filosofia do igualitarismo da sorte começa com a rejeição ao mérito e merecimento como base da justiça, mas termina com a reafirmação assertiva de comportamentos e normas meritocráticos. Para Rawls, essas normas, disfarçadas de direito, retornam às expectativas legítimas. Para os igualitários da sorte, retornam por meio de uma ênfase em escolha individual e responsabilidade pessoal.

A noção de que não merecemos os benefícios e os fardos que fluem da sorte – incluindo a sorte de ter ou não ter os talentos que a sociedade recompensa – parece enfraquecer a noção meritocrática de que, em condições para uma competição justa, merecemos o que ganhamos. Vantagens resultantes do acaso, não de escolha, são imerecidas. Mas a linha que separa acaso de escolha torna-se complexa pelo fato de que às vezes as pessoas escolhem arriscar a sorte. Paraquedistas colocam a vida em risco em troca de emoção. Pessoas jovens que se sentem invencíveis escolhem não contratar seguro-saúde. Apostadores vão em bando para cassinos.

Igualitários da sorte dizem que pessoas que escolhem arriscar são responsáveis por seu destino quando a aposta dá errado. A comunidade deve ajuda somente a vítimas da má sorte que não foi atraída – ser atingida por um meteoro, por exemplo. Quem perde uma aposta que fez por escolha não pode reivindicar a ajuda de quem ganhou. Ronald Dworkin estabelece esse raciocínio com sua distinção entre "sorte bruta" (a vítima do meteoro) e "sorte optada" (o apostador que perde).[66]

O contraste entre acaso e escolha faz julgamentos de mérito e merecimento inevitáveis. Apesar de ninguém merecer perder no jogo, o apostador perdedor, tendo escolhido assumir o risco, não merece ajuda da comunidade para pagar as dívidas de jogo. Ele é responsável por seu infortúnio.

Obviamente, às vezes pode ficar duvidoso o que conta como escolha genuína. Alguns apostadores têm vício, e as máquinas caça-níqueis são programadas para manipular jogadores e mantê-los jogando. Nesses casos, jogar é menos escolha do que prática coercitiva que ataca quem é vulnerável. Mas quando pessoas escolhem livremente determinados riscos, o igualitarismo da sorte as considera responsáveis pelas consequências. Elas merecem seu destino, pelo menos no sentido de que ninguém lhes deve ajuda para alcançá-lo.

Além das controvérsias familiares acerca de o que conta como escolha verdadeiramente voluntária, a diferença entre acaso e escolha é ofuscada por outra consideração: a possibilidade de ter seguro. Se houver um incêndio em minha casa, isso sem dúvida será má sorte. Mas e se estivesse disponível um seguro acessível e o qual escolhi não pagar na esperança de que jamais minha casa pegasse fogo e eu pudesse economizar dinheiro, evitando impunimente o pagamento do prêmio anual? Apesar de o fogo, propriamente dito, ser "sorte bruta", o fato de eu não me assegurar contra ele é uma escolha que transforma o incidente infeliz em "sorte optada". Ao escolher não contratar um seguro, sou responsável pelas consequências, e não posso esperar que contribuintes me compensem por ter perdido minha casa.

É óbvio que não há seguro disponível para todos os acidentes e contingências. Algumas pessoas têm a sorte de nascer com talentos que a sociedade aprecia, enquanto outras nascem com deficiências que tornam difícil se sustentar. Dworkin pensa que o conceito de seguro pode ser estendido, a fim de lidar com essas contingências também. Uma vez que é impossível contratar um seguro antes de nascer, Dworkin sugere que estimemos o valor médio que as pessoas pagariam por um seguro contra nascer com escassez de talentos e utilizemos essa quantidade para redistribuir a renda de talentosos para pessoas sem talentos. A ideia é compensar pela distribuição desigual de habilidades inatas por meio de tributação de quem ganhou na loteria genética.[67]

Há motivo para duvidar que seja possível calcular os prêmios e as indenizações de um seguro hipotético por falta de talento inato. Mas se pudesse ser feito, e se os talentosos fossem tributados e os sem talentos fossem adequadamente compensados, e se, mais ainda, todo mundo tivesse acesso justo a empregos e oportunidades de formação educacional, o ideal de sociedade justa do igualitarismo da sorte seria realizado. Todas as diferenças de renda devido a dons e deficiências imerecidos seriam compensadas e todas as desigualdades restantes refletiriam fatores pelos quais somos responsáveis, tais como esforço e escolha. Portanto, a tentativa do igualitarismo da sorte de banir os efeitos de acidentes e infortúnios, não obstante, indicam um ideal meritocrático: distribuição de renda com base não em contingências moralmente arbitrárias, mas no que as pessoas merecem.[68]

O igualitarismo da sorte defende desigualdades que surgem do esforço e da escolha. Isso destaca um ponto de convergência com o liberalismo de livre mercado. Ambos enfatizam a responsabilidade pessoal e faz com que a obrigação da comunidade de ajudar quem está necessitado dependa da demonstração de que sua necessidade não é sua culpa. O igualitarismo da sorte busca, por conta própria, defender o Estado de bem-estar social das críticas do livre mercado ao aceitar "a mais potente ideia no arsenal da direita anti-igualitária: a ideia de escolha e responsabilidade".[69] Isso reduz a divergência entre livre mercado e liberais igualitários a um debate sobre as condições sob as quais as escolhas de uma pessoa podem ser consideradas verdadeiramente livres, em vez de sobrecarregadas por circunstância ou necessidade.

## VALORIZANDO TALENTOS

Apesar de tanto o livre mercado quanto o liberalismo igualitário rejeitarem mérito como o primeiro princípio de justiça, em última análise eles compartilham de uma tendência meritocrática. Nenhum dos dois efetivamente contraria comportamentos pouco atraentes do ponto de vista moral em relação a sucesso e fracasso aos quais as meritocracias são propensas – arrogância entre os vencedores e humilhação entre os perdedores. Em parte, isso tem a ver com a insistência em analisar a responsabilidade pessoal. Também reflete a valorização do talento. Mesmo insistindo que as habilidades nativas de alguém são uma questão de sorte e, portanto, arbitrárias do ponto de vista moral, levam o talento, sobretudo, o talento natural ou inato, incrivelmente a sério.

Isso é verdade principalmente para liberais igualitários, que atribuem desigualdade de renda, em grande parte, aos resultados da loteria genética. Eles inventam medidas elaboradas, tais como o esquema de seguro hipotético de Dworkin, para calcular e compensar as diferenças entre talento "natural" ou "inato" ou "congênito" que, diferentemente de vantagens culturais e sociais, não podem ser compensadas por oportunidades iguais de formação educacional. Fundamenta-se a questão da redistribuição nesse conceito biológico de talento, como fato genético anterior aos arranjos sociais. Mas essa maneira de conceber o talento, como um tipo de excelência congênita, é presunção arrogante. Mesmo enquanto liberais igualitários buscam remediar "a grande injustiça dos inteligentes e dos burros",[70] eles valorizam o "inteligente" e depreciam o "burro".

Não é necessário entrar no debate tenso sobre os fundamentos genéticos da inteligência para enxergar que as desigualdades alarmantes de renda e riqueza que testemunhamos hoje têm pouca relação com as diferenças inatas de inteligência. A noção de que os rendimentos exagerados de quem trabalha em finanças, atividades empresariais e profissões de elite são consequência de sua superioridade genética vem de tempos remotos. Ainda que possa ser verdade o fato de que as realizações de gênios como Einstein ou de pessoas virtuosas como Mozart sejam resultado de dons inatos, é um absurdo pensar que genialidades insuperáveis como essas são o que separam gerentes de fundo de cobertura de professores do ensino médio.

Conforme Elizabeth Anderson observou, é duvidoso "que dons naturais inferiores tenham muito a ver com desigualdades de renda observadas nas economias capitalistas". A maioria das diferenças em renda "são devido ao fato de que a sociedade investiu no desenvolvimento dos talentos de algumas pessoas muito mais do que de outras, e que coloca quantidades muito desiguais de capital à disposição de cada trabalhador. A produtividade está ligada principalmente aos papéis no trabalho, não aos indivíduos".[71]

Talentos naturais, por mais imerecidos que possam ser, atraem aprovação dentro de sociedades meritocráticas. Isso é, em parte, porque eles mesmos são admirados. Mas é também porque pensa-se que eles são responsáveis pelas tantas vitórias dos bem-sucedidos.

Se a meritocracia possibilita às pessoas ascender "até onde seus talentos dados por Deus os levarão", é tentador pressupor que os mais bem-sucedidos são os mais talentosos. Mas isso é um equívoco. Sucesso em ganhar dinheiro tem pouca relação com inteligência nata, se é que isso existe.[72] Ao se fixar em talento natural como fonte primária da desigualdade de renda, liberais igualitários superestimam seu papel e, inadvertidamente, aumentam seu prestígio.

## ASCENSÃO DA MERITOCRACIA

"Meritocracia" surgiu como termo de injúria, mas se tornou enaltecimento e aspiração. "O novo Partido Trabalhista é comprometido com a meritocracia", afirmou Tony Blair em 1996, no ano antes de se tornar primeiro-ministro da Grã-Bretanha. "Acreditamos que as pessoas devem ser capazes de ascender por meio de seus talentos, não devido à circunstância em que nasceu nem às vantagens resultantes de privilégios".[73] Em 2001, durante campanha para reeleição, ele disse que sua missão era "derrubar as barreiras que impedem as pessoas, criar mobilidade ascendente real, uma sociedade aberta e genuinamente fundamentada em mérito e valor igual de todas as pessoas". Ele prometeu "um programa estritamente meritocrático", com o objetivo de "abrir a economia e a sociedade para o mérito e para o talento".[74]

Michael Young, então com 85 anos, ficou consternado. Em um ensaio para o *The Guardian*, ele reclamou que Blair estava enaltecendo um ideal que ele (Young) havia desmascarado em sua obra satírica há décadas. Young temia que sua previsão sombria tornara-se realidade. "Eu esperava que pobres e desfavorecidos fossem derrotados, e na verdade foram [...]. É mesmo difícil em uma sociedade que cria tantos méritos ser julgado sem nenhum deles. Ninguém de classe inferior jamais foi moralmente desnudado assim".[75]

Enquanto isso, os ricos e os poderosos, "insuportavelmente convencidos", estavam no topo do sucesso. "Se os meritocratas acreditam, como cada vez mais os incentivam a fazer, que seu avanço vem de seu próprio mérito, eles conseguem sentir que merecem o que quer que recebam." Como resultado, "a desigualdade tem ficado mais penosa a cada ano que passa, e sem um sinal dos líderes do partido que antes defenderam tão incisiva e peculiarmente por mais igualdade".[76]

Ele não sabia o que poderia ser feito "em relação a essa sociedade meritocrática mais polarizada". Mas ele esperava que "sr. Blair eliminaria a palavra de seu dicionário público, ou ao menos admitiria seu aspecto negativo".[77]

Durante as últimas várias décadas, a linguagem do mérito dominou o discurso público, com pouco reconhecimento de seu aspecto negativo. Mesmo diante da desigualdade crescente, a retórica da ascensão proporcionou, para partidos dominantes de centro-esquerda e centro-direita, a principal linguagem do progresso moral e desenvolvimento político. "As pessoas que trabalham duro e seguem as regras deveriam ser capazes de ascender até onde seus talentos as levarem". Elites meritocráticas ficaram tão acostumadas a entoar esse mantra que não perceberam que ele estava perdendo a capacidade de inspirar. Cegos para o crescente ressentimento das pessoas que não compartilharam da recompensa da globalização, não perceberam o descontentamento. A reação populista os pegou de surpresa. Não perceberam o insulto implícito que estavam oferecendo na sociedade meritocrática.

## Notas

1. Essas desigualdades são as que prevalecem nos Estados Unidos hoje. Os dados sobre distribuição de renda são de Thomas Piketty, Emmanuel Saez e Gabriel Zucman, "Distributional National Accounts: Methods and Estimates for the United States", *Quarterly Journal of Economics* 133, nº 2, maio 2018, p. 575. A distribuição de riqueza é ainda mais desigual. A maior parte da riqueza (77%) é de propriedade dos 10% do topo e a riqueza do 1% do topo excede em muito a soma da riqueza dos 90% na base da população. Veja Alvardo *et al.*, (org.), *World Inequality Report 2018* [Relatório de desigualdade mundial 2018], p. 237. Recurso online importante, o banco de dados sobre a desigualdade mundial fornece atualizações sobre os EUA e outros países: <wid.world>.
2. Piketty, Saez e Zucman, "Distributional National Accounts", p. 575.
3. Michael Young, *The Rise of the Meritocracy* [A ascensão da meritocracia]. Harmondsworth: Penguin Books, 1958.
4. *Ibid.*, p. 104.
5. *Ibid.*, p. 104–5.
6. *Ibid.*, p. 105.
7. *Ibid.*, p. 106.
8. *Ibid.*
9. *Ibid.*, p. 106–7.
10. *Ibid.*, p. 107.
11. Amy Chozick, "Hillary Clinton Calls Many Trump Backers 'Deplorables', and G.O.P. Pounces," [Hillary Clinton chama muito dos apoiadores de Trump de "deploráveis" e Republicanos atacam], *The New York Times*, 10 de setembro, 2016. <nytimes.com/2016/09/11/us/politics/hillary-clinton-basket-of-deplorables.html>.
12. Young, *The Rise of the Meritocracy*, p. 108–9.
13. Piketty, Saez e Zucman, "Distributional National Accounts," p. 575.
14. Uma literatura vasta e crescente documenta a consolidação dos privilégios meritocráticos. Exemplos incluem Matthew Stewart, "The Birth of a New American Aristocracy" [O nascimento de uma nova aristocracia estadunidense], *The Atlantic*, junho 2018, p. 48–63; "An Hereditary Meritocracy" [Uma meritocracia hereditária], *The Economist*, 22 de janeiro, 2015; Richard V. Reeves, *Dream Hoarders* [Acumuladores de sonho],

Washington, D.C.: Brookings Institution Press, 2017; Robert D. Putnam, *Our Kids: The American Dream in Crisis* [Nossas crianças: a crise do Sonho Americano], Nova York: Simon & Schuster, 2015; Samuel Bowles, Herbert Gintis e Melissa Osborne Groves (org.), *Unequal Chances: Family Background and Economic Success* [Oportunidades desiguais: contexto familiar e sucesso econômico], Princeton: Princeton University Press, 2005; Stephen J. McNamee e Robert K. Miller, Jr., *The Meritocracy Myth* [O mito da meritocracia], Lanham, MD: Rowman & Littlefield, 2014.

15. Audiência e perspectivas de financiamento parecem estar aumentando para competidores de queda de braço e praticantes de outros esportes de nicho. Veja Paul Newberry, "Arm Wrestling Looks to Climb Beyond Barroom Bragging Rights" [Queda de braço busca ir além dos direitos de se gabar em bares], *Associated Press*, 6 de setembro, 2018. <apnews.com/842425dc6ed44c6886f9b3aedaac9141>. Kevin Draper, "The Era of Streaming Niche Sports Dawns" [Amanhece a era da transmissão de esportes de nicho], *The New York Times*, 17 de julho, 2018.
16. Justin Palmer, "Blake Trains Harder Than Me, but Won't Take 200 Title: Bolt" [Blake treina mais do que eu, mas não consegue o título de 200: Bolt], *Reuters*, 12 de novembro, 2011. <reuters.com/article/us-athletics-bolt/blake-works-harder-than-me-but-wont-take-200-title-bolt-idUSTRE7AB0DE20111112>. Allan Massie, "Can a Beast Ever Prevail Against a Bolt?" [Um animal poderia alguma vez prevalecer contra um Bolt?], *The Telegraph*, 6 de agosto, 2012. <telegraph.co.uk/sport/olympics/athletics/9455910/Can-a-Beast-ever-prevail-against-a-Bolt.html>.
17. Esse parágrafo se baseia no meu livro *Contra a Perfeição: ética na era da engenharia genética*. Tradução de Ana Carolina Mesquita. Rio de Janeiro: Civilização Brasileira, 2013.
18. "Global Attitudes Project" [Projeto Comportamentos Globais], *Pew Research Center*, 12 de julho, 2012. <pewglobal.org/2012/07/12/chapter-4-the-casualties-faith-in-hard-work-and-capitalism/>.
19. Friedrich A. Hayek, *The Constitution of Liberty*. Chicago: University of Chicago Press, 1960, p. 92–93. [Ed. bras.: *Os fundamentos da liberdade*. Tradução de Anna Maria Capovilla e José Ítalo Stelle. São Paulo: Visão, 1983.]
20. *Ibid.*, p. 85–102.
21. *Ibid.*, p. 93.
22. *Ibid.*, p. 94.
23. John Rawls, *A Theory of Justice*. Cambridge, MA: Harvard University Press, 1971. [Ed. bras.: *Uma teoria da justiça*. Tradução de Almiro Pisetta e Lenita M. R. Esteves. São Paulo: Martins Fontes, 2000.]
24. *Ibid.*, p. 73–74.
25. *Ibid.*, p. 75.
26. Kurt Vonnegut Jr., "Harrison Bergeron" (1961). In: Vonnegut, *Welcome to the Monkey House*. New York: Dell Publishing, 1998. [Ed. bras.: *O mundo louco*.

Rio de Janeiro: Artenova, 1973.] Veja o debate em Michael J. Sandel, *Justiça: o que é fazer a coisa certa*? Rio de Janeiro: Civilização Brasileira, 2015.

27. Rawls. *A Theory of Justice,* p. 102.
28. *Ibid.*, p. 101–2.
29. *Ibid.* p. 104.
30. Para uma elaboração desse argumento, veja Michael J. Sandel, *Liberalism and the Limits of Justice* [Liberalismo e os limites da justiça]. Cambridge, UK: Cambridge University Press, 1982, p. 96–103, 147–54.
31. "Remarks by the President at a Campaign Event in Roanoke, Virginia" [Comentários do presidente em evento de campanha em Roanoke, Virgínia], 13 de julho, 2012. <obamawhitehouse.archives.gov/the-press-office/2012/07/13/remarks-president-campaign-event-roanoke-virginia>.
32. *Ibid.*
33. Para obter um outro exemplo desse ponto de vista, consulte T. M. Scanlon, *Why Does Inequality Matter*? [Por que a desigualdade importa?], Oxford: Oxford University Press, 2018. p. 117–32.
34. Hayek, *The Constitution of Liberty*, p. 94, 97.
35. Rawls, *A Theory of Justice*, p. 310-11; Hayek, *The Constitution of Liberty*, p. 94.
36. Para um debate esclarecedor sobre a distância entre filosofia liberal e opinião comum sobre o papel do merecimento, consulte Samuel Scheffler, "Responsibility, Reactive Attitudes, and Liberalism in Philosophy and Politics" [Responsabilidade, comportamentos reativos e liberalismo em filosofia e política], *Philosophy & Public Affairs* 21, nº 4, outono 1992, p. 299–323.
37. Hayek, *The Constitution of Liberty*, p. 98.
38. C. A. R. Crosland, *The Future of Socialism* [O futuro do socialismo]. Londres: Jonathan Cape, 1956, p. 235, citado em Hayek, *The Constitution of Liberty*, p. 440.
39. N. Gregory Mankiw, "Spreading the Wealth Around: Reflections Inspired by Joe the Plumber" [Espalhando riqueza ao redor: reflexões inspiradas por Joe, o bombeiro], *Eastern Economic Journal* 36, 2010, p. 295.
40. *Ibid.*
41. Frank Hyneman Knight, *The Ethics of Competition* [A ética da competição]. New Brunswick, NJ: Transaction Publishers, 1997, p. 46. Esse volume republica um artigo de Knight "The Ethics of Competition", que originalmente foi publicado no *The Quarterly Journal of Economics* XXXVII, 1923, p. 579–624. Sobre Knight, em geral, consulte a introdução à edição da Transaction Publishers por Richard Boyd.
42. Por um relato valioso sobre a dívida de Rawls com Knight, consulte Andrew Lister, "Markets, Desert, and Reciprocity" [Mercados, merecimento e reciprocidade], *Politics, Philosophy & Economics* 16, 2017, p. 47–69.

43. *Ibid.*, p. 48–49.
44. *Ibid.*, p. 34.
45. *Ibid.*, p. 38.
46. *Ibid.*, p. 41.
47. *Ibid.*, p. 47.
48. *Ibid.*, p. 43–44.
49. Rawls, *A Theory of Justice*, p. 310–15.
50. *Ibid.*, p. 311.
51. *Ibid.*, p. 311-312.
52. *Ibid.*, p. 312-313.
53. *Ibid.*, p. 313.
54. Essa explicação sobre diferenciais de pagamento é, em certo aspecto, semelhante às cartas que imaginei que uma universidade enviaria para candidatos e candidatas que foram aprovados e para quem não foi, explicando os fundamentos que nortearam sua aceitação ou rejeição, em: *Liberalism and the Limits of Justice*, p. 141–42.
55. Scanlon parece reconhecer a dificuldade de separar o "certo" do "bom" quando comportamentos direcionados ao sucesso e ao fracasso estão em jogo. Veja em Scanlon, *Why Does Inequality Matter?*, p. 29, 32–35.
56. Thomas Nagel, "The Policy of Preference" [A política da preferência], *Philosophy & Public Affairs* 2, nº 4, verão 1973, reeditado em Nagel, *Moral Questions* [Questões morais]. Cambridge, UK: Cambridge University Press, 1979, p. 104.
57. Rawls, *A Theory of Justice*, p. 102.
58. Richard Arneson, "Rawls, Responsibility, and Distributive Justice" [Rawls, responsabilidade e justiça distributiva]. In: Marc Fleurbaey, Maurice Salles e John Weymark, (orgs.). *Justice, Political Liberalism, and Utilitarianism: Themes from Harsanyi and Rawls* [Justiça, liberalismo político e utilitarismo: temas de Harsanyi e Rawls]. Cambridge, UK: Cambridge University Press, 2008, p. 80.
59. O termo "igualitarismo da sorte" vem de Elizabeth Anderson. Devo minha discussão acerca dessa doutrina à sua potente crítica a ela. Consulte Elizabeth S. Anderson, "What Is the Point of Equality?" [Qual é a importância da igualdade?], *Ethics* 109, nº 2, janeiro 1999, p. 287–337.
60. *Ibid.*, p. 311.
61. *Ibid.*, p. 292, 299–96. Sobre o motorista sem seguro, Anderson cita Eric Rakowski, *Equal Justice* [Justiça igualitária]. Nova York: Oxford University Press, 1991.
62. Anderson, "What Is the Point of Equality?", p. 302–11.
63. Veja Yascha Mounk, *The Age of Responsibility: Luck, Choice, and the Welfare State* [A era da responsabilidade: sorte, acaso e o Estado de bem-estar social]. Cambridge, MA: Harvard University Press, 2017, p. 14–21.

64. *Ibid.*
65. *Ibid.*, p. 308, 311.
66. Ronald Dworkin, "What Is Equality? Part 2: Equality of Resources" [O que é igualdade? Parte 2: igualdade de recursos], *Philosophy & Public Affairs* 10, no. 4, outono, 1981, p. 293.
67. *Ibid.*, p. 297–98
68. Conforme Samuel Scheffler observa, a ênfase do igualitarismo da sorte na diferença entre escolha e circunstância assume tacitamente que "as pessoas merecem os resultados de suas escolhas. Isso sugeriria que igualitarismo da sorte está comprometido em atribuir um papel mais fundamental ao merecimento do que seus proponentes reconhecem". Scheffler, "Justice and Desert in Liberal Theory" [Justiça e merecimento na teoria liberal], *California Law Review 88*, nº 3, maio 2000, p. 967, n. 2.
69. G. A. Cohen, "On the Currency of Egalitarian Justice" [Sobre a moeda da justiça igualitária], *Ethics 99*, nº 4, julho 1989, p. 933.
70. Nagel, "The Policy of Preference", p. 104.
71. Anderson, "What Is the Point of Equality?", p. 325.
72. Joseph Fishkin argumenta que "não existe essa coisa de talento 'natural' ou esforço não mediado pelas oportunidades que o mundo nos ofereceu, que incluem as circunstâncias de nosso nascimento". Ele questiona a ideia de que "genes e ambiente funcionam como forças causais separadas, independentes", uma ideia que ele atribui à "ciência popular e casual da genética". O desenvolvimento humano envolve "uma interação entre atividade genética, a pessoa e seu ambiente", que não pode ser separado em componentes "naturais" e "produzidos socialmente", como a maioria das teorias de oportunidades iguais pressupõe. Consulte Joseph Fishkin, *Bottlenecks: A New Theory of Equal Opportunity* [Gargalhos: uma nova teoria de oportunidades iguais]. Nova York: Oxford University Press, 2014, p. 83–99.
73. Blair citado em David Kynaston, "The Road to Meritocracy Is Blocked by Private Schools" [A estrada para a meritocracia está bloqueada por escolas particulares], *The Guardian*, 22 de fevereiro, 2008.
74. Tony Blair, "I Want a Meritocracy, Not Survival of the Fittest" [Eu quero uma meritocracia, não a sobrevivência de quem se encaixa melhor], *Independent*, 9 de fevereiro, 2001. <independent.co.uk/voices/commentators/i-want-a-meritocracy-not-survival-of-the-fittest-5365602.html>.
75. Michael Young, "Down with Meritocracy" [Abaixo a meritocracia], *The Guardian*, 28 de junho, 2001.
76. *Ibid.*
77. *Ibid.*

# Capítulo 6 A máquina de triagem

Se a meritocracia é o problema, qual é a solução? Deveríamos contratar pessoas com base em nepotismo ou em preconceitos de vários tipos, em vez de nos basear na habilidade delas para exercer o trabalho? Deveríamos voltar aos dias em que as universidades da Ivy League aceitavam filhos privilegiados de famílias brancas, protestantes de classe alta com pouco interesse pela proposta acadêmica? Não. Superar a tirania do mérito não significa que mérito deveria ficar sem função na distribuição de empregos e papéis sociais.

Em vez disso, significa repensar a maneira como concebemos o sucesso, questionando o conceito meritocrático de que as pessoas no topo chegaram lá por conta própria. E significa desafiar as desigualdades de riqueza e estima que são defendidas em nome do mérito, mas que nutrem ressentimento, envenena nossa política e nos separa. Tal reconsideração deveria focar nos dois domínios da vida mais importantes para a ideia de sucesso meritocrático: educação e trabalho.

No próximo capítulo, vou demonstrar como a tirania do mérito enfraquece a dignidade do trabalho e como podemos renová-la. Neste capítulo, eu demonstro como a formação educacional superior se tornou máquina de triagem que promete mobilidade com base no mérito, mas protege o privilégio e promove comportamentos, direcionados ao sucesso, que prejudicam a comunalidade necessária para a democracia.

Faculdades e universidades presidem o sistema por meio do qual sociedades modernas distribuem oportunidades. Elas conferem as credenciais que determinam o acesso a empregos de salários altos e posições de prestígio. Para a formação educacional superior, esse papel é uma faca de dois gumes.

Fazer das faculdades e universidades matriz da ambição meritocrática dá a elas autoridade cultural e prestígio enormes. Isso fez do ingresso em faculdades de elite objeto de aspiração febril, e permitiu a várias universidades estadunidenses acumular doações multibilionárias. Mas converter essas instituições em baluarte de uma ordem meritocrática talvez não seja bom para a democracia, para os estudantes que competem para ingressar nelas ou nem mesmo para as próprias faculdades e universidades.

## O GOLPE DE ESTADO DE JAMES CONANT

A noção de processo seletivo competitivo para universidades como porta de entrada para oportunidade é agora tão familiar que é fácil esquecer sua novidade. A missão meritocrática da formação educacional superior nos Estados Unidos é de origem relativamente recente, produto das décadas de 1950 e 1960. Durante as primeiras décadas do século XX, o ingresso em Harvard, Yale e Princeton, o poderoso "*big three*" [grandioso trio] da Ivy League, dependia muito de ter estudado em um dos internatos particulares que atendia às famílias de classe alta da elite protestante. Habilidade acadêmica importava menos do que vir do contexto social certo e ser capaz de pagar a mensalidade. Cada faculdade tinha seu próprio exame de seleção, mas mesmo esses eram administrados com flexibilidade; várias pessoas que não conseguiam alcançar a nota para passar ainda assim eram aceitas. Mulheres eram excluídas, estudantes negros eram barrados em Princeton e escassos em Harvard e Yale, e matrículas de judeus eram restringidas por cotas formais e informais.[1]

A noção de faculdades de elite como instituições meritocráticas, cujo propósito era recrutar e treinar os mais talentosos estudantes, independentemente do contexto de cada um, para se tornarem líderes da sociedade, encontrou sua articulação mais importante nos anos 1940, por James Bryant Conant, o reitor da Universidade de Harvard. Conant, químico que serviu como conselheiro científico para o Projeto Manhattan durante a Segunda Guerra Mundial, ficou perturbado pela emergência, em Harvard e em toda a sociedade estadunidense, de uma classe alta hereditária. Essa elite era contrária aos ideais democráticos dos Estados Unidos, ele acreditava, e inadequada para governar, quando o país precisava de inteligência e destreza científica como jamais precisou.

Nicholas Lemann, autor de uma história elucidativa sobre testes de aptidão na educação superior estadunidense, descreve o problema conforme Conant o enxergou. Em Harvard e em outras universidades de ponta, "jovens ricos e imprudentes, com empregados, cuja vida girava em torno de festas e esporte, sem estudar, estabeleceram o tom da vida universitária". Esses homens passaram a dominar os principais escritórios de direito, bancos de Wall Street, relações exteriores, hospitais de pesquisa e universidades.[2]

> Todos os lugares bons estavam reservados para os membros de determinados grupos [...], exclusivamente para homens, do leste, protestantes, com formação educacional particular [...]. Católicos e judeus não eram permitidos, exceto em casos raros, o que exigia deles cuidadosa eliminação de sotaque ou outra expressão notável de sua cultura estrangeira. A quantidade de pessoas não brancas não chegava a ser suficiente na elite a ponto de serem excluídas. E até os mais radicais ativistas sociais da época não pensavam em sugerir que mulheres deveriam participar de forma rotineira da administração do país.[3]

A ambição de Conant era derrotar essa elite hereditária e substituí-la por uma meritocrática. O objetivo dele, escreveu Lemann, era

> destituir a elite estadunidense antidemocrática existente e substituí-la por uma nova, formada por pessoas inteligentes, bem treinadas, dedicadas ao bem-estar social, vindas de todas as camadas e de todos os contextos. Essas pessoas (na verdade, homens) comandariam o país. Gerenciariam as maiores instituições técnicas que seriam a espinha dorsal dos Estados Unidos do fim do século XX e criariam pela primeira vez um sistema organizado que proporcionaria oportunidades para todos os estadunidenses.[4]

Era, nas palavras de Lemann, "um plano audacioso para realizar uma mudança no grupo de liderança e na estrutura social do país – uma espécie de golpe de Estado planejado silenciosamente".[5]

Para obter sucesso nesse golpe de Estado, Conant precisava de uma forma de identificar os mais proeminentes estudantes de ensino médio, por mais modesto que fosse o contexto familiar de cada um, e recrutá-los para uma formação educacional universitária de elite. Ele começou criando uma bolsa de estudos em Harvard para estudantes talentosos provindos de escolas públicas na região centro-oeste, que seriam escolhidos a partir de um exame de aptidão intelectual. Quando encomendou esse exame, Conant insistiu que ele medisse a inteligência inata e não o domínio de assuntos acadêmicos, a fim de evitar criar vantagem para pessoas que estudaram em escolas secundárias privilegiadas. O exame que escolheu para esse propósito era uma versão de um teste de QI usado pelo Exército durante a Primeira Guerra Mundial, chamado Scholastic Aptitude Test, SAT [Teste de Aptidão Escolar].

O programa de bolsas de Conant acabou sendo estendido a estudantes de toda a nação. O exame utilizado para selecioná-los, o SAT, passou a ser usado para selecionar candidatos a faculdades e universidades no país inteiro. Conforme observa Lemann, o SAT "tornou-se não apenas uma forma de distribuir bolsas em Harvard, mas o mecanismo básico para fazer uma triagem da população estadunidense".[6]

A tentativa de Conant de transformar Harvard em uma instituição meritocrática era parte de uma ambição ainda maior de recriar a sociedade estadunidense a partir de princípios meritocráticos. Ele verbalizou seu ponto de vista em *Education for a Classless Society* [Educação para uma sociedade sem classes], um discurso que proferiu na Universidade da Califórnia e publicou na revista *The Atlantic*, em 1940. Conant queria resgatar na sociedade dos Estados Unidos o princípio da igualdade de oportunidade, que estava ameaçado pelo "desenvolvimento de uma aristocracia hereditária de riqueza". Ele citou Frederick Jackson Turner, o historiador de Harvard que argumentara sobre o fechamento da fronteira ter interrompido a tradicional avenida de oportunidades estadunidenses: a possibilidade de mudar para o oeste, trabalhar na agricultura e ascender por meio de esforço e talento sem as amarras da hierarquia de classe. "O fato mais peculiar" do início da democracia dos Estados Unidos, Turner escreveu, "foi a liberdade de o indivíduo ascender sob condições de mobilidade social".[7]

Turner, que escreveu no fim do século XIX, provavelmente foi o primeiro a usar o termo "mobilidade social".[8] Conant denominava esse conceito "o cerne do meu argumento" e o utilizou para definir seu ideal de sociedade sem classes.

> Um alto grau de mobilidade social é a essência do ideal estadunidense de sociedade sem classes. Se grandes quantidades de pessoas jovens podem desenvolver suas próprias capacidades, independentemente do status econômico de pai e mãe, a mobilidade social é alta. Se, por outro lado, o futuro de um homem jovem ou de uma mulher jovem for determinado quase totalmente por um privilégio herdado ou pela falta dele, a mobilidade social é inexistente.[9]

Se a mobilidade social for alta, Conant explicou, "filhos e filhas devem e conseguem buscar seu próprio nível, obter suas próprias recompensas econômicas, assumir qualquer ocupação, independentemente do que pai e mãe possam ter feito".[10]

Mas o que, na ausência de uma fronteira aberta, poderia servir como instrumento da mobilidade que uma sociedade fluida e sem classes exige? A resposta de Conant foi educação. Enquanto mais e mais estadunidenses faziam o ensino médio, o sistema de ensino secundário se tornava "um mecanismo vasto" que, se operado adequadamente, poderia "nos ajudar a resgatar [...] oportunidade, uma dádiva que já foi promessa da fronteira".

No entanto, do ponto de vista de Conant, a oportunidade que a disseminação de matrículas no ensino médio tornou possível consistia menos na educação que oferecia do que na chance que apresentava de ordenar e classificar estudantes como candidatos a uma formação educacional superior. Em uma sociedade altamente industrializada, "habilidades devem ser acessadas, talentos devem ser desenvolvidos e ambições, orientadas. Essa é a tarefa para nossas escolas públicas".[11]

Apesar de Conant acreditar que era importante educar todos os futuros cidadãos como membros de uma democracia política, esse propósito cívico das escolas públicas era menos importante do que sua função de triagem. Mais importante do que educar pessoas jovens para a cidadania era equipá-las "para subirem o primeiro degrau de qualquer escada de oportunidade que pareça mais apropriada". Conant reconheceu que esse papel de triagem "pode parecer um fardo pesado para colocar sobre nosso sistema de educação", mas ele esperava que as escolas públicas pudessem ser "reconstruídas para esse propósito específico".[12] As escolas públicas ofereceram uma base de recrutamento ampla para uma elite meritocrática nova.

Em apoio à sua noção de selecionar em cada geração as pessoas mais adequadas para uma formação educacional superior e para a liderança pública, Conant alistou um aliado formidável: Thomas Jefferson. Assim como Conant, Jefferson era contrário a uma aristocracia de riqueza e nascimento e queria substituí-la por uma aristocracia de virtude e talentos. Jefferson também acreditava que um sistema educacional bem elaborado poderia ser o mecanismo para "a seleção de jovens inteligentes dentro das classes de pobres". A natureza não proporcionou talento exclusivamente aos ricos, ela o "espalhou em quantidades iguais" entre todos os níveis da sociedade. O desafio era encontrá-lo e cultivá-lo de tal forma que o mais talentoso e virtuoso pudesse ser educado e preparado para governar.[13]

Jefferson propôs um sistema de educação pública para o estado da Virginia, tendo seu objetivo em mente. Pessoas que se destacaram em escolas primárias gratuitas seriam escolhidas para "receber, às custas do sistema público, uma formação educacional superior em uma escola do distrito". Quem se destacasse ali receberia bolsa para estudar na faculdade William & Mary e se tornar líder da sociedade. "Pessoas dignas e talentosas teriam sido, portanto, selecionadas entre todas as condições de vida, e totalmente preparadas por meio da educação para vencer a competição de riqueza e nascimento por fundos públicos".[14]

O plano de Jefferson não foi adotado; mas para Conant, ele ofereceu um precedente inspirador para o sistema seletivo de educação superior que ele favorecia, ou seja, baseado em igualdade de oportunidade e mobilidade social. Jefferson não usou nenhum desses termos. Em vez disso, escreveu sobre uma "aristocracia natural" de talento e virtude que ele esperava que pudesse prevalecer sobre "uma aristocracia artificial fundada em riqueza e nascimento".[15] E ele descreveu seu plano de bolsas competitivas em uma linguagem que teria sido impolítica para a época mais democrática de Conant: "Vinte dos maiores gênios serão anualmente retirados do lixo e instruídos, por meio de despesa pública."[16]

## EVIDÊNCIAS DE TIRANIA DO MÉRITO

Olhando em retrospecto, a indelicada linguagem de Jefferson destaca duas características potencialmente condenáveis de um sistema de educação meritocrático que nossa linguagem de mobilidade social e oportunidade igual esconde: primeiro, uma sociedade fluida e móvel baseada em mérito, apesar de oposta à hierarquia hereditária, não é oposta à desigualdade; ao contrário, ela legitima desigualdades que surgem do mérito em vez de surgir de condições do nascimento. Segundo, um sistema que honra e recompensa "os maiores gênios" está propenso a rebaixar os demais, implícita ou explicitamente, como "lixo". Ainda que tenha proposto um esquema generoso de bolsa, Jefferson ofereceu um dos primeiros exemplos de nossa tendência meritocrática de valorizar o "inteligente" e estigmatizar o "burro".

Conant abordou essas duas potenciais objeções a uma ordem meritocrática; a primeira, mais diretamente do que a segunda. No que diz respeito à desigualdade, ele reconheceu com franqueza que seu ideal de sociedade sem classe não estava voltado para uma distribuição igual de renda e riqueza. Ele buscava uma sociedade mais móvel, não mais igual. O que importava não era diminuir a distância entre rico e pobre, mas assegurar que pessoas trocassem de lugar na hierarquia econômica de uma geração para outra, algumas se movendo para cima e outras para baixo, a partir do status do pai e da mãe. "Ao menos, para uma geração, ou talvez duas, diferenças consideráveis no status econômico, bem como diferenças extremas de empregos talvez existam sem formação de classe." Poder e privilégio provavelmente sejam desiguais, uma vez que são "automaticamente redistribuídos ao fim de cada geração".[17]

Quanto à desagradável imagem de retirar "gênios" do "lixo", Conant não pensou que a triagem que propôs valorizaria as pessoas escolhidas nem rebaixaria as deixadas de fora. "Precisamos partir da premissa de que não há privilégios educacionais, nem mesmo nos mais avançados níveis de instrução", ele escreveu. "Nenhum canal deveria ter um nível social acima do outro".[18]

No fim das contas, Conant foi otimista demais em ambos os relatos. Tornar meritocrática a educação superior não resultou em uma sociedade sem classes nem evitou depreciar quem foi excluído por falta de talento. Algumas pessoas diriam que esses acontecimentos simplesmente refletem uma falha no reconhecimento dos rótulos meritocráticos. Mas como Conant reconheceu, selecionar talentos e buscar igualdade são dois projetos diferentes.

A visão meritocrática de Conant era igualitária no sentido de que ele queria abrir Harvard e outras universidades de elite para os estudantes mais talentosos do país, por mais modesto que fosse o contexto deles. Em um tempo em que as universidades da Ivy League eram dominadas por famílias com privilégio estabelecido, essa era uma ambição nobre. Mas Conant não estava preocupado em ampliar o acesso à educação de nível superior. Ele não queria aumentar o número de estudantes universitários; ele simplesmente queria garantir que quem estivesse estudando era verdadeiramente mais capaz. O país "se beneficiaria por uma eliminação de pelo menos um quarto, ou talvez metade, das pessoas agora matriculadas em cursos universitários avançados", ele escreveu em 1938, "e pela substituição de outros ou maiores talentos no seu lugar". Alinhado com esse ponto de vista, ele foi contra a GI Bill [Lei de Reajuste dos Militares], promulgada por Franklin Delano Roosevelt em 1944, que proporcionou educação universitária gratuita para veteranos que retornaram. A nação não precisava de mais estudantes na universidade, Conant pensava, precisava de estudantes melhores.[19]

Durante as duas décadas de Conant como reitor, as políticas de Harvard para seleção e admissão ficaram aquém dos ideais meritocráticos que ele defendia. Ao final de seu mandato de reitor, no início da década de 1950, Harvard ainda raramente rejeitava filhos de ex-alunos e selecionou mais de 87% deles.[20] Continuou a favorecer candidatos de internatos de elite na Nova Inglaterra, aceitando a maioria que se inscrevia, enquanto para candidatos de escola pública os padrões acadêmicos eram mais altos. Isso era, em parte, porque os estudantes de escolas preparatórias eram "convidados pagantes" que não precisavam de auxílio financeiro, mas também porque seu *pedigree* de "alta sociedade" trouxe o prestígio que escolas da Ivy League ainda valorizavam.[21] Restrições quanto à aceitação de estudantes judeus eram silenciosamente amenizadas, mas não eliminadas, o que refletia o receio persistente de que ter judeus demais "afastaria os garotos protestantes de classe alta que Harvard mais queria matricular".[22] A admissão de mulheres e as tentativas de selecionar estudantes de minorias raciais e étnicas ficou para o futuro.

## O LEGADO MERITOCRÁTICO DE CONANT

Apesar de a Harvard do seu tempo não ter implementado totalmente os ideais meritocráticos de Conant, esses, desde então, passaram a definir a autocompreensão da educação superior estadunidense. Os argumentos que ele apresentou na década de 1940 sobre o papel da faculdade e das universidades em uma sociedade democrática tornaram-se sabedoria comum dos nossos dias. Não mais controversos, passaram a fazer parte do material retórico rotineiro de discursos de posse e pronunciamentos públicos de reitores: a educação superior deveria estar aberta a estudantes talentosos de todos os contextos sociais e econômicos, de preferência, sem considerar sua condição financeira. Apesar de o processo de seleção que não leva em conta o poder aquisitivo dos candidatos e o auxílio financeiro serem acessíveis apenas para as faculdades mais ricas, concorda-se que mérito, não riqueza, deveria ser a base para o ingresso. Enquanto a maioria das faculdades avalia candidatos a partir de uma gama de fatores que incluem dedicação à proposta acadêmica, caráter, destreza atlética e atividades extracurriculares, o mérito acadêmico é medido, sobretudo, a partir de notas escolares altas e pontuação no SAT, o exame padronizado de aptidão intelectual que Conant defendia.

Para ser mais exato, o significado de mérito é ferozmente contestado. Em debates sobre ações afirmativas, por exemplo, algumas pessoas argumentam que levar em consideração raça e etnia como fatores para o ingresso viola o mérito; outras respondem que a habilidade de trazer experiências e perspectivas de vida distintas para a sala de aula e para a sociedade como um todo é um mérito relevante para a missão de uma universidade. Mas o fato de que nossos debates acerca de ingresso em universidades são tipicamente argumentos sobre mérito comprova a força dos ideais meritocráticos.

Talvez mais profundamente inserida está a noção de Conant de educação superior como principal portal de oportunidade – fonte de mobilidade ascendente que mantém a sociedade fluida ao oferecer para todos os estudantes, seja qual for seu contexto social ou econômico, a oportunidade de ascender até onde seus talentos os levarem. A partir dessa ideia, reitores de universidades com frequência nos lembram de que excelência e oportunidade estão lado a lado. Quanto menos barreira social e econômica houver para impedir o estudo em universidade, maior será a habilidade das faculdades de recrutar os melhores estudantes e prepará-los para o sucesso. Quando cada turma que entra na universidade chega ao campus para orientação aos calouros, elas recebem uma torrente de elogios por excelência e diversidade, e pelo talento e esforço que resultou em sua seleção.[23]

Retórica e filosoficamente, a ideologia de Conant venceu. Mas não funcionou como ele esperava.

## PONTUAÇÃO DO SAT INDICA RIQUEZA

Primeiro, o SAT, no fim das contas, não mede aptidão escolar nem inteligência inata, independentemente de contexto social e educacional. Ao contrário, a pontuação do SAT está bastante relacionada com riqueza. Quanto mais alta for a renda de sua família, mais alta será sua pontuação no SAT. A cada degrau de sucesso na escada da renda, a média da pontuação no SAT aumenta.[24] No caso de notas que posicionam os estudantes na disputa para as mais seletivas faculdades, a lacuna é especialmente robusta. Se você vem de uma família abastada (com renda anual superior a US$ 200 mil), sua chance de pontuar acima de 1.400 (em um total de 1.600) é um em cinco. Se você vem de uma família pobre (com renda anual menor do que US$ 20 mil), sua chance é um em cinquenta.[25] As pessoas na categoria dos que alcançam notas altas também são, em grande maioria, filhos e filhas de pai e mãe com diploma universitário.[26]

Além das vantagens na educação geral que famílias abastadas conseguem proporcionar, a nota dos privilegiados no SAT é alavancada por cursos preparatórios particulares e por instrutores. Alguns deles, em lugares como Manhattan, cobram até US$ 1 mil por hora para aulas particulares. Uma vez que a competição meritocrática para ingresso na universidade se intensificou em décadas recentes, as aulas particulares e os cursos preparatórios tornaram-se uma indústria bilionária.[27]

Durante anos, a College Board, associação que administra o SAT, insistiu que seu exame media aptidão e que as notas não eram afetadas por aulas particulares. Recentemente, deixaram de lado essa afirmação pretensiosa e fizeram parceria com a Khan Academy para oferecer treinamento gratuito a todos os candidatos do SAT. Apesar de esse ter sido um empreendimento digno, fez pouco para nivelar o campo dos testes preparatórios, como funcionários da College Board esperavam e afirmavam que faria. Talvez de maneira não surpreendente, estudantes de famílias com renda e formação educacional em níveis mais altos usaram melhor a ajuda online do que os estudantes de contextos desfavorecidos, resultando em uma lacuna ainda maior entre a pontuação dos privilegiados e a dos demais.[28]

Para Conant, um exame de aptidão ou de QI era promissor como uma medida democrática de habilidade acadêmica, não afetado por desvantagem educacional e das notas imprevisíveis do ensino médio. É por isso que ele optou pelo SAT para selecionar seus estudantes bolsistas. Ele se surpreenderia ao saber que as notas do ensino médio são melhores do que a pontuação do SAT para identificar estudantes de baixa renda que têm probabilidade de obter sucesso na faculdade.

Comparar o poder profético de pontuações e notas é uma questão complicada. Para dois terços dos estudantes, elas estão mais ou menos alinhadas. Mas para as pessoas cuja pontuação do SAT e notas da escola são discrepantes, o SAT ajuda privilegiados e prejudica quem está em desvantagem.[29]

Enquanto as notas do ensino médio estão, até certo ponto, relacionadas à renda familiar, a pontuação do SAT está mais. Isso ocorre, em parte, porque ao contrário do que a indústria dos testes alega há muito tempo, é possível treinar para o SAT. Aulas particulares ajudam, e uma indústria lucrativa surgiu para ensinar estudantes do ensino médio estratégias e truques para impulsionar a nota.[30]

## A MERITOCRACIA PROTEGE A DESIGUALDADE

Segundo, o sistema de seleção meritocrática que Conant promoveu não resultou na sociedade sem classes que ele esperava que produziria. Desigualdades de renda e de riqueza se agravaram, desde as décadas de 1940 e 1950, e a mobilidade social que Conant viu como solução para uma sociedade estratificada não aconteceu. Os ricos e os pobres não trocaram de lugar de uma geração para a outra. Como temos visto, comparativamente, poucos filhos e filhas de pobres ascendem à riqueza, e poucos filhos e filhas de pessoas abastadas caem abaixo dos níveis de classe média alta. A despeito do Sonho Americano de ascender dos trapos à opulência, a mobilidade ascendente é menos comum nos Estados Unidos do que em vários países europeus, e não há demonstrações de melhora em décadas recentes.

Para ser mais direto, formação educacional superior na era da meritocracia não tem sido mecanismo para mobilidade social; ao contrário, tem reforçado as vantagens que pais e mães privilegiados conferem a filhos e filhas. Obviamente, o perfil democrático e acadêmico de estudantes no campus de universidades de elite mudou para melhor desde a década de 1940. A aristocracia hereditária da riqueza branca, protestante, anglo-saxã que Conant buscou substituir já não predomina. Mulheres e homens são selecionados em termos iguais, faculdades efetivamente selecionam de forma a haver diversidade racial e étnica, e aproximadamente metade dos estudantes da Ivy League se identificam como estudantes não brancos.[31] As cotas e práticas informais que limitavam a matrícula de judeus e persistiram durante a primeira metade do século XX desapareceram.

O favoritismo que Harvard, Yale e Princeton por tanto tempo concederam a homens jovens de internatos da classe alta diminuiu nas décadas de 1960 e 1970. Assim como a seleção rotineira para as universidades da Ivy League de qualquer filho ou filha de ex-aluno com qualificação mínima. Os padrões acadêmicos aumentaram, e a média dos exames SAT aumentou. As faculdades e as universidades mais ricas adotaram o processo de seleção que não leva em conta as condições financeiras dos candidatos, além de políticas de auxílio financeiro generosas, removendo uma barreira financeira enorme para estudantes promissores com recursos modestos.

Essas são as realizações incontestáveis. Ainda assim, a revolução meritocrática na formação educacional superior não resultou em mobilidade social e oportunidades amplas conforme seus primeiros proponentes esperavam e líderes da educação e políticos continuam a prometer. Faculdades e universidades seletivas dos Estados Unidos eliminaram a elite hereditária complacente e mimada que preocupava Conant. Mas a aristocracia de privilégio hereditário abriu caminho para uma elite meritocrática que hoje é tão privilegiada e protegida quanto aquela que substituiu.

Apesar de muito mais inclusiva em termos de gênero, raça e etnia, essa elite meritocrática não produziu uma sociedade móvel e fluida. Em vez disso, as classes mais altas e credenciadas de hoje têm descoberto como transmitir seus privilégios para filhos e filhas, não legando propriedades, mas proporcionando vantagens que determinam sucesso em uma sociedade meritocrática.

Apesar de seu recém-descoberto papel de árbitro da oportunidade e mecanismo de mobilidade ascendente, a formação educacional superior não proporcionou um contrapeso significativo para a desigualdade crescente de agora. Considere a composição de classe da educação superior hoje, sobretudo, nos mais seletivos domínios:

- A maioria dos estudantes em faculdades e universidades seletivas são de famílias abastadas; pouquíssimos são de contextos de baixa renda. Mais de 70% daqueles que estudaram nas aproximadamente cem faculdades mais competitivas dos Estados Unidos vêm do quarto superior da escala de renda; somente 3% vêm do quarto inferior.[32]

- A desigualdade de riqueza em matrículas nas universidades é mais severa no topo. Em universidades da Ivy League, Stanford, Duke e outros lugares de prestígio, há mais estudantes do 1% de famílias mais ricas do que de toda a metade inferior do país. Em Yale e Princeton, apenas aproximadamente um estudante em cada cinquenta vem de uma família pobre (20% da base).[33]
- Se você vem de uma família rica (1% do topo), suas chances de estudar em uma instituição da Ivy League são 77 vezes maiores do que se você vier de uma família pobre (20% da base). A maioria das pessoas da metade inferior da escala de renda faz um curso superior de dois anos ou não faz faculdade.[34]

Ao longo das últimas duas décadas, faculdades particulares de elite ofereceram auxílio financeiro mais generoso, e o governo federal aumentou o empréstimo universitário para estudantes que têm recursos modestos. Harvard e Stanford, por exemplo, agora oferece mensalidade grátis, alojamento e alimentação para qualquer estudante cuja família receba menos do que US$ 65 mil por ano. No entanto, apesar dessas medidas, a quantidade de estudantes de famílias de baixa renda em faculdades seletivas mudou pouco desde 2000, e em alguns casos caiu. A porcentagem de estudantes de "primeira geração" (a primeira pessoa na família a fazer faculdade) em Harvard hoje não é mais alta do que era em 1960. Jerome Karabel, o autor de uma biografia das políticas de seleção em Harvard, Yale e Princeton, concluiu que "hoje é praticamente tão improvável que filhos e filhas da classe trabalhadora e pobres estudem em uma das *Big Three* [Harvard, Yale e Princeton] quanto era em 1954".[35]

## POR QUE AS UNIVERSIDADES DE ELITE NÃO SÃO MECANISMOS DE MOBILIDADE

A reputação acadêmica, as contribuições científicas e a riqueza educacional oferecida pelas principais faculdades e universidades estadunidenses são admiradas no mundo inteiro. Mas essas instituições não são mecanismos eficientes de mobilidade ascendente. Recentemente, o economista Raj Chetty e uma equipe de colegas dedicaram-se a um estudo detalhado acerca do papel das faculdades na promoção de mobilidade intergeracional, examinando a trajetória econômica de 30 milhões de estudantes universitários de 1999 a 2013. Para cada faculdade nos Estados Unidos, calcularam a proporção de seus estudantes que ascenderam do degrau da base na escada da renda até o topo (ou seja, do quintil inferior ao quintil superior). Em outras palavras, perguntaram qual era a proporção de estudantes em cada faculdade que vieram de uma família pobre, mas acabaram ganhando o suficiente para alcançar os 20% do topo. A conclusão deles: surpreendentemente, a educação superior hoje faz pouco para promover a mobilidade ascendente.[36]

Isso é verdade, sobretudo, em faculdades particulares de elite. Embora estudar em um lugar como Harvard ou Princeton proporcione a uma pessoa jovem boa oportunidade de ascender, para começar, esses lugares matriculam tão poucos jovens pobres que sua taxa de mobilidade é baixa. Apenas 1,8% dos estudantes de Harvard (e apenas 1,3% de Princeton) ascendem da base ao topo da escala de renda.[37]

Espera-se, talvez, que as coisas sejam diferentes nas grandes universidades públicas. Mas elas também matriculam tantos estudantes já abastados que contribuem pouco para a mobilidade ascendente. A taxa de mobilidade na Universidade de Michigan em Ann Arbor é apenas 1,5%. Seu perfil de classe assimétrico é semelhante ao de Harvard: dois terços dos estudantes vêm de famílias abastadas (quintil superior). Jovens pobres são ainda mais raros em Ann Arbor (menos de 4%) do que em Harvard. Um padrão semelhante ocorre na Universidade da Virginia, com uma taxa de mobilidade de 1,5%, devido, sobretudo, ao fato de que menos do que 3% de seus estudantes vêm de famílias pobres.[38]

Chetty e sua equipe identificaram algumas universidades públicas menos famosas e faculdades estaduais com taxas de mobilidade alta. Essas instituições, além de serem acessíveis para estudantes de baixa renda, são bem-sucedidas em ajudá-los a ascender. A universidade estadual Cal State, em Los Angeles, por exemplo, e a universidade estadual de Nova York, em Stony Brook, possibilita a aproximadamente 10% de seus estudantes ascender do degrau inferior ao mais alto, quase cinco vezes maior do que a taxa de mobilidade de faculdades da Ivy League e das mais seletivas universidades públicas.[39]

Mas essas instituições são exceção. Juntas, as 1.800 faculdades e universidades que Chetty investigou – particulares e públicas, seletivas e não – possibilitou a menos de 2% de seus estudantes ascender do quintil inferior ao quintil superior.[40] Algumas pessoas podem se perguntar se, em uma geração, impulsionar estudantes do quintil inferior (US$ 20 mil ou menos de renda familiar) para o quintil superior (US$ 110 mil de renda ou mais) é um teste de mobilidade exigente demais. Mas ascensões mais modestas são relativamente raras. Em universidades e faculdades particulares de elite, apenas aproximadamente um estudante em cada dez consegue ascender dois degraus (dois quintis) na escada da renda.[41]

Faculdades e universidades estadunidenses possibilitam a ascensão de uma quantidade supreendentemente pequena de estudantes, apesar do fato de que estudar em lugares como esses melhora a perspectiva econômica da pessoa. Graduados universitários, principalmente de lugares de prestígio, têm grande facilidade para encontrar empregos lucrativos. Mas essas escolas têm pouco impacto na mobilidade ascendente, porque a maioria de seus estudantes já são ricos. A formação educacional superior nos Estados Unidos é como um elevador de prédio em que a maioria das pessoas entra na cobertura.

Na prática, a maioria das faculdades e das universidades faz menos coisas para aumentar as oportunidades do que para consolidar privilégios. Para quem vê a educação superior como veículo principal da oportunidade, isso é uma informação séria. Questiona um artigo de fé na política contemporânea: que a solução para a desigualdade é maior mobilidade, e que a maneira de aumentar a mobilidade é mandar mais pessoas para a faculdade.

Apesar de essa percepção de oportunidade ser citada por políticos de todo o espectro ideológico, cada vez menos ela se encaixa com a experiência vivida da maioria das pessoas, sobretudo, aquelas que não têm diploma universitário, mas aspiram, ainda assim, a um trabalho digno e a uma vida decente. Essa é uma aspiração razoável que uma sociedade meritocrática ignora por conta e risco próprios. Para as classes com credenciais, é fácil esquecer que a maioria de nossos companheiros cidadãos não tem um diploma superior. Lembrar essas pessoas constantemente para que melhorem sua condição adquirindo um ("o que você ganha depende do que você aprende") pode ser mais insultante do que inspirador.

Então o que fazer em relação à educação superior? Ela deveria manter seu papel atual de árbitro de oportunidades? E deveríamos continuar a pressupor que oportunidade consiste em acesso igual ao torneio meritocrático em que se transformou o ingresso na universidade? Algumas pessoas dizem que sim, desde que possamos melhorar a justiça nessas competições. Argumentam que a escassez de estudantes de baixa renda na educação superior indica não uma falha na seleção meritocrática, mas um fracasso recorrente em sua implementação. De acordo com essa percepção, a cura para os males da meritocracia é uma meritocracia mais consumada, de tal forma que proporcione a estudantes igual acesso a faculdades, seja qual for seu contexto social e econômico.

## PARA FAZER A MERITOCRACIA SER MAIS JUSTA

A princípio, este é um posicionamento racional. Melhorar oportunidades educacionais para estudantes pobres mas talentosos é um bem ilimitado. Em décadas recentes, faculdades e universidades fizeram avanços importantes na seleção de estudantes afro-estadunidenses e latino-americanos, mas fizeram pouco para aumentar a proporção de estudantes de baixa renda. Na verdade, enquanto o debate público sobre ação afirmativa para minorias raciais e étnicas ficou acalorado, silenciosamente, as faculdades têm praticado o que equivale a uma ação afirmativa para ricos.

Por exemplo, várias faculdades e universidades seletivas dão preferência a filhos e filhas de ex-alunos (o "legado", como são chamados), com a justificativa de que selecioná-los constrói o espírito de comunidade e gera doações de verbas. Em faculdades de elite, filhos e filhas de ex-alunos têm até seis vezes mais probabilidade de ser selecionados do que outros candidatos. De modo geral, Harvard seleciona apenas um candidato em cada vinte; quanto a candidatos do legado, aceita um em cada três.[42]

Algumas instituições também afrouxam os padrões acadêmicos para receber filhos e filhas de doadores ricos que não são ex-alunos, com a justificativa de que vale a pena aceitar alguns estudantes não tão brilhantes em troca de uma nova biblioteca ou verba para bolsas. Durante uma campanha de arrecadação de fundos no fim da década de 1990 e início da década de 2000, a Universidade Duke destinou aproximadamente cem vagas por ano na turma de calouros para filhos e filhas de doadores ricos que, de outra maneira, não teriam sido selecionados. Apesar de algumas pessoas do corpo docente terem se preocupado com o comprometimento dos padrões acadêmicos, a política ajudou a incrementar a verba da Duke e melhorar sua posição na competição.[43] Documentos de um processo judicial recente sobre a política de seleção em Harvard revelou que quase 10% de seus estudantes ingressam com auxílio de doadores.[44]

Preferência por atletas recrutados é outro benefício para candidatos abastados. Algumas vezes o pressuposto é de que abaixar os padrões acadêmicos para atletas, sobretudo, de esportes proeminentes como futebol e basquete, ajuda a matricular estudantes de minorias com pouca representatividade e de contexto de baixa renda. Mas no geral, candidatos e candidatas que se beneficiam da preferência a atletas são pessoas desproporcionalmente ricas e brancas. Isso porque a maioria dos esportes para os quais faculdades de elite recrutam são procurados principalmente por jovens ricos – squash, lacrosse, vela, remo, golfe, polo aquático, esgrima e até mesmo hipismo.[45]

A seleção preferencial para atletas não está limitada aos tradicionais times de futebol de escolas como Michigan e Ohio State, cujos times que participam das temporadas de campeonatos lotam os estádios. Na Williams College, uma pequena, prestigiosa faculdade de artes liberais na Nova Inglaterra, 30% da turma consiste de atletas recrutados.[46] Poucos entre esses estudantes atletas vieram de contextos desprivilegiados. Um estudo sobre 19 faculdades e universidades seletivas, uma coautoria com o ex-reitor de Princeton, concluiu que atletas recrutados aproveitam mais vantagens na seleção do que minorias sem representatividade ou filhos e filhas de ex-alunos, e que apenas 5% deles vêm do quartil inferior da escala de renda.[47]

Faculdades poderiam tentar abordar a injustiça de várias maneiras. Poderiam empreender ações afirmativas baseadas em classe social, proporcionando a estudantes de famílias pobres os mesmos benefícios que atualmente oferecem ao legado, a filhos e filhas de doadores e a atletas recrutados. Ou poderiam reduzir as vantagens que oferecem a candidatos ricos, acabando com todos esses benefícios. Além disso, faculdades poderiam compensar as vantagens que candidatos abastados aproveitam devido à pontuação no SAT, impulsionada por aulas particulares e curso preparatório para o exame, não exigindo mais esses testes padronizados, como a Universidade de Chicago e outras instituições recentemente fizeram. Pesquisas demonstraram que a pontuação no SAT, mais do que as notas de ensino médio, podem distorcer as previsões de desempenho acadêmico por contexto socioeconômico; confiar menos nelas permitiria às faculdades matricular mais estudantes com recursos modestos resultando em pouca, se é que haveria alguma, queda no índice de sucesso acadêmico.[48]

Esses são passos que faculdades poderiam dar por conta própria. O governo também poderia intervir para fazer do ingresso na universidade um processo menos tendencioso a favor de pessoas privilegiadas. O senador Edward Kennedy, ele mesmo um estudante de legado de Harvard, certa vez propôs exigir que faculdades particulares tornassem público o índice de aceitação de filhos e filhas de ex-alunos e relatassem seu perfil socioeconômico. Daniel Markovits, professor de direito em Yale e crítico da desigualdade meritocrática, foi além. Propôs negar a universidades particulares a possibilidade de isenção de taxas, a menos que selecionassem pelo menos metade de seus estudantes entre os dois terços inferiores na escala de renda, de preferência, aumentando a quantidade de vagas.[49]

Essas medidas, sejam elas empreendidas pela própria faculdade ou por meio de ordem do governo, suavizaria a desigualdade que faz da educação superior uma potência frágil para a mobilidade social. Reduziriam a injustiça do sistema ao melhorar o acesso para os menos privilegiados. Esses são motivos convincentes para levá-las em consideração.

No entanto, focar apenas na injustiça do sistema atual levanta uma questão ainda maior no cerne da revolução meritocrática de Conant: faculdades e universidades deveriam assumir o papel de fazer triagem de pessoas com base em talento a fim de determinar quem sai à frente na vida?

Há pelo menos duas razões para duvidar que elas deveriam. A primeira concerne ao julgamento desagradável em que uma triagem dessas implica para quem é deixado de fora e suas consequências prejudiciais para uma vida cívica compartilhada. A segunda concerne ao prejuízo acarretado pela luta meritocrática em pessoas que são selecionadas e o risco de que a missão de fazer a triagem se transforme em uma obsessão tal que desvie as faculdades e as universidades da missão educacional. Em suma, transformar a educação superior em um concurso hipercompetitivo de triagem não é saudável para a democracia nem para a educação. Pense em cada um desses perigos, separadamente.

## TRIAGEM E ATRIBUIÇÃO DE ESTIMA SOCIAL

Conant estava ciente de que converter universidades em mecanismos de triagem era arriscar semear discórdia social, mas ele achava que esse risco poderia ser evitado. O objetivo dele era testar e traçar talentos a fim de direcionar cada pessoa para o papel social que os explorasse melhor (ele ainda presumia que apenas os talentos de homens precisavam ser testados e traçados), sem sugerir que as pessoas mais talentosas tinham mais valor do que as demais. Ele não acreditava que a triagem educacional pudesse resultar em julgamentos de superioridade social ou prestígio, como o antigo sistema de privilégio herdado fez.[50]

A crença de Conant de que é possível triar pessoas sem julgá-las ignora a lógica moral e o apelo psicológico do regime meritocrático que ele ajudou a lançar. Um dos argumentos principais a favor da meritocracia acima da aristocracia hereditária é que as pessoas que ascendem devido a seu próprio mérito conquistaram seu sucesso e, portanto, merecem as recompensas resultantes de seu mérito. A triagem meritocrática está amarrada ao julgamento sobre conquistar e merecer. Esses são julgamentos públicos inevitáveis sobre quais talentos e conquistas são dignos de honra e reconhecimento.

A convicção de Conant de que a educação superior deveria tirar o poder da classe superior hereditária e buscar cientistas e intelectuais talentosos não era apenas um modo de preencher papéis socialmente necessários; era também um argumento sobre quais qualidades intelectuais e de caráter uma sociedade moderna e de tecnologia avançada deveria valorizar e recompensar. Portanto, era implausível negar que o novo sistema de triagem era também uma nova base para atribuição de status e estima social. Esse era o argumento da obra *Rise of the Meritocracy* (1958) de Michael Young, publicada apenas alguns anos depois de Conant deixar a reitoria de Harvard. Young enxergou o que Conant não conseguiu ou se recusou a enxergar: que a nova meritocracia carregava consigo uma nova e exigente base para julgar quem era merecedor e quem não era.

Os seguidores de Conant que ajudaram a fazer a reforma meritocrática da educação superior deixaram explícita a conexão entre triagem e julgamento. Em um livro intitulado *Excellence* [Excelência] (1961), John W. Gardner, presidente de uma fundação que posteriormente se tornou secretário de saúde, educação e bem-estar social durante o mandato de Lyndon Johnson, verbalizou o espírito da nova era meritocrática. "Estamos testemunhando uma revolução no comportamento da sociedade direcionado a homens e mulheres de habilidade desenvolvida e treinamento avançado. Pela primeira vez na história, esses homens e essas mulheres são bastante requisitados, em escala muito ampla." Diferentemente de sociedades anteriores, que eram comandadas pelos poucos e poderiam, portanto, esbanjar talento, uma sociedade tecnológica moderna governada por organizações complexas precisava iniciar uma busca persistente por talento, para encontrá-lo onde quer que pudesse ser encontrado. A urgência nessa "grandiosa caça aos talentos" agora determina a tarefa da educação: tornar-se um processo rigoroso de triagem."[51]

Diferente de Conant, Gardner reconheceu o aspecto duro da triagem meritocrática. "Enquanto a educação é cada vez mais eficiente em puxar jovens brilhantes para o topo, ela se torna um processo cada vez mais desigual de triagem para todas as pessoas envolvidas [...]. As escolas são o principal acesso a oportunidades para jovens capazes; mas, ao mesmo tempo, são a arena onde jovens menos capazes descobrem suas limitações." Esse era o lado negativo da igualdade de oportunidade. Possibilitava a "todas as pessoas jovens ir até onde suas habilidades e ambição as levassem, sem obstáculos impostos por dinheiro, posição social, religião ou raça". Mas havia "dor envolvida para quem não tinha a habilidade necessária".[52]

Essa dor era inevitável, Gardner pensou, e era um preço que valia a pena pagar, diante da necessidade urgente de selecionar e cultivar talentos. Ele reconheceu que a dor ficava particularmente aguda à medida que alguns estudantes se qualificavam para a universidade e outros ficavam de fora. "Se uma sociedade seleciona pessoas de maneira eficiente e justa, conforme seus talentos, o perdedor sabe que a verdadeira justificativa para seu status humilde é não ser capaz de algo melhor. Essa é uma pílula amarga para qualquer homem."[53]

Para Young, esse discernimento era o cerne do posicionamento contra a meritocracia. Para Gardner, era um efeito colateral lamentável. "Uma vez que a universidade conquistou um prestígio extraordinário", ele reconheceu, ela passou a definir sucesso. "Hoje, fazer faculdade tornou-se praticamente pré-requisito para grandes realizações, aos olhos do mundo; tanto que passa a ser, dentro dos falsos padrões de valores que criamos, o único passaporte para uma vida significativa". Gardner foi resoluto ao argumentar que "realizações não devem ser confundidas com valor humano" e que indivíduos eram dignos de respeito independentemente de suas conquistas. Mas ele parecia entender que a sociedade meritocrática que ajudava a criar deixava pouco espaço para a distinção entre conquista educacional e estima social.[54]

> A verdade é que, na mente pública, formação educacional universitária é constantemente associada a crescimento pessoal, mobilidade social ascendente, valor de mercado e autoestima. E se um número suficiente de estadunidenses acreditar que uma pessoa deve fazer

> faculdade a fim de receber respeito e confiança, a própria unanimidade de opinião torna a generalização uma verdade.[55]

Alguns anos depois, Kingman Brewster, reitor de Yale, também reconheceu a relação próxima entre selecionar estudantes com base em mérito e transformar a seleção para uma universidade em distintivo de reconhecimento e estima sociais. Brewster, que inseriu Yale na era meritocrática, encontrou resistência de influentes membros de seu corpo de diretores a suas tentativas de fundamentar a seleção de estudantes mais em talento acadêmico do que em legado familiar. Em 1966, Yale adotou o processo de seleção que não leva em conta as condições financeiras dos candidatos, o que significava aceitar estudantes sem considerar suas necessidades econômicas, além de proporcionar auxílio financeiro suficiente para a matrícula. Brewster argumentou, de modo severo mas perspicaz, que a nova política não iria apenas permitir a Yale atrair estudantes potentes de contextos modestos, mas também aumentaria o apelo de Yale a estudantes ricos, que seriam atraídos para uma faculdade conhecida por aceitar estudantes com base no mérito de cada um, não no dinheiro. Agora que "o talão de cheques já não era relevante na seleção", ele escreveu, "pessoas privilegiadas passaram a ter orgulho do sentimento de que conquistaram aquilo por mérito, não por algo tão ambíguo quanto o chamado *background*."[56]

Outrora, pessoas se orgulhavam de mandar filhos e filhas para instituições onde ficariam lado a lado com pessoas de sangue azul da classe alta. Agora, pessoas se orgulhavam de mandar filhos e filhas para instituições que representassem seu mérito superior.

A mudança para o processo de seleção meritocrático aumentou o prestígio de faculdades que conseguiam atrair os estudantes mais excepcionais. O prestígio era medido, em geral, pela média da pontuação no SAT de estudantes selecionados, bem como, e de maneira perversa, pelo número de candidatos que foram capazes de recusar. Cada vez mais, faculdades eram classificadas por seletividade que, por sua vez, parecia ainda mais importante para a escolha dos estudantes.

Até a década de 1960, estudantes do último ano do ensino médio, em geral, matriculavam-se em lugares perto de casa. Como resultado, a habilidade acadêmica foi disseminada amplamente por uma gama de faculdades e universidades. No entanto, à medida que a reformulação meritocrática da educação superior se consolidou, a escolha da faculdade passou a ser mais estratégica. Estudantes, sobretudo aqueles de famílias de alta renda, começaram a buscar a faculdade mais seletiva que os aceitaria.[57]

Caroline M. Hoxby, uma economista que pesquisa educação superior, denomina essa tendência a "reordenação da educação superior". A distância entre faculdades seletivas e as menos seletivas aumentou. Estudantes com pontuação alta no SAT clamavam por serem aceitos na meia dúzia de faculdades com outros estudantes que também alcançaram notas altas, e então o processo de seleção em faculdades tornou-se uma competição de um vencedor. Apesar de muitas pessoas assumirem que entrar para uma universidade hoje é mais difícil do que foi no passado, esse não é o caso, em geral. A maioria das faculdades e universidades dos Estados Unidos aceita a maioria dos estudantes que se inscrevem.[58]

Somente em uma fatia pequena de faculdades de elite o índice de admissão caiu nas décadas recentes. Esses são os lugares que figuraram nas manchetes e alimentaram o frenesi do processo seletivo que arruína a adolescência de jovens de famílias abastadas no último ano de ensino médio. Em 1972, quando a "reordenação" já estava em andamento, Stanford aceitou um terço das pessoas que se inscreveram. Hoje, aceita menos de 5%. Johns Hopkins, que aceitou a maioria dos candidatos (54%) em 1988, hoje aceita apenas 9%. A Universidade de Chicago vivenciou um dos declínios mais íngremes, de um índice de 77% de aceitação em 1993 a 6% em 2019.[59]

Juntas, 46 faculdades e universidades hoje aceitam menos do que 20% dos candidatos. Várias dessas escolas eram o destino desejado por estudantes cujo pai e/ou a mãe perpetrou o escândalo do processo seletivo universitário em 2019. Mas apenas 4% dos graduandos nos EUA estudam nessas faculdades hiperseletivas. Mais de 80% estuda em instituições que aceitam mais de metade de seus candidatos.[60]

O que foi responsável pela reordenação que, ao longo dos últimos cinquenta anos, concentrou os estudantes com nota alta em um grupo relativamente pequeno de faculdades muito seletivas? Hoxby oferece uma explicação de economista: a diminuição no custo de transporte tornou mais fácil viajar para universidades distantes de casa, e a diminuição no custo da informação tornou mais fácil encontrar a comparação entre sua nota no SAT e a de outros estudantes. Além disso, as faculdades mais prestigiosas investem mais na educação de cada estudante, portanto, para quem puder obtê-la, matricular-se nesses lugares é um bom investimento em seu "capital humano" – até mesmo planejar a esperada doação para o fundo da faculdade, alguns anos depois.[61]

Mas o fato de que essa reordenação coincidiu com a transformação meritocrática da educação superior sugere mais explicação: faculdades e universidades passaram a ser irresistíveis porque estavam no ponto mais alto da hierarquia emergente do mérito. Incentivados por pai e mãe, estudantes ricos e ambiciosos passaram em bando pelo portão dos prestigiosos campi não apenas porque queriam estudar na companhia de estudantes academicamente talentosos, mas porque essas faculdades conferiam os maiores prestígios meritocráticos. Mais do que uma questão de direito de se gabar, a glória associada a estudar em universidades altamente seletivas persiste até às oportunidades de emprego depois da graduação. Isso não é porque empregadores acreditam que estudantes aprendem mais em faculdades de elite do que em lugares menos seletivos, mas porque empregadores têm fé na triagem que essas universidades fazem e valorizam a honra meritocrática que concedem.[62]

## VENCEDORES FERIDOS

A competição de um só vencedor que é a reordenação da educação superior era indesejável por dois motivos. Primeiro, reforçava a desigualdade, uma vez que as faculdades que se saíam melhor na disputa por seletividade eram, em geral, as mesmas com proporções maiores de estudantes ricos. Segundo, cobrava um preço alto dos vencedores. Diferentemente da antiga elite hereditária, que assumiu sua posição no topo sem muito barulho nem confusão, a nova elite meritocrática ganhou seu lugar por meio de uma luta extenuante.

Apesar de a nova elite ter agora assumido um aspecto hereditário, a transmissão de privilégio meritocrático não é garantido. Depende de "entrar". Isso confere ao sucesso meritocrático uma psicologia moral contraditória. No que diz respeito ao coletivo e em retrospecto, seus resultados são quase pré-encomendados, dada a imensa predominância de jovens abastados em campi de elite. No entanto, para pessoas no meio de uma batalha hipercompetitiva para ingressar, é impossível enxergar sucesso como qualquer coisa que não seja o resultado de esforço individual e conquista. Esse é o ponto de vista que gera a convicção, entre vencedores, de que conquistaram o sucesso, de que fizeram isso por conta própria. Essa crença pode ser criticada como arrogância meritocrática; atribui mais do que deveria à batalha individual e se esquece das vantagens que convertem esforço em sucesso. Mas há também pungência nessa crença, porque é criada a partir da dor – nas demandas destruidoras de alma que batalhas meritocráticas infligem em jovens.

Pais e mães prósperos são capazes de dar a filhos e filhas um potente impulso na disputa por uma vaga em faculdades de elite, mas em contrapartida, com frequência, esse incentivo transforma seus anos de ensino médio em um ordálio de cursos pré-vestibulares, aulas particulares preparatórias, treino de esporte, dança e aulas de música altamente estressantes, que geram ansiedade e tiram o sono, além de uma miríade de atividades extracurriculares e de serviço público, em geral, com orientação e tutoria de um consultor educacional cujo preço pode chegar ao equivalente a mais de quatro anos em Yale. Alguns desses consultores aconselham pais e mães a solicitar um diagnóstico de inaptidão do filho e/ou da filha a fim de que consigam obter tempo extra para fazer as provas. (Em um subúrbio rico de Connecticut, 18% dos estudantes recebem diagnósticos como esse, seis vezes mais do que a média nacional.) Outros consultores são especializados em organizar programas de viagens de férias personalizadas ao exterior, preparadas para criar conteúdo para as redações exigidas nas universidades.[63]

Essa corrida armamentista meritocrática favorece a competição para as pessoas ricas e permite a pais e mães abastados passar o privilégio para filhos e filhas. Essa maneira de transmitir privilégio é duplamente condenável. Para quem não tem o aparato da vantagem é injusto; para filhos e filhas envolvidos no aparato, é opressivo. A luta meritocrática dá origem a uma cultura de parentalidade invasiva, voltada para a conquista e exigente de tal forma que não faz bem ao adolescente. O aumento da superproteção de pais e mães coincide com as décadas durante as quais a competição meritocrática se intensificou. Na verdade, o uso da palavra *parent* [pai e/ou mãe] como verbo somente ficou comum na década de 1970, quando a necessidade de preparar filhos e filhas para o sucesso acadêmico passou a ser vista como responsabilidade parental crucial.[64]

De 1976 a 2012, o tempo que pais e mães estadunidenses dedicavam a ajudar filhos e filhas com dever de casa mais do que quintuplicou.[65] À medida que o interesse pela universidade crescia, a parentalidade ansiosa e intrusiva tornava-se uma aflição comum. Um artigo de capa de um dos números da revista *Time* de 2009 soou o alarme: *The Case Against Over-Parenting: Why It Is Time for Mom and Dad to Cut the Strings* [O caso contra a parentalidade superprotetora: por que é hora de mamãe e papai romperem o cordão]. Tornamo-nos "tão obsessivos com o sucesso de filhos e filhas", a *Time* notou, "que a parentalidade se transformou em desenvolvimento de produto". A pressão para gerir a infância começava cedo. "Entre crianças de 6 a 8 anos, o tempo livre para brincar caiu 25% de 1981 a 1997, e o dever de casa mais do que duplicou".[66]

Em um estudo intrigante, os economistas Matthias Doepke e Fabrizio Zilibotti oferecem uma explicação econômica para o crescimento da parentalidade superprotetora, que eles definem como a "abordagem extremamente envolvida, que consome tempo e é controladora da criação de filhos e filhas, que se disseminou ao longo das três últimas décadas". Eles argumentam que esse tipo de parentalidade é uma resposta racional para a desigualdade e o retrocesso crescentes na educação. Apesar de a maternidade e a paternidade intensivas terem aumentado em várias sociedades em décadas recentes, ela é mais acentuada em lugares onde a desigualdade é maior, tais como Estados Unidos e Coreia do Sul, e menos predominante em países como Suécia e Japão, onde a desigualdade é menos severa.[67]

Por mais que possa ser compreensível, o impulso de pais e mães para orientar e gerir a vida de filhos e filhas para o sucesso meritocrático teve um preço psicológico alto, sobretudo, em adolescentes em época de pré-vestibular. No início dos anos 2000, Madeline Levine, uma psicóloga que atende jovens no condado de Marin, Califórnia, subúrbio rico de São Francisco, começou a notar que vários adolescentes aparentemente bem-sucedidos, de famílias abastadas eram extremamente infelizes, desconectados e não tinham independência. “Rompa a superfície e vários são [...] deprimidos, ansiosos e raivosos [...]. São dependentes demais da opinião do pai e/ou da mãe, de professores, de treinadores e de colegas, além disso, frequentemente contam com os outros não apenas para preparar o caminho em uma situação difícil, mas também para auxiliá-los nas tarefas do dia a dia.” Ela começou a se dar conta de que, em vez de proteger essas pessoas jovens das dificuldades da vida, a abundância e o alto grau de envolvimento parental contribuíam para a infelicidade e a fragilidade delas.[68]

Em um livro intitulado *The Price of Privilege* [O preço do privilégio], Levine descreveu o que chamou de “epidemia da saúde mental entre jovens privilegiados”. Tradicionalmente, psicólogos assumiam que a juventude “de risco” era de jovens no centro da cidade, “crescendo em circunstâncias duras e implacáveis”.[69] Sem negar a situação difícil deles e delas, Levine observou que o grupo “de risco” novo dos Estados Unidos consistia de adolescentes vindos de famílias ricas e com boa formação educacional.

> Apesar de suas vantagens econômicas e sociais, eles e elas vivenciam os mais altos índices de depressão, abuso de substâncias químicas, distúrbios de ansiedade, sintomas somáticos e infelicidade entre quaisquer grupos de crianças neste país. Quando pesquisadores observam crianças através do espectro socioeconômico, descobrem que, com frequência, os adolescentes que mais têm dificuldades vêm de lares abastados.[70]

Levine citou a pesquisa feita por Suniya S. Luthar, que documentou a "noção contraintuitiva de que jovens da classe média alta, que estão a caminho das mais prestigiosas universidades e de carreiras bem remuneradas nos Estados Unidos", sofrem mais de estresse emocional do que outros adolescentes, um padrão que persiste depois que chegam à faculdade. Comparados com a população geral, estudantes universitários em tempo integral têm "2,5 vezes mais chances de serem diagnosticados por abuso ou dependência de substâncias químicas (23% *versus* 9%)", e metade de todos os estudantes universitários em tempo integral relatam abuso de bebida alcoólica e de drogas ilegais ou prescritas.[71]

Qual é a causa dos níveis exagerados de sofrimento emocional entre pessoas jovens de famílias abastadas? A resposta tem muito a ver com o imperativo meritocrático: a severa pressão para desempenhar, realizar, alcançar sucesso. "Tanto para filhos e filhas quanto para pais e mães", Luthar escreveu, "é quase impossível ignorar a mensagem ubíqua, exaltada desde tenra idade de que há um caminho para a felicidade definitiva: ter dinheiro; o que, por sua vez, é alcançado estudando em faculdades de prestígio".[72]

Quem vence no campo de batalha do mérito emerge triunfante, mas ferido. Observo isso em meus estudantes. O hábito de fazer malabarismos com excessivas tarefas desafiadoras e por vezes aleatórias é difícil de abandonar. Muitas pessoas sentem o impulso de se esforçar muito, de tal maneira que acham difícil usar os anos de universidade como momento de pensar, explorar e refletir de forma crítica em quem são e o que vale a pena seguir fazendo. Uma quantidade alarmante precisa lidar com questões de saúde mental. O preço psicológico a se pagar para passar pelo ordálio meritocrático não se restringe à Ivy League. Um estudo recente, que contou com 67 mil graduandos em mais de cem faculdades nos Estados Unidos, concluiu que "estudantes de universidade encaram níveis de angústia sem precedentes", inclusive quantidade crescente de casos de depressão e ansiedade. Um em cada cinco estudantes universitários relataram pensamentos suicidas no ano anterior, e um em cada quatro foi diagnosticado com algum transtorno de saúde mental ou foi tratado.[73] O índice de suicídios entre pessoas jovens (20 a 24 anos) aumentou 36% de 2000 a 2017 – hoje em dia, morrem mais em decorrência de suicídio do que homicídio.[74]

Além dessas condições clínicas, psicólogos encontraram um sofrimento mais sutil pressionando essa geração de estudantes universitários: uma "epidemia de perfeccionismo oculta". Anos de luta ansiosa deixam pessoas jovens com um senso de autovalor frágil dependente de realizações e vulnerável aos julgamentos exigentes de pai e mãe, professores e professoras, comitês de seleção e, finalmente, eles próprios. "Ideais racionais do 'eu' perfeito tornaram-se desejáveis – até mesmo necessários – em um mundo onde desempenho, status e imagem definem a utilidade e o valor de uma pessoa", escreveram Thomas Curran e Andrew P. Hill, autores do estudo. A partir da avaliação de mais de 40 mil estudantes universitários estadunidenses, canadenses e britânicos, os autores relataram um severo aumento do perfeccionismo, de 1989 a 2016, incluindo um aumento de 32% em comportamentos perfeccionistas ligados a expectativas sociais e parentais.[75]

O perfeccionismo é a emblemática doença meritocrática. Em uma época em que as pessoas jovens são, de modo implacável, "selecionadas, peneiradas e classificadas por escolas, universidades e locais de trabalho, a meritocracia neoliberal coloca no centro da vida moderna uma necessidade intensa de se esforçar, desempenhar e conquistar".[76] Sucesso ou fracasso em alcançar as exigentes conquistas passa a definir o mérito e o autovalor de uma pessoa.

Quem conduz as alavancas e as polias da máquina da meritocracia não desconhece o custo humano disso. Em um ensaio honesto e perspicaz sobre o risco de exaustão, os responsáveis pela seleção em Harvard expressam o receio de que estudantes que passam o ensino médio e a faculdade fazendo malabarismos exigentes acabem como "sobreviventes atordoados de um campo de treinamento desnorteante que dura uma vida". O ensaio, publicado pela primeira vez em 2000, ainda está disponível, como um tipo de conto de advertência, no website de seleção da universidade de Harvard.[77]

## AINDA FAZENDO MALABARISMOS

Depois de fomentar e recompensar a obsessão por conquista através de suas políticas de seleção, faculdades de elite fazem pouca coisa para amenizar isso uma vez que os estudantes chegam ao campus. O instinto da triagem e da competição invade a vida universitária, onde estudantes reencenam o ritual de aceitação e rejeição. Eis um exemplo: a universidade de Harvard tem mais de quatrocentos grupos e organizações extracurriculares. Alguns, tais como a orquestra e o time de futebol da instituição, exigem determinadas habilidades, portanto, realizam testes apropriados. No entanto, hoje, *comping*, ou competir para ser selecionado em organizações estudantis, independentemente da exigência de habilidades, tornou-se comum. A cultura de competir é tão extrema que alguns estudantes vivenciam o ano em que são calouros como um curso básico de rejeição, uma lição sobre como lidar com a frustração e o fracasso na seleção.[78]

Assim como as próprias faculdades, organizações estudantis se vangloriam do baixo índice de seleção. O *Harvard College Consulting Group* [Grupo de consultores da universidade de Harvard] se declara "o mais seletivo grupo estudantil pré-profissional no campus de Harvard", com índice de seleção abaixo de 12%. A organização *Crimson Key Society*, que organiza a semana de orientação de calouros e faz visitas guiadas pelo campus, também faz propaganda de sua seletividade: apenas 11,5% dos candidatos são aceitos. "Não queremos colocar qualquer pessoa diante de turistas", o diretor do *comping* explica. Mas a necessidade de talento parece ser menos atraente do que o impulso de reencenar o trauma – e a correria – da competição meritocrática. "Você supera esse difícil malabarismo que é conseguir entrar em Harvard", um estudante do primeiro ano falou para o jornal estudantil *The Harvard Crimson*, "e simplesmente quer mais para ter toda aquela adrenalina de novo".[79]

O aumento da cultura do *comping* ilustra a conversão de faculdade em treinamento básico para uma meritocracia competitiva, uma formação educacional em criar uma imagem de si e se inscrever para coisas. Por outro lado, isso reflete uma mudança ainda maior no papel de faculdades e universidades: sua função de credenciar surge agora com tanta intensidade que ofusca a função educacional. A triagem e o esforço se sobrepõem ao ensino e ao aprendizado. Decanos e reitores de faculdades estimulam essa tendência, dizendo, como se fossem modestos, que os alunos aprendem mais fora das aulas do que durante elas. Isso poderia significar (e talvez certa vez tenha significado) que estudantes aprendem com colegas por meio de debates informais e contínuos sobre questões que surgem nos cursos e nas leituras. No entanto, cada vez mais se refere a *networking*.

Bastante semelhante a *comping* e *networking* é a obsessão com as notas. Apesar de eu não conseguir comprovar que a preocupação de estudantes com notas se intensificou em décadas recentes, certamente, isso é o que parece. Em 2012, em um dos maiores escândalos de fraude de que se tem lembrança, uns setenta estudantes foram obrigados a sair da universidade de Harvard por terem trapaceado em uma prova feita em casa.[80] Em 2017, o colegiado de honras da universidade foi inundado de casos de desonestidade acadêmica, quando mais de sessenta estudantes de um curso introdutório em ciências da computação foram indicados por supostamente terem colado.[81] Mas a cola não é a única manifestação de obsessão por notas. Em uma faculdade de direito bastante conhecida, professores são instruídos a não dizer aos estudantes quando as notas do semestre anterior serão divulgadas; a experiência mostrou que informar com antecedência esse evento importante gera ansiedade demais. A divulgação de notas agora é cuidadosamente planejada para permitir a alunos angustiados buscar ajuda dos serviços de aconselhamento.

## ARROGÂNCIA E HUMILHAÇÃO

Quando Conant estabeleceu para Harvard, e para a educação superior, a tarefa de testar e ordenar a população estadunidense, duvido que ele tenha imaginado a inexorável competição que esse projeto iniciaria. Hoje, o papel desempenhado por faculdades e universidades de árbitros de oportunidades está tão arraigado que é difícil imaginar alternativas.

Mas chegou o tempo de fazer isso. Repensar o papel da educação superior é importante, não apenas para recuperar a psiquê prejudicada de pessoas privilegiadas, mas também para reparar a vida cívica polarizada em que resultou a ordenação meritocrática.

Ao buscar desmanchar a máquina de triagem que Conant colocou para funcionar, vale a pena notar que o regime do mérito exerce sua tirania em duas direções ao mesmo tempo. Nas pessoas que chegam ao topo induz à ansiedade, a um debilitante perfeccionismo e à arrogância meritocrática que se esforça para esconder uma autoestima frágil. Nas pessoas que deixa para trás, ela impõe um desmoralizante, até mesmo humilhante, senso de fracasso.

Essas duas tiranias compartilham de uma fonte moral comum: a permanente fé meritocrática de que somos, como indivíduos, totalmente responsáveis por nosso destino; se formos bem-sucedidos, é graças a nossas próprias ações, e se fracassarmos, não podemos culpar ninguém, a não ser nós mesmos. Apesar de soar inspirador, essa dura noção de responsabilidade individual faz com que seja difícil usar do senso de solidariedade e obrigação mútua que poderia nos suprir para enfrentarmos a crescente desigualdade de nosso tempo.

Seria um equívoco pensar que a educação superior é a única responsável pelas desigualdades de renda e estima social que testemunhamos hoje. O projeto de globalização favorável ao mercado, a transformação da política contemporânea em tecnocracia e a captura oligárquica de instituições democráticas são cúmplices nessa situação. Mas antes de me voltar, no capítulo 7, para a aborrecida questão acerca do trabalho em uma economia globalizada, vale pensar no que pode ser feito para aliviar os efeitos severos da triagem meritocrática, e fazer isso em ambas as direções – lidar com as feridas que inflige às pessoas que escolhe como vencedoras e com a humilhação que inflige a quem marca como perdedor.

Primeiro, leve em consideração uma proposta modesta de reforma do sistema de seleção de candidatos à universidade, apenas para ilustrar como podemos começar a suavizar o ciclo debilitante de classificação e esforço.

## UMA LOTERIA DOS QUALIFICADOS

Uma abordagem à reforma buscaria melhorar o acesso a universidades de elite, reduzindo a confiança que se tem no SAT e eliminando a preferência por legados, atletas e filhos e filhas de doadores.[82] Essas reformas fariam o sistema ser menos injusto; apesar disso, elas não questionam a noção de educação superior como projeto de triagem, cujo papel é buscar talentos e distribuir oportunidades e recompensas às pessoas que os possui. Mas o projeto de triagem é o problema. Torná-lo mais meritocrático o protege ainda mais.

Portanto, pense nisto como alternativa: a cada ano, mais de 40 mil estudantes se inscrevem para as quase 2 mil vagas que Harvard e Stanford têm a oferecer. Os administradores encarregados da seleção nos dizem que uma quantidade grande de pessoas que se inscrevem têm qualificação para desempenhar as atividade em Harvard ou Stanford e para fazê-lo bem feito. O mesmo, presume-se, é verdadeiro nas dezenas de faculdades e universidades seletivas que atraem muito mais candidatos qualificados do que elas são capazes de aceitar. (Em 2017, 87 faculdades e universidades aceitaram menos de 30% dos candidatos.[83]) Já em 1960, quando a quantidade de candidatos era menos intimidadora, um membro antigo do comitê de seleção de Yale foi citado por dizer: "Algumas vezes dá uma sensação desagradável de que poderíamos pegar todas as milhares de [inscrições] [...] e jogá-las escada abaixo, catar quaisquer mil e então montar uma turma tão boa quanto a que resultará da reunião do comitê."[84]

Minha proposta leva a sério essa sugestão. Dos mais de 40 mil candidatos, remova quem tem pouca probabilidade de prosperar em Harvard ou Stanford, quem não tem qualificação para ter um bom desempenho e para contribuir para a formação educacional de seus colegas. Isso deixaria o comitê de seleção com, digamos, 30 mil competidores qualificados ou 25 mil ou 20 mil. Em vez de se engajarem na tarefa excessivamente difícil e incerta de tentar prever quem, entre eles, é surpreendentemente meritório, escolheriam por meio de loteria a turma que vai entrar. Em outras palavras, iriam jogar a papelada de inscrição dos candidatos qualificados escada abaixo, catar 2 mil e deixar assim.[85]

Essa proposta não ignora o mérito totalmente; apenas os qualificados são selecionados. Mas trata mérito como quesito para qualificação, não um ideal a ser exaltado.[86] Isso é importante, antes de tudo, por questões práticas. Nem mesmo os mais sábios integrantes do comitê de seleção conseguem determinar, com extraordinária precisão, quais dos jovens de dezoito anos acabarão fazendo as mais verdadeiramente incríveis contribuições acadêmicas, ou de outros tipos. Apesar de valorizarmos talento, ele é, no contexto de seleção em universidade, um conceito vago e insípido. Talvez seja possível identificar um prodígio em matemática, quando ainda criança, mas talento, em geral, é uma coisa mais complicada, menos previsível.

Pense no quão difícil é acessar talentos e habilidades ainda mais específicos. Nolan Ryan, um dos maiores arremessadores da história do baseball, é o recordista de *strikeouts* de todos os tempos e foi eleito por maioria absoluta para integrar o *Hall of Fame* de baseball. Quando tinha 18 anos de idade não foi escolhido até a 12ª rodada; os times escolheram outros 294 jogadores aparentemente mais promissores antes de ele ser escalado.[87] Tom Brady, um dos maiores *quarterbacks* da história do futebol americano, foi o 199º escolhido.[88] Se até um talento tão restrito quanto a habilidade de arremessar uma bola de baseball ou de futebol é difícil de prever com tanta certeza, é insensatez pensar que a habilidade de causar um impacto amplo e significativo na sociedade, ou em algum campo futuro de empreendimento, pode ser previsto suficientemente bem para justificar a classificação refinada de estudantes promissores no último ano do ensino médio.

No entanto, a justificativa mais atraente para uma loteria dos qualificados é combater a tirania do mérito. Determinar um critério de qualificação e deixar o acaso decidir o restante recuperaria um pouco de sanidade para os anos de ensino médio e amenizaria, pelo menos até certo ponto, a experiência de encher o currículo, buscar a perfeição e matar a alma que eles se tornaram. Além disso, diminuiria a arrogância ao deixar claro o que é verdade para todos os casos: que as pessoas que alcançam o topo não conseguem isso sozinhas, mas devem sua sorte a circunstâncias familiares e dons inatos, que são moralmente semelhantes à sorte na loteria.

Eu consigo imaginar pelo menos quatro objeções:

*1. E a qualidade acadêmica?*

Isso depende de estabelecer o critério correto. Tenho um palpite de que, pelo menos para as sessenta ou oitenta faculdades e universidades de excelência, a qualidade do debate em sala de aula e do desempenho acadêmico não seria notadamente diferente. Meu palpite poderia estar errado, mas há um jeito fácil de descobrir. Comece com um experimento: selecione metade da classe usando o sistema existente e metade por meio da loteria dos qualificados, e então compare o desempenho acadêmico no momento da formatura (e o sucesso na carreira alguns anos depois). Stanford, na verdade, chegou quase a tentar esse experimento no fim da década de 1960, mas o plano foi por água abaixo devido à oposição do decano das seleções.[89]

*2. E a diversidade?*

Teoricamente, seria possível ajustar a loteria a fim de assegurar diversidade ao longo de qualquer dimensão específica que a faculdade considerasse importante, atribuindo a cada estudante em uma categoria preferida dois ou três bilhetes lotéricos. Isso poderia resultar na diversidade desejada sem abrir mão do aspecto acaso. Uma variação que vale a pena considerar: para neutralizar a tendência hereditária das seleções meritocráticas conforme atualmente praticadas, faculdades poderiam selecionar primeiro determinada quantidade de candidatos qualificados cujos pai e mãe não fizeram faculdade, e então fazer a loteria.

*3. E os legados e filhos e filhas de doadores?*

O ideal seria que faculdades parassem de dar preferência a filhos e filhas de ex-alunos. No entanto, aquelas que gostariam de continuar a fazer isso poderiam designar a cada filho e/ou filha de ex-aluno dois bilhetes lotéricos em vez de um (como no caso das categorias de diversidade indicado anteriormente), ou mais, se a faculdade considerasse isso necessário. Vale notar que, a fim de replicar o atual índice de seleção por legado, algumas instituições precisariam atribuir a cada filho e/ou filha de ex-aluno cinco ou seis bilhetes lotéricos. Isso ao menos tornaria vívida a vantagem que estão conferindo a jovens privilegiados, e talvez incitasse um debate sobre a continuidade ou não dessas preferências.

O favoritismo para filhos e filhas de grandes doadores que não são ex-alunos também deveria ser eliminado. Mas se as faculdades não conseguirem resistir ao benefício financeiro de vender algumas vagas na turma de calouros, poderiam simplesmente separar um punhado de lugares para serem leiloados ou abertamente vendidos. Esse seria um modo mais honesto de reconhecer o compromisso que algumas faculdades atualmente fazem sob disfarce de mérito. Como no sistema atual, as pessoas que recebessem as vagas compradas não seriam identificadas publicamente, mas pelo menos não comprariam mais um falso pressuposto de mérito superior.

### *4. A seleção por loteria não tornaria a seletividade menos significativa e, portanto, acabaria com o prestígio das faculdades e universidades de excelência?*

Sim, talvez. Mas isso seria realmente uma objeção? Apenas se você acreditar que a "reordenação" da educação superior nas décadas recentes melhorou a qualidade do ensino e do aprendizado. Mas isso é altamente duvidoso. Trazer estudantes com notas altas de uma variedade ampla de faculdades em todo o país para um círculo menor de lugares superseletivos intensificou a desigualdade, mas fez pouca coisa, se é que fez alguma coisa, para melhorar a educação. A luta ansiosa e o malabarismo que a triagem meritocrática induziu fez estudantes ficarem menos abertos ao caráter exploratório de uma educação em artes liberais. Diminuir a triagem e o apelo ao prestígio seria virtude, não fraqueza, do sistema de loteria.

Se uma quantidade considerável de faculdades e universidades de elite começassem a selecionar estudantes qualificados por meio de loteria, elas aliviariam, pelo menos até certo ponto, o estresse dos anos de ensino médio. Adolescentes no terceiro ano e pais e mães se dariam conta de que, além de demonstrar a habilidade de ter um bom desempenho em cursos de nível universitário, estudantes não precisariam mais dedicar a adolescência a uma corrida armamentista de atividades e conquistas projetadas para impressionar comitês de seleção. A parentalidade superprotetora talvez cedesse, para o benefício do bem-estar emocional de pais, mães e filhos e filhas. Sem o sofrimento do campo de batalha do mérito, pessoas jovens talvez chegassem à faculdade menos propensas a fazer malabarismos e mais abertas à exploração pessoal e intelectual.

Essas mudanças suavizariam os danos causados pela tirania do mérito nos vencedores. Mas e todas as outras pessoas? Apenas aproximadamente 20% dos formandos do ensino médio ficam envolvidos no frenesi de entrar em faculdades de prestígio. E os 80% que estudam em universidades menos competitivas ou fazem dois anos de faculdade pública comunitária, ou nada? Para essas pessoas, a tirania do mérito não está relacionada a uma competição seletiva de destruir a alma, mas tem a ver com um mundo desmoralizante de trabalho que oferece recompensa econômica escassa e estima social limitada para quem não tem credenciais meritocráticas.

## PARA DESMONTAR A MÁQUINA DE TRIAGEM

Uma resposta adequada requer um projeto ambicioso: deveríamos desligar a máquina de triagem meritocrática diminuindo o que está em jogo quando uma pessoa é selecionada para faculdades e universidades altamente seletivas. De forma mais abrangente, deveríamos descobrir como fazer com que sucesso na vida esteja menos atrelado a um diploma de curso universitário de quatro anos.

Qualquer tentativa de honrar o trabalho deve começar por levar a sério as variadas formas de aprendizado e de treinamento que preparam pessoas para empreendê-lo. Isso significa reverter o recuo da educação superior pública, superando o abandono da educação técnica e profissionalizante, e desmembrar a distinção nítida, em financiamento e prestígio, entre cursos universitários de quatro anos e outras formatações educacionais de nível superior.

Um impedimento para reduzir a triagem meritocrática na educação superior é que, pelo menos nos Estados Unidos, grande parte dela é feita por faculdades e universidades particulares. No entanto, essas instituições, apesar de serem particulares, contam com um considerável financiamento federal, sobretudo para o auxílio financeiro de estudantes e para pesquisas subsidiadas pelo governo federal. Em alguns casos, elas mantêm grandes fundos que geram renda tradicionalmente isenta de impostos. (O projeto de lei tributária dos republicanos em 2017 impôs imposto sobre renda de doação a uma quantidade pequena de faculdades ricas.[90]) Em teoria, o governo federal poderia usar isso como poder de barganha para exigir que faculdades e universidades particulares expandam as matrículas, selecionem mais estudantes vindos de contextos desfavorecidos ou até mesmo adotem alguma versão da proposta de seleção por loteria.[91]

No entanto, é improvável que tais medidas, por si só, diminuam o que está em jogo na seleção em pelo menos uma faculdade seletiva. Medidas para ampliar acesso a cursos universitários públicos de quatro anos e oferecer mais apoio a faculdades públicas comunitárias, cursos técnicos e profissionalizantes, além de treinamentos voltados para o emprego, seriam ainda mais significativas. Afinal, esse é o arranjo educacional no qual a maioria dos estadunidenses aprende as habilidades de que precisam para viver de maneira decente.

O financiamento do governo para faculdades e universidades estaduais nas últimas décadas caiu e a mensalidade subiu, a ponto de colocar em dúvida o caráter público dessas instituições.[92] Em 1987, faculdades públicas tiveram três vezes mais renda por aluno advinda do Estado e de governos locais do que de mensalidade. Mas à medida que o financiamento do governo caiu, a mensalidade subiu. Em 2013, formação educacional pública recebeu tanto da receita originada por mensalidade quanto de apoio financeiro local e do Estado.[93]

Várias das principais universidades públicas hoje são públicas apenas no nome.[94] Na Universidade de Wisconsin-Madison, por exemplo, apenas 14% do orçamento advém de dotações estatais.[95] Na Universidade da Virginia, o financiamento do Estado totaliza apenas 10% do orçamento.[96] Na Universidade do Texas, Austin, dotação estatal totalizava 47% do orçamento na metade da década de 1980; hoje, apenas 11%. Enquanto isso, o montante vindo de mensalidades mais do que quadruplicou.[97]

Enquanto o financiamento público recua e a mensalidade aumenta, a dívida de estudantes disparou. A geração de estudantes de hoje inicia a carreira carregando o fardo de uma montanha de dívidas. Ao longo dos últimos quinze anos, o total da dívida resultante de financiamento estudantil mais do que quintuplicou. Em 2020, excedeu US$ 1,5 trilhão.[98]

A indicação mais evidente da inclinação meritocrática nas finanças da faculdade é a diferença entre o financiamento federal para o ensino superior e o financiamento para treinamento técnico e profissionalizante. Isabel Sawhill, economista na Brookings Institution, oferece um relato impressionante sobre a disparidade:

> Compare a quantidade pequena que é investida em emprego e treinamento com a quantidade investida em educação superior na forma de subsídios, empréstimos e incentivo fiscal. Para o ano escolar 2014-2015, um total de US$ 162 bilhões foi investido para ajudar pessoas a irem para a faculdade. Em comparação, o departamento de Educação gasta por ano aproximadamente US$ 1,1 bilhão em educação profissionalizante e técnica.[99]

Sawhill acrescenta que até mesmo se somar financiamento para educação profissionalizante e técnica a despesas para ajudar trabalhadores desempregados a encontrarem emprego, "em nível federal, estamos investindo apenas aproximadamente US$ 20 bilhões por ano nesses programas voltados para o trabalho".[100]

Esse montante que os EUA investem em treinamento ou retreinamento de trabalhadores não é baixo apenas se comparado com o montante que investimos em formação educacional superior. É minúsculo também se comparado ao montante que outros países investem. Economistas falam sobre "políticas ativas de mercado de trabalho" para descrever programas governamentais que ajudam a proporcionar aos trabalhadores habilidades de que o mercado precisa. Essas políticas são uma resposta para o fato de que o mercado de trabalho não funciona suavemente por conta própria; programas de treinamento e de colocação são com frequência necessários para ajudar trabalhadores a encontrarem emprego de acordo com suas habilidades. Sawhill destaca que países avançados economicamente investem uma média de 0,5% do PIB em programas ativos de mercado de trabalho. França, Finlândia, Suécia e Dinamarca investem mais de 1% do PIB nesses programas. Os EUA investem apenas 0,1% – menos do que gastamos com prisões.[101]

A indiferença dos estadunidenses em relação às políticas ativas de mercado de trabalho talvez reflita a crença de mercado de que oferta e procura (neste caso, para o trabalho) se alinhe automaticamente, sem ajuda externa. Mas também reflete a convicção meritocrática de que a educação superior é a avenida principal para a oportunidade. "Um motivo pelo qual os Estados Unidos talvez tenham negligenciado emprego e treinamento", Sawhill escreveu, "é a ênfase ter sido em financiar a educação superior. O pressuposto parece ser que todo mundo precisa fazer faculdade".[102]

No entanto, conforme já vimos, apenas aproximadamente um terço dos estadunidenses tem diploma de bacharelado. Para todas as outras pessoas, o acesso a um emprego bem remunerado depende de modalidades de educação e treinamento que lamentavelmente negligenciamos. Apesar de seu apelo aspiracional, a insistência meritocrática na ideia de que um diploma de curso universitário de quatro anos é o portal para o sucesso faz com que não levemos a sério as necessidades educacionais da maioria das pessoas. Essa negligência não só fere a economia; isso expressa uma falta de respeito pelo tipo de trabalho que a classe trabalhadora exerce.

## A HIERARQUIA DA ESTIMA

Reparar o dano causado pela máquina de triagem requer mais do que aumentar os fundos para o treinamento profissional. Exige de nós repensar como valorizamos diferentes tipos de trabalho. Uma forma de começar é desconstruir a hierarquia da estima que concede mais honra e prestígio a estudantes matriculados em faculdades e universidades de renome do que a estudantes de faculdades públicas comunitárias ou de programas de educação técnica ou profissionalizante. Aprender a ser bombeiro hidráulico ou eletricista, ou ainda, higienista dental deveria ser respeitado como contribuição valiosa ao bem comum, não considerado prêmio de consolação para as pessoas que não têm pontuação no SAT ou meios financeiros para chegar à Ivy League.

A formação educacional superior deriva muito de seu prestígio por ter um objetivo declaradamente mais alto: não apenas equipar estudantes para o mundo do trabalho, mas também preparar as pessoas para que sejam seres humanos moralmente reflexivos e cidadãos democráticos efetivos, capazes de deliberar sobre o bem comum. Por ter passado uma carreira ensinando filosofia política e moral, certamente acredito na importância da formação educacional moral e cívica. Mas por que partir do pressuposto de que cursos universitários de quatro anos têm, ou deveriam ter, o monopólio nessa missão? Uma noção mais ampla acerca de educar cidadãos para a democracia ofereceria resistência contra o fim da educação civil em universidades.

Seria necessário reconhecer, antes de tudo, que faculdades e universidades de elite não estão fazendo bem essa tarefa.[103] Em geral, dão relativamente pouca ênfase curricular em formação educacional moral e cívica, ou no tipo de estudo histórico que prepara estudantes para que façam julgamentos pragmáticos fundamentados sobre assuntos públicos. A crescente notoriedade da ciência social de valores supostamente neutros, junto com a proliferação de cursos restritos, altamente especializados, deixou pouco espaço para cursos que expõem estudantes a grandes questões acerca da filosofia moral e política e os convida a refletir criticamente sobre suas convicções morais e políticas.

Há expectativas, obviamente. E várias faculdades e universidades exigem que estudantes façam uma matéria ou outra que lida com temas cívicos ou relacionados à ética. Mas, na maioria, nossas faculdades e universidades líderes hoje são mais eficientes em inculcar habilidades tecnocráticas e orientações do que incutir a habilidade de raciocinar e deliberar sobre questões morais e cívicas fundamentais. Essa ênfase tecnocrática talvez tenha contribuído para o fracasso das elites governantes ao longo das últimas duas gerações e para o uso de termos moralmente empobrecidos no discurso público.

Mas, ainda que minha avaliação do estado da formação educacional moral e cívica nas faculdades de elite seja muito dura, não há motivos para que cursos universitários de quatro anos sejam o único cenário para disciplinas sobre raciocínio moral e argumentos cívicos. A educação cívica ao ar livre, por assim dizer, tem uma longa tradição.

Um exemplo inspirador é a demanda por salas de leitura em fábricas, feita pelos Cavaleiros do Trabalho, um dos primeiros grandes sindicatos de trabalhadores nos Estados Unidos, para que os trabalhadores pudessem se informar sobre assuntos públicos. Essa demanda surgiu de uma tradição republicana que considerava o aprendizado cívico incorporado no mundo do trabalho.[104]

Como observou o historiador cultural Christopher Lasch, os visitantes estrangeiros nos Estados Unidos, no século XIX, ficaram impressionados com sua ampla igualdade de condições. Com isso não queriam dizer nem distribuição igual de riqueza nem mesmo a oportunidade de ascender, mas falavam de uma independência de espírito e julgamento que colocava todos os cidadãos em pé de igualdade:

> A cidadania parecia ter dado até mesmo aos membros mais humildes da sociedade acesso ao conhecimento e cultivo em outros lugares, reservados às classes privilegiadas [...]. A contribuição do trabalho para o bem-estar geral assumiu as formas de mente e de músculo. Dizia-se que a mecânica estadunidense "não é de mecânicos ignorantes, mas de um povo esclarecido e reflexivo, que não apenas sabe como usar as mãos, mas conhece princípios". As revistas de mecânica voltavam a esse tema repetidas vezes.[105]

Lasch enfatiza que o caráter igualitário da sociedade estadunidense do século XIX era menos a mobilidade social do que a difusão geral de inteligência e aprendizado em todas as classes e ocupações.[106] Esse é o tipo de igualdade que a triagem meritocrática destrói. Ela busca concentrar inteligência e aprendizado na cidadela da educação superior e promete acesso à cidadela por meio de uma competição justa. Mas essa maneira de distribuir o acesso à aprendizagem enfraquece a dignidade do trabalho e corrompe o bem comum. A educação cívica pode florescer em faculdades públicas comunitárias, locais de treinamento profissional e auditórios sindicais, bem como em campi repletos de hera. Não há motivo para supor que futuros enfermeiros e bombeiros hidráulicos sejam menos adequados à arte da argumentação democrática do que futuros consultores em administração.

## PARA CASTIGAR A ARROGÂNCIA DO MÉRITO

O rival mais potente do mérito, da noção de que somos responsáveis por nossa sina e de que merecemos o que recebemos, é a ideia de que nosso destino está além de nosso controle, de que devemos ser gratos por nosso sucesso e por nossos problemas – à graça de Deus ou aos caprichos da sorte ou ao resultado do acaso. Os puritanos pensavam, conforme visto no capítulo dois, que é quase impossível sustentar uma ética total da graça. É difícil conciliar viver a partir da crença de que não temos qualquer influência sobre sermos ou não salvos no próximo mundo ou bem-sucedidos neste com a ideia de liberdade e com a convicção de que recebemos o que merecemos. Por isso, mérito tende a eliminar graça; mais cedo ou mais tarde, os bem-sucedidos afirmam – e passam a acreditar nisto – que seu sucesso é resultado de suas próprias ações, e as pessoas são menos dignas do que eles.

Mas mesmo em seu triunfo, a fé meritocrática não proporciona o autodomínio que promete. E nem proporciona fundamentos para a solidariedade. Não generoso com perdedores e opressivo com vencedores, o mérito se torna um tirano. Quando isso acontece, podemos recrutar seu antigo rival para controlá-lo. Isso é o que, em um pequeno domínio da vida, a seleção por loteria tenta fazer. Ela convoca o acaso para castigar a arrogância do mérito. Refletir sobre a tirania que o mérito inflige em filhos e filhas abastados e competitivos traz à mente duas experiências de minha própria adolescência.

A obsessão por triagem e delimitação de habilidades acadêmicas se infiltrou no ensino médio público e no ensino médio que eu fiz em Pacific Palisades, na Califórnia, no fim dos anos 1960. Essas escolas eram tão rigorosamente delineadas que, apesar de aproximadamente 2.300 estudantes frequentarem a minha escola, eu estava constantemente na companhia das mesmas trinta ou quarenta pessoas no topo da classificação. Meu professor de matemática do oitavo ano levou a classificação ao extremo. A aula era de álgebra ou geometria, não me lembro qual, mas me lembro dos lugares marcados. Três das seis fileiras eram as chamadas fileiras de honra, onde estudantes eram colocados em uma ordem precisa, conforme a média das notas. Isso significava que os lugares marcados mudavam a cada prova ou teste. Para aumentar o drama, o professor anunciava as novas marcações antes de devolver os exercícios que valiam ponto. Eu era bom em matemática, mas não o melhor. Em geral, eu transitava entre a segunda e a quarta ou a quinta carteira. Uma garota que chamava Kay, craque da matemática, quase sempre ocupava a primeira carteira.

Como um garoto de 14 anos de idade, eu pensava que escolas funcionavam assim. Quanto melhor você se saía, mais alto você estaria na escala. Todo mundo sabia quem eram os melhores estudantes de matemática e quem triunfou ou bombou neste ou naquele teste. Apesar de não ter me dado conta disso na época, esse foi meu primeiro encontro com a meritocracia.

Quando chegamos ao segundo ano do ensino médio, a prática de traçar habilidades e classificar estudantes já estava causando danos. A maioria dos estudantes do topo da lista estavam obcecados por notas, não só por nossas próprias, mas também as de todo mundo. Estávamos intensamente competitivos, tanto que nossa preocupação com notas ameaçava soterrar nossa curiosidade intelectual.

Meu professor de biologia do segundo ano do ensino médio, sr. Farnham, um homem sardônico, que usava gravata borboleta e cuja sala de aula era cheia de cobras, salamandras, peixes, ratos e outras fascinantes vidas selvagens, achava isso problemático. Certo dia, ele nos deu um teste surpresa. Pediu para pegarmos um pedaço de papel, numerar de um a quinze e responder verdadeiro ou falso. Quando estudantes reclamaram que ele não deu as perguntas, ele nos disse para pensar em uma afirmação para cada questão e escrever se era verdadeira ou falsa. Estudantes perguntaram ansiosos se esse teste arbitrário seria avaliado e se contaria pontos na nota geral. "Sim, obviamente", ele disse.

No momento, pensei que era uma piada divertida, quiçá excêntrica, de sala de aula. Mas em retrospecto, percebo que o sr. Farnham tentava, do jeito dele, criticar a tirania do mérito. Ele tentava fazer com que nos afastássemos da triagem e do esforço por tempo suficiente para nos maravilharmos com as salamandras.

## Notas

1. Jerome Karabel, *The Chosen: The Hidden History of Admission and Exclusion at Harvard, Yale, and Princeton* [Os escolhidos: a história secreta do exame de seleção e da exclusão em Harvard, Yale e Princeton]. Boston: Houghton Mifflin, 2005, p. 21–23, 39–76, 232–36.
2. Nicholas Lemann, *The Big Test: The Secret History of the American Meritocracy* [O grande exame: a história secreta da meritocracia estadunidense]. Nova York: Farrar, Straus and Giroux, 1999, p. 7.
3. *Ibid.*, p. 8.
4. *Ibid.*, p. 5–6.
5. *Ibid.*
6. *Ibid.*, p. 28.
7. James Bryant Conant, "Education for a Classless Society: The Jeffersonian Tradition" [Educação para uma sociedade sem classes: a tradição jeffersoniana], *The Atlantic*, maio 1940. <theatlantic.com/past/docs/issues/95sep/ets/edcla.htm>. A citação que Conant fez de Turner sobre mobilidade social é de "Contributions of the West to American Democracy" [Contribuições do oeste para a democracia estadunidense], *The Atlantic*, janeiro 1903, reeditado em Frederick Jackson Turner, *The Frontier in American History* [A fronteira na história estadunidense], Nova York: Henry Holt and Co., 1921, p. 266.

8. Sobre Turner ser o primeiro a usar o termo "mobilidade social," consulte Christopher Lasch, *The Revolt of the Elites and the Betrayal of Democracy*. Nova York: W. W. Norton, 1995, p. 73. [Ed. bras.: *A rebelião das elites e a traição da democracia*. Rio de Janeiro: Ediouro, 1995.] Veja também Lemann, *The Big Test*, p. 48. Charles W. Eliot, reitor de Harvard de 1869 a 1909, usou o termo "mobilidade social" em seu ensaio, escrito em 1897, "The Function of Education in a Democratic Society" [A função da educação em uma sociedade democrática], conforme citado em Karabel, *The Chosen*, p. 41.
9. Conant, "Education for a Classless Society."
10. *Ibid*.
11. *Ibid*.
12. *Ibid*.
13. *Ibid*. Conant citando Jefferson, Notes on the State of Virginia [Observações sobre o estado da Virgínia], (1784), William Peden (org.). Chapel Hill: University of North Carolina Press, 1954, propostas 14 e 19.
14. *Ibid*.
15. Thomas Jefferson para John Adams, 28 de outubro, 1813, em Lester J. Cappon, (org.). *The Adams-Jefferson Letters: The Complete Correspondence between Thomas Jefferson and Abigail and John Adams* [As Cartas Adams-Jefferson: correspondência completa entre Thomas Jefferson e Abigail e John Adams]. University of North Carolina Press, 1959.
16. Jefferson, *Notes on the State of Virginia* (1784).
17. Conant, "Education for a Classless Society."
18. Conant citado em Lemann, *The Big Test*, p. 47. Lemann retirou a citação de um livro inédito que Conant escreveu no início da década de 1940: James Bryant Conant, *What We Are Fighting to Defend* [O que lutamos para defender], manuscrito inédito, nos documentos de James B. Conant, Box 30, arquivos da Universidade de Harvard.
19. Karabel, *The Chosen*, p. 152; Lemann, *The Big Test*, p. 59.
20. Karabel, *The Chosen*, p. 174, 189.
21. *Ibid*., p. 188.
22. *Ibid*., p. 172, 193–97.
23. Veja Andrew H. Delbanco, "What's Happening in Our Colleges: Thoughts on the New Meritocracy" [O que está acontecendo com nossas faculdades: reflexões sobre a nova meritocracia], *Proceedings of the American Philosophical Society* [Anais da Sociedade Americana de Filosofia] 156, nº 3, setembro 2012, p. 306–7.
24. Andre M. Perry, "Students Need More Than an SAT Adversity Score, They Need a Boost in Wealth" [Estudantes precisam de mais do que uma nota de adversidade no SAT, eles precisam de um empurrão na riqueza], *The Hechinger*

*Report*, 17 de maio, 2019. <brookings.edu/blog/the-avenue/2019/05/17/students-need-more-than-an-sat-adversity-score-they-need-a-boost-in-wealth/>, figura 1. Zachary A. Goldfarb, "These Four Charts Show How the SAT Favors Rich, Educated Families" [Esses quatro gráficos demonstram como o SAT favorece famílias ricas e com formação educacional], *The Washington Post*, 5 de março, 2014. <washingtonpost.com/news/wonk/wp/2014/03/05/these-four-charts-show-how-the-sat-favors-the-rich-educated-families/>. A associação College Board publicou, pela última vez, dados sobre a média das pontuações no SAT em 2016. Veja "College-Bound Seniors, Total Group Profile Report, 2016" [Estudantes do último ano do ensino médio que pretendem fazer faculdade, relatório de perfil do grupo, 2016]. <secure-media.collegeboard.org/digitalServices/pdf/sat/total-group-2016.pdf>, tabela 10.

25. Paul Tough, *The Years That Matter Most: How College Makes or Breaks Us* [Os anos que importam mais: como a universidade nos constrói ou nos quebra]. Boston: Houghton Mifflin Harcourt, 2019, p. 171, cita uma análise de 2017, ainda inédita, de dados da College Board, por James Murphy, instrutor, consultor para exames e escritor.

26. Daniel Markovits, *The Meritocracy Trap* [A armadilha da meritocracia], Nova York: Penguin Press, 2019, p. 133, cita Charles Murray, *Coming Apart* [Desmoronando], Nova York: Crown Forum, 2012, p. 60, relatando que entre os estudantes do último ano do ensino médio que fizeram o SAT em 2010, 87% com nota acima de 700 em matemática e nos testes verbais tinha pai e/ou mãe com diploma universitário, e 56% tinha pai ou mãe com diploma de pós-graduação. Murray afirma que (p. 363) essas porcentagens são dados inéditos fornecidos a ele pela College Board. Utilizando dados de 1988 à década de 1990, Anthony P. Carnevale e Stephen J. Rose concluíram que, de todos os estudantes com a nota de SAT acima de 1.300 (8% do topo), 66% vêm de família com alto status socioeconômico (quartil do topo para receita e formação educacional da família), e apenas 3% vêm de família com status socioeconômico (o quartil da base). Veja Carnevale e Rose, "Socioeconomic Status, Race/Ethnicity, and Selective College Admission" [Status socioeconômico, raça/etnia e admissão seletiva na faculdade], in Richard B. Kahlenberg (org.), *America's Untapped Resource: Low-Income Students in Higher Education* [Recurso inexplorado dos Estados Unidos: estudantes de baixa renda no ensino superior]. Nova York: Century Foundation, 2004, p. 130, tabela 3.14.

27. Douglas Belkin, "The Legitimate World of High-End College Admissions" [O mundo legítimo do processo de seleção em faculdades sofisticadas], *The Wall Street Journal*, 13 de março, 2019. <wsj.com/articles/the-legitimate-world-of-high-end-college-admissions-11552506381>. Dana Goldstein e Jack Healy, "Inside

the Pricey, Totally Legal World of College Consultants" [Dentro do mundo caro e totalmente legal dos consultores universitários], *The New York Times*, 13 de março, 2019. <nytimes.com/2019/03/13/us/admissions-cheating-scandal-consultants.html>. James Wellemeyer, "Wealthy Parents Spend up to $10,000 on SAT Prep for Their Kids" [Pais ricos gastam até US$ 10 mil em curso preparatório para o SAT para seus filhos], *MarketWatch*, 7 de julho, 2019. <marketwatch.com/story/some-wealthy-parents-are-dropping-up-to-10000-on-sat-test-prep-for-their-kids-2019-06-21>. Markovitz, *The Meritocracy Trap*, pp. 128–29.

28. Tough, *The Years that Matter Most*, p. 86–92.
29. *Ibid.*, p. 172–82.
30. *Ibid.*
31. Em Princeton, por exemplo, 56% dos formandos de 2023 se autoidentificam como estudantes não brancos. Consulte Princeton University Office of Communications [Departamento de Comunicação de Princeton], "Princeton Is Pleased to Offer Admission to 1,895 Students for Class of 2023" [Princeton tem o prazer de oferecer vagas para 1.895 estudantes para a turma de 2023], 28 de março, 2019. <princeton.edu/news/2019/03/28/princeton-pleased-offer-admission-1895-students-class-2023>. Em Harvard, os dados para formandos de 2023 são 54%. Veja as estatísticas de ingresso em Harvard College Admissions and Financial Aid [Auxílio financeiro para ingresso na Universidade Harvard], <college.harvard.edu/admissions/admissions-statistics>. Para saber as porcentagens em outras faculdades da Ivy League consulte Amy Kaplan, "A Breakdown of Admission Rates Across the Ivy League for the Class of 2023" [Estatística sobre seleção de estudantes por toda a Ivy League para a turma de 2023], The Daily Pennsylvanian, 1º de abril, 2019. <thedp.com/article/2019/04/ivy-league-admission-rates-penn-cornell-harvard-yale-columbia-dartmouth-brown-princeton>.
32. Um estudo sobre as 146 faculdades e universidades mais seletivas concluiu que 74% dos estudantes vieram do quarto superior da escala de status socioeconômico. Carnevale e Rose, "Socioeconomic Status, Race/Ethnicity, and Selective College Admissions" [Status socioeconômico, raça/etnia e ingresso em universidades seletivas], p. 106, tabela 3.1. Um estudo semelhante sobre as 91 faculdades e universidades mais competitivas concluiu que 72% dos estudantes vieram do quarto superior. Jennifer Giancola e Richard D. Kahlenberg, "True Merit: Ensuring Our Brightest Students Have Access to Our Best Colleges and Universities" [Mérito verdadeiro: garantindo que nossos estudantes mais brilhantes tenham acesso a nossas melhores faculdades e universidades]. Fundação Jack Kent Cooke, janeiro 2016, figura 1. <jkcf.org/research/true-merit-ensuring-our-brightest-students-have-access-to-our-best-colleges-and-universities/>.

33. Raj Chetty, John N. Friedman, Emmanuel Saez, Nicholas Turner e Danny Yagan, "Mobility Report Cards: The Role of Colleges in Intergenerational Mobility" [Boletins da mobilidade: o papel das faculdades na mobilidade intergeracional], NBER Working Paper [Documento de trabalho NBER] nº 23.618, julho 2017, p. 1. <opportunityinsights.org/wp-content/uploads/2018/03/coll_mrc_paper.pdf>. Veja também "Some Colleges Have More Students from the Top 1 Percent Than the Bottom 60. Find Yours" [Algumas universidades têm mais estudantes do 1% do topo do que dos 60% da base. Encontre a sua], *The New York Times*, 18 de janeiro, 2017. <nytimes.com/interactive/2017/01/18/upshot/some-colleges-have-more-students-from-the-top-1-percent-than-the-bottom-60.html>. A ferramenta interativa do New York Times online se baseia em dados do estudo de Chetty para demonstrar o perfil econômico de cada uma das 2 mil faculdades. Sobre Yale, veja <nytimes.com/interactive/projects/college-mobility/yale-university>. Sobre Princeton, veja <nytimes.com/interactive/projects/college-mobility/princeton-university>.
34. Chetty *et al.*, "Mobility Report Card," p. 1. As estatísticas referentes à matrícula em faculdade por renda estão disponíveis em <nytimes.com/interactive/2017/01/18/upshot/some-colleges-have-more-students-from-the-top-1-percent-than-the-bottom-60.html>.
35. Jerome Karabel, *The Chosen*, p. 547.
36. Chetty *et al.*, "Mobility Report Cards," e Resumo Executivo "Mobility Report Cards". <opportunityinsights.org/wp-content/uploads/2018/03/coll_mrc_summary.pdf>.
37. *Ibid.* Para mais informações sobre a taxa de mobilidade em Harvard e Princeton consulte: <nytimes.com/interactive/projects/college-mobility/harvard-university> e <nytimes.com/interactive/projects/college-mobility/princeton-university>.
38. *Ibid.* Para consultar a taxa de mobilidade da Universidade do Michigan e da Universidade da Virgínia consulte: <nytimes.com/interactive/projects/college-mobility/university-of-michigan-ann-arbor> e <nytimes.com/interactive/projects/college-mobility/university-of-virginia>.
39. Chetty *et al.*, "Mobility Report Cards," tabela IV; Chetty *et al.*, Resumo Executivo "Mobility Report Cards". <opportunityinsights.org/wp-content/uploads/2018/03/coll_mrc_summary.pdf.>
40. Chetty *et al.*, "Mobility Report Cards," tabela II.
41. A porcentagem de estudantes por faculdade que ascendeu pelo menos dois quintis está publicada na ferramenta interativa do *The New York Times* online baseada em dados coletados por Chetty *et al.* Por exemplo, em Harvard, 11% dos estudantes ascendem; em Yale, 10% e em Princeton, 8,7%. Consulte <nytimes.com/interactive/projects/college-mobility/harvard-university>; o "overall mobility

index" [índice de mobilidade geral] para cada faculdade demonstra a probabilidade de ascender dois ou mais quintis de renda.

42. Sobre seleção por legado, em geral, consulte William G. Bowen, Martin A. Kurzweil, e Eugene M. Tobin, *Equity and Excellence in American Higher Education* [Igualdade e excelência na educação superior estadunidense], Charlottesville, VA: University of Virginia Press, 2005, p. 103–8, 167–71. Karabel, *The Chosen: The Hidden History of Admission and Exclusion at Harvard, Yale, and Princeton*, p. 266–72, 283, 359–63, 506, 550–51. Daniel Golden, *The Price of Admission*. Nova York: Broadway Books, 2006, p. 117–44. A estimativa "seis vezes mais probabilidade" foi relatada em Daniel Golden, "How Wealthy Families Manipulate Admissions at Elite Universities" [Como famílias ricas manipulam o processo de seleção nas universidades de elite], *Town & Country*, 21 de novembro, 2016. <townandcountrymag.com/society/money-and-power/news/a8718/daniel-golden-college-admission/>. Os dados sobre seleção por legado em Harvard foram retirados de um processo público de 2018, relatado em Peter Arcidiacono, Josh Kinsler e Tyler Ransom, "Legacy and Athlete Preferences at Harvard" [Legado e preferências em Harvard], 6 de dezembro, 2019, p. 14 e 40 (tabela 1). <public.econ.duke.edu/~psarcidi/legacyathlete.pdf>. E Delano R. Franklin e Samuel W. Zwickel, "Legacy Admit Rate Five Times That of Non-Legacies, Court Docs Show" [Índice de seleção por legado é cinco vezes mais alta do que a por não legado, documentos judiciais revelam], *The Harvard Crimson*, 20 de junho, 2018. <thecrimson.com/article/2018/6/20/admissions-docs-legacy/>.

43. Daniel Golden, "Many Colleges Bend Rules to Admit Rich Applicants" [Várias faculdades afrouxam as regras para selecionar candidatos ricos], *The Wall Street Journal*, 20 de fevereiro, 2003. <online.wsj.com/public/resources/documents/golden2.htm>. Consulte também: Golden, *The Price of Admission*, p. 51–82.

44. Documentos produzidos durante um processo judicial em 2018, questionando o uso de ações afirmativas em Harvard demonstrou que mais de 10% das turmas de formandos de Harvard em 2019 foi selecionada de uma lista de candidatos que tinham conexões com doadores que era mantida por administradores de Harvard. Durante os seis anos da formatura de 2014 até a de 2019, 9,34% dos estudantes selecionados vieram da lista de afiliações com doadores. Desses estudantes, 42% foram aceitos, quase sete vezes mais do que o índice de seleção geral em Harvard nesse período. Delano R. Franklin e Samuel W. Zwickel, "In Admissions, Harvard Favors Those Who Fund It, Internal Emails Show" [Na seleção, Harvard favorece candidatos que a financiam, e-mails internos demonstram isso], *The Harvard Crimson*, 18 de outubro, 2018. <thecrimson.com/article/2018/10/18/day-three-harvard-admissions-trial/>. O índice de aceitação geral em Harvard durante esse período foi aproximadamente 6%. Consulte Daphne C. Thompson, "Harvard

Acceptance Rate Will Continue to Drop, Experts Say" [O índice de aceitação em Harvard continuará a cair, dizem os especialistas], *The Harvard Crimson*, 16 de abril, 2015. <thecrimson.com/article/2015/4/16/admissions-downward-trend-experts/>.

45. Golden, *The Price of Admission*, p. 147–76.
46. David Leonhardt, "The Admissions Scandal Is Really a Sports Scandal" [O escândalo da admissão em universidades é na verdade um escândalo no esporte], *The New York Times*, 13 de março, 2019. <nytimes.com/2019/03/13/opinion/college-sports-bribery-admissions.html>. Katherine Hatfield, "Let's Lose the Directors' Cup: A Call to End Athletic Recruitment" [Vamos perder a copa dos diretores: um apelo ao fim do recrutamento atlético], *The Williams Record*, 20 de novembro, 2019. <williamsrecord.com/2019/11/lets-lose-the-directors-cup-a-call-to-end-athletic-recruitment/>.
47. Bowen, Kurzweil e Tobin, *Equity and Excellence in American Higher Education*, p. 105–6 (tabela 5.1).
48. Tough, *The Years That Matter Most*, p. 172–82.
49. Daniel Golden, "Bill Would Make Colleges Report Legacies and Early Admissions" [Lei faria faculdades relatarem legados e seleção prévia], *The Wall Street Journal*, 29 de outubro, 2003. <online.wsj.com/public/resources/documents/golden9.htm>. Daniel Markovits, *The Meritocracy Trap*. Nova York: Penguin Press, 2019, p. 276–77.
50. Veja Lemann, *The Big Test*, p. 47, e o trecho anteriormente citado (nota 18) de um livro inédito que Conant escreveu no início da década de 1940: James Bryant Conant, *What We Are Fighting to Defend*, manuscrito inédito, nos documentos de James B. Conant, Box 30, arquivos da Universidade de Harvard.
51. John W. Gardner, *Excellence: Can We Be Equal and Excellent Too?* [Excelência: podemos ser iguais e excelentes também? Nova York: Harper & Brothers, 1961, p. 33, 35–36.
52. *Ibid.*, p. 65–66.
53. *Ibid.*, p. 71–72.
54. *Ibid.*, p. 80–81.
55. *Ibid.*, p. 82.
56. Brewster citado em Geoffrey Kabaservice, "The Birth of a New Institution" [O nascimento de uma nova instituição], Yale Alumni Magazine, dezembro 1999. <archives.yalealumnimagazine.com/issues/99_12/admissions.html>.
57. Caroline M. Hoxby, "The Changing Selectivity of American Colleges" [A mudança na seletividade das faculdades estadunidenses], *Journal of Economic Perspectives* 23, nº 4 (outono 2009), p. 95–118.
58. *Ibid.* Sobre os altos índices de aceitação na maioria das universidades, consulte Drew Desilver, "A Majority of U.S. Colleges Admit Most Students Who Apply"

[A maioria das faculdades dos EUA aceita a maioria dos estudantes que se inscrevem], *Pew Research Center*, 9 de abril, 2019. <pewresearch.org/fact-tank/2019/04/09/a-majority-of-u-s-colleges-admit-most-students-who-apply/>. Alia Wong, "College-Admissions Hysteria Is Not the Norm" [A histeria do processo de seleção em faculdades não é a norma], *The Atlantic*, 10 de abril, 2019. <theatlantic.com/education/archive/2019/04/harvard-uchicago-elite-colleges-are-anomaly/586627/>.

59. O índice de seleção de candidatos em Stanford, em 1972, era 32%. Veja Doyle McManus, "Report Shows Admission Preference" [Relatório demonstra preferências na seleção], Stanford Daily, 23 de outubro, 1973, <archives.stanforddaily.com/1973/10/23?page=1&section=MODSMD_ARTICLE4#article>. Camryn Pak, "Stanford Admit Rate Falls to Record-Low 4.34% for class of 2023" [Stanford reconhece queda do índice a uma baixa recorde de 4,34% para 2023], *Stanford Daily*, 18 de dezembro, 2019. <stanforddaily.com/2019/12/17/stanford-admit-rate-falls-to-record-low-4-34-for-class-of-2023/>. Dados do processo de seleção em Johns Hopkins, em 1988, é de Jeffrey J. Selingo, "The Science Behind Selective Colleges" [A ciência por trás de faculdades seletivas], *The Washington Post*, 13 de outubro, 2017. <washingtonpost.com/news/grade-point/wp/2017/10/13/the-science-behind-selective-colleges/>. Meagan Peoples, "University Admits 2,309 Students for the Class of 2023" [Universidade admite 2.309 estudantes para 2023], *Johns Hopkins News-Letter*, 16 de março, 2019. <jhunewsletter.com/article/2019/03/university-admits-2309-students-for-the-class-of-2023>. Índice de seleção de candidatos na universidade de Chicago em 1993 foi retirada em Dennis Rodkin, "College Comeback: The University of Chicago Finds Its Groove" [A reação das faculdades: a universidade Chicago encontra seu equilíbrio], *Chicago Magazine*, 16 março, 2001. <chicagomag.com/Chicago-Magazine/March-2011/College-Comeback-The-University-of-Chicago-Finds-Its-Groove/>; Justin Smith, "Acceptance Rate Drops to Record Low 5.9 Percent for Class of 2023" [Índice de seleção tem queda recorde para 5,9% para o ano de 2023], *The Chicago Maroon*, 1º de abril, 2019, <chicagomaroon.com/article/2019/4/1/uchicago-acceptance-rate-drops-record-low/>.
60. Drew Desilver, "A Majority of U.S. Colleges Admit Most Students Who Apply", Pew Research Center.
61. Hoxby, "The Changing Selectivity of American Colleges".
62. Tough, *The Years That Matter Most*, p. 138–42, baseando-se em Lauren A. Rivera, *Pedigree: How Elite Students Get Elite Jobs* [Pedigree: como estudantes de elite conseguem empregos de elite]. Princeton: Princeton University Press, 2015.
63. Dana Goldstein e Jugal K. Patel, "Extra Time on Tests? It Helps to Have Cash" [Tempo extra para o exame? Ajuda se você tiver dinheiro], *The New York Times*,

30 de julho, 2019. <nytimes.com/2019/07/30/us/extra-time-504-sat-act.html>. Jenny Anderson, "For a Standout College Essay, Applicants Fill Their Summers" [Para fazer uma redação de destaque candidatos preenchem as férias de verão], *The New York Times*, 5 de agosto, 2011. <nytimes.com/2011/08/06/nyregion/planning-summer-breaks-with-eye-on-college-essays.html>. Para conhecer um líder em proporcionar experiências de verão voltadas para a redação universitária, consulte <everythingsummer.com/pre-college-and-beyond>.

64. "parent, v." OED Online, Oxford University Press, dezembro 2019, <oed.com/view/Entry/137819>. Acessado em 24 de janeiro, 2020. Claire Cain Miller, "The Relentlessness of Modern Parenting" [A implacabilidade da paternidade e da maternidade modernas], *The New York Times*, 25 de dezembro, 2018. <nytimes.com/2018/12/25/upshot/the-relentlessness-of-modern-parenting.html>.
65. Matthias Doepke e Fabrizio Zilibotti, *Love, Money & Parenting: How Economics Explains the Way We Raise Our Kids* [Amor, dinheiro e parentalidade: como a economia explica a maneira como criamos nossas crianças], Princeton: Princeton University Press, 2019, p. 57.
66. Nancy Gibbs, "Can These Parents Be Saved?" [É possível salvar esses pais e mães?], *Time*, 10 de novembro, 2009.
67. Doepke e Zilibotti, *Love, Money & Parenting*, p. 51, 54–58, 67–104.
68. Madeline Levine, *The Price of Privilege: How Parental Pressure and Material Advantage Are Creating a Generation of Disconnected and Unhappy Kids* [O preço do privilégio: como a pressão parental e a vantagem material estão criando uma geração de crianças desconectadas e infelizes]. Nova York: HarperCollins, 2006. p. 5–7.
69. *Ibid.*, p. 16–17.
70. *Ibid.*, citando pesquisa feita por Suniya S. Luthar.
71. Suniya S. Luthar, Samuel H. Barkin e Elizabeth J. Crossman, "'I Can, Therefore I Must': Fragility in the Upper Middle Classes" ["Posso, portanto devo": fragilidade na classe média alta]. *Development & Psychopathology* 25, novembro 2013, p. 1529–49. <ncbi.nlm.nih.gov/pubmed/24342854>.
72. *Ibid.* Veja também Levine, *The Price of Privilege*, p. 21, 28–29.
73. Laura Krantz, "1-in-5 College Students Say They Thought of Suicide" [1 em 5 estudantes universitários disseram ter pensado em suicídio], *The Boston Globe*, 7 de setembro, 2018, relatando as conclusões de Cindy H. Liu, Courtney Stevens, Sylvia H. M. Wong, Miwa Yasui e Justin A. Chen, "The Prevalence and Predictors of Mental Health Diagnoses and Suicide Among U.S. College Students: Implications for Addressing Disparities in Service Use" [Prevalência e indicações de diagnóstico em saúde mental e suicídio entre estudantes universitários dos EUA: implicações para abordar as disparidades no uso de serviços] *Depression*

*& Anxiety* [Depressão & ansiedade], 6 de setembro, 2018. <doi.org/10.1002/da.22830>.

74. Sally C. Curtin e Melonie Heron, "Death Rates Due to Suicide and Homicide Among Persons Aged 10–24: United States, 2000–2017" [Taxas de mortalidade por suicídio e homicídio entre pessoas de 10 a 24 anos: Estados Unidos, 2000–2017], *NCHS Data Brief*, nº 352, outubro 2019. <cdc.gov/nchs/data/databriefs/db352-h.pdf>.
75. Thomas Curran e Andrew P. Hill, "Perfectionism Is Increasing Over Time: A Meta-Analysis of Birth Cohort Differences from 1989 to 2016" [O perfeccionismo está aumentando com o tempo: metanálise de diferenças entre coortes de nascimentos de 1989 a 2016], *Psychological Bulletin 145* (2019), p. 410–29. <apa.org/pubs/journals/releases/bul-bul0000138.pdf>. Thomas Curran e Andrew P. Hill, "How Perfectionism Became a Hidden Epidemic Among Young People" [Como perfeccionismo se tornou uma epidemia oculta entre pessoas jovens], *The Conversation*, 3 de janeiro, 2018. <theconversation.com/how-perfectionism-became-a-hidden-epidemic-among-young-people-89405>. Sophie McBain, "The New Cult of Perfectionism" [O novo culto ao perfeccionismo], *New Statesman*, 4–10 de maio, 2018.
76. Curran e Hill, "Perfectionism Is Increasing Over Time," p. 413.
77. William Fitzsimmons, Marlyn E. McGrath, Charles Ducey, "Time Out or Burn Out for the Next Generation" [A hora de descansar ou esgotar para a próxima geração], 2000, revisado em 2017. <college.harvard.edu/admissions/apply/first-year-applicants/considering-gap-year>.
78. Lucy Wang, "Comping Harvard" [*Comping* em Harvard], *The Harvard Crimson*, 2 de novembro, 2017. <thecrimson.com/article/2017/11/2/comping-harvard/>. Jenna M. Wong, "Acing Rejection 10a" [Curso básico de especialização em rejeição], *The Harvard Crimson*, 17 de outubro, 2017. <thecrimson.com/article/2017/10/17/wong-acing-rejection-10a/>.
79. Wang, "*Comping* Harvard."
80. Richard Pérez-Peña, "Students Disciplined in Harvard Scandal" [Estudantes são punidos em um escândalo em Harvard], *The New York Times*, 1 de fevereiro, 2013. <nytimes.com/2013/02/02/education/harvard-forced-dozens-to-leave-in-cheating-scandal.html>. Rebecca D. Robbins, "Harvard Investigates 'Unprecedented' Academic Dishonesty Case" [Harvard investiga caso de desonestidade acadêmica sem precedentes], *The Harvard Crimson*, 30 de agosto, 2012. <thecrimson.com/article/2012/8/30/academic-dishonesty-ad-board/>.
81. Hannah Natanson, "More Than 60 Fall CS50 Enrollees Faced Academic Dishonesty Charges" [Mais de 60 matriculados na CS50 de outono encaram acusações de desonestidade acadêmica], *The Harvard Crimson*, 3 de maio, 2017. <thecrimson.com/article/2017/5/3/cs50-cheating-cases-2017/>.

82. A Johns Hopkins eliminou a preferência pelo legado em 2014. Veja Ronald J. Daniels, "Why We Ended Legacy Admissions at Johns Hopkins" [Porque acabamos com a seleção por legado em Johns Hopkins], *The Atlantic*, 18 de janeiro, 2020. <theatlantic.com/ideas/archive/2020/01/why-we-ended-legacy-admissions-johns-hopkins/605131/>.
83. Calculado a partir de dados apresentados em Desilver, "A Majority of U.S. Colleges Admit Most Students Who Apply", *Pew Research Center.*
84. Katharine T. Kinkead, *How an Ivy League College Decides on Admissions* [Como uma faculdade da Ivy League decide o processo de seleção]. Nova York: W. W. Norton, 1961, p. 69.
85. A seleção por meio de loteria foi proposta por várias pessoas ao longo das décadas recentes. Uma das primeiras foi Robert Paul Wolff, que em 1964 propôs indicar estudantes do ensino médio para a faculdade de forma aleatória. Wolff, "The College as Rat-Race: Admissions and Anxieties" [Faculdade como estilo de vida competitivo: seleção e ansiedade], *Dissent*, inverno, 1964. Barry Schwartz, "Top Colleges Should Select Randomly from a Pool of 'Good Enough'" [As faculdades mais importantes deveriam selecionar aleatoriamente de um grupo de "bons o suficiente"], *The Chronicle of Higher Education*, 25 de fevereiro, 2005. Peter Stone, "Access to Higher Education by the Luck of the Draw" [Acesso à educação superior por meio da sorte na loteria], *Comparative Education Review 57*, agosto, 2013. Lani Guinier, "Admissions Rituals as Political Acts: Guardians at the Gates of Our Democratic Ideals" [Rituais de seleção como atos políticos: guardiões às portas de nossos ideais democráticos], *Harvard Law Review 117,* novembro, 2003, p. 218–19. Devo o debate acerca de seleção aleatória a: Charles Petersen, "Meritocracy in America, 1930–2000" [Meritocracia nos Estados Unidos, 1930-2000], tese de PhD, Harvard University, 2020.
86. Referente ao conceito de mérito como critério de qualificação, agradeço a conversa com Daniel Markovits e estudantes no seminário de graduação que lecionei "Meritocracy and Its Critics" [A meritocracia e seus críticos].
87. Andrew Simon, "These Are the Best Late-Round Picks in Draft History" [Estas são as melhores seleções tardias na história das rodadas], *MLB News*, 8 de junho, 2016. <mlb.com/news/best-late-round-picks-in-draft-history-c182980276>.
88. Rodada da liga de futebol nacional, 2000. <nfl.com/draft/history/fulldraft?season=2000>.
89. Um relato baseado em pesquisa de arquivos sobre a proposta de experimento em Stanford está em Petersen, "Meritocracy in America, 1930–2000."
90. Sarah Waldeck, "A New Tax on Big College and University Endowments Is Sending Higher Education a Message" [Um novo imposto sobre as grandes doações de faculdades e universidades está enviando uma mensagem para o ensino

superior], *The Conversation*, 27 de agosto, 2019. <theconversation.com/a-new-tax-on-big-college-and-university-endowments-is-sending-higher-education-a-message-120063>.

91. Conforme debatido anteriormente, Daniel Markovits propõe condicionar a isenção de impostos sob doações de faculdades particulares ao aumento da diversidade de classe do corpo discente, preferencialmente por meio da expansão de matrículas. Veja Markovits, *The Meritocracy Trap* [A armadilha da meritocracia]. Nova York: Penguin Press, 2019. p. 277–78.
92. Michael Mitchell, Michael Leachman e Matt Saenz, "State Higher Education Funding Cuts Have Pushed Costs to Students, Worsened Inequality" [Cortes estaduais no financiamento do ensino superior aumentaram os custos para os estudantes e pioraram a desigualdade], *Center on Budget and Policy Priorities* [organização apartidária de pesquisa, Centro de Orçamento e Prioridades Políticas], 24 de outubro, 2019. <cbpp.org/research/state-budget-and-tax/state-higher-education-funding-cuts-have-pushed-costs-to-students>.
93. Jillian Berman, "State Colleges Receive the Same Amount of Funding from Tuition as from State Governments" [As faculdades estaduais recebem de mensalidades e dos governos estaduais o mesmo montante], *MarketWatch*, 25 de março, 2017, citando uma análise feita por Peter Hinrichs, economista no sistema de reserva federal em Cleveland. <marketwatch.com/story/state-colleges-receive-the-same-amount-of-funding-from-tuition-as-from-state-governments-2017-03-24>.
94. Veja Andrew Delbanco, *College: What It Was, Is, and Should Be* [Faculdade: o que foi, é e deve ser]. Princeton: Princeton University Press, 2012, p. 114.
95. Resumo de orçamento, relatório orçamentário, 2018–2019, University of Wisconsin–Madison, p. 3. <budget.wisc.edu/content/uploads/Budget-in-Brief-2018–19-Revised_web_V2.pdf>.
96. "The State of the University: Q&A with President Teresa Sullivan" [O estado da universidade: perguntas e respostas com a reitora Teresa Sullivan], Virginia, verão 2011. <uvamagazine.org/articles/the_state_of_the_university>.
97. "UT Tuition: Sources of Revenue" [Mensalidade da UT: fonte de receita]. <tuition.utexas.edu/learn-more/sources-of-revenue>. Os montantes não incluem receita resultante de uma doação que gera renda líquida. O montante de mensalidade e imposto aumentou de 5% em 1984–85 para 22% em 2018–2019.
98. Nigel Chiwaya, "The Five Charts Show How Bad the Student Loan Debt Situation Is" [Os cinco gráficos mostram o quão ruim é a situação da dívida resultante de financiamento estudantil], *NBC News*, 24 de abril, 2019. <nbcnews.com/news/us-news/student-loan-statistics-2019-n997836>. Zack Friedman, "Student Loan Debt Statistics in 2020: A Record $1.6 Trillion" [Estatística referente à dívida resultante de financiamento estudantil, 2020: um recorde de US$ 1,6 trilhão],

*Forbes*, 3 de fevereiro, 2020. <forbes.com/sites/zackfriedman/2020/02/03/student--loan-debt-statistics/#d164e05281fe>.

99. Isabel Sawhill, *The Forgotten Americans: An Economic Agenda for a Divided Nation* [Estadunidenses esquecidos: interesses econômicos para uma nação dividida]. New Haven: Yale University Press, 2018, p. 114.
100. *Ibid.*
101. *Ibid.*, p. 111–113. Dados referentes aos países da OCDE.
102. *Ibid.*, p. 113.
103. Apesar de essa ser uma observação pessoal e impressionista, dificilmente eu seria o primeiro a fazê-la. Veja, por exemplo, Delbanco, *College: What It Was, Is, and Should Be*; Anthony T. Kronman, *Education's End: Why Our Colleges and Universities Have Given Up on the Meaning of Life* [Fim da educação: por que nossas faculdades e universidades desistiram do significado da vida]. New Haven: Yale University Press, 2008; William Deresiewicz, *Excellent Sheep: The Miseducation of the American Elite and the Way to a Meaningful Life* [Excelentes ovelhas: a miséria da elite americana e o caminho para uma vida significativa]. Nova York: Free Press, 2014.
104. Michael J. Sandel, *Democracy's Discontent: America in Search of a Public Philosophy* [O descontentamento da democracia: Estados Unidos em busca de uma filosofia pública]. Cambridge, MA: The Belknap Press of Harvard University Press, 1996, p. 168–200.
105. Christopher Lasch, *The Revolt of the Elites and the Betrayal of Democracy.* Nova York: W. W. Norton & Company, 1995, p. 59–60. [Ed. bras.: *A rebelião das elites e a traição da democracia*. Rio de Janeiro: Ediouro, 1995.]
106. *Ibid.*, p. 55–79.

# Capítulo 7 O reconhecimento do trabalho

Do fim da Segunda Guerra Mundial até os anos 1970, era possível para quem não tinha diploma universitário encontrar um bom emprego, sustentar a família e levar uma vida de classe média confortável. Isso é muito mais difícil hoje em dia. Ao longo das últimas quatro décadas, a diferença de renda entre quem tem diploma de ensino médio e diploma universitário – o que os economistas denominam *college premium* [recompensa universitária] – dobrou. Em 1979, pessoas com formação educacional superior recebiam aproximadamente 40% mais do que quem tinha ensino médio; em 2000, recebiam 80% mais.[1]

Apesar de os anos de globalização terem resultado em recompensas valiosas aos que possuem mais titulações, nada fez para os trabalhadores mais comuns. De 1979 a 2016, a quantidade de emprego na indústria nos Estados Unidos caiu de 19,5 milhões para 12 milhões.[2] A produtividade aumentou, mas os trabalhadores ficavam com uma parte cada vez menor daquilo que produziam, enquanto executivos e acionistas capturavam uma parte maior.[3] No fim da década de 1970, CEOs de grandes empresas estadunidenses lucraram trinta vezes mais do que o trabalhador padrão; em 2014, eles receberam trezentas vezes mais.[4]

A renda média de homens estadunidenses está estagnada, em termos reais, por meio século. Apesar de a renda *per capita* ter aumentado 85% desde 1979, homens brancos sem um diploma universitário de um curso de quatro anos hoje recebem menos, em termos reais, do que recebiam.[5]

## A DETERIORAÇÃO DA DIGNIDADE DO TRABALHO

Não é surpreendente que eles sejam infelizes. Mas a dificuldade financeira não é a única fonte de angústia. A era meritocrática infligiu também uma ferida mais insidiosa em trabalhadores: a deterioração da dignidade do trabalho. Ao valorizarem o "crânio" que se deve ser para obter uma pontuação boa em exames para ingressar na universidade, a máquina de triagem menospreza pessoas sem credenciais meritocráticas. Diz que o trabalho feito por elas, menos valorizado no mercado do que o de profissionais bem remunerados, é uma contribuição menor para o bem comum e, portanto, menos digno de reconhecimento social e estima. Além disso, legitima as recompensas generosas que o mercado concede aos vencedores e os pagamentos parcos que oferece a trabalhadores sem diploma universitário.

Esse modo de pensar sobre quem merece o quê não é moralmente defensável. Por motivos que exploramos anteriormente (capítulo 5), é um equívoco pressupor que o valor de mercado deste ou daquele emprego é a medida de sua contribuição para o bem comum. (Pense no traficante de metanfetamina muito bem remunerado e o professor de ensino médio com remuneração modesta.) No entanto, ao longo de várias décadas, a ideia de que o dinheiro que recebemos reflete o valor de nossa contribuição social ficou profundamente arraigada. Isso ecoa por toda a cultura pública.

A triagem meritocrática ajudou a defender essa ideia. Como também o fez a versão neoliberal, ou favorável ao mercado, da globalização acolhida por partidos líderes de centro-direita e de centro-esquerda, desde a década de 1980. Mesmo quando a globalização produziu desigualdade massiva, essas duas perspectivas – a meritocrática e a neoliberal – reduziram os motivos para oferecer resistência a ela. Elas também enfraqueceram a dignidade do trabalho, alimentando o ressentimento das elites e a reação política.

Desde 2016, autoridades e acadêmicos debatem a fonte do descontentamento populista. Estaria relacionado ao desemprego e aos salários estagnados ou ao deslocamento cultural? Mas essa distinção é exagerada.

Trabalho é tanto econômico quanto cultural. É um modo de ganhar a vida e também é fonte de reconhecimento e estima social.

É por isso que a desigualdade resultante da globalização produziu tanta raiva e ressentimento. Pessoas deixadas para trás pela globalização não apenas lutaram enquanto outras pessoas prosperaram; elas também sentiam que o trabalho que faziam já não era fonte de estima social. Aos olhos da sociedade, e provavelmente aos próprios, o trabalho deles já não significava contribuição valiosa para o bem comum.

Homens da classe trabalhadora sem diploma universitário votaram em massa em Donald Trump. A atração deles pela política de injustiça e ressentimento de Trump sugere que estivessem angustiados por mais motivos além das dificuldades financeiras. Assim como uma expressão de futilidade que crescia nos anos que culminaram com as eleições de Trump: enquanto as circunstâncias de trabalho para pessoas sem credenciais meritocráticas se tornaram desencorajadoras, uma quantidade crescente de homens em idade para trabalhar abandonou totalmente a força de trabalho.

Em 1971, 93% dos homens brancos da classe trabalhadora estavam empregados. Em 2016, apenas 80% estavam. Dos 20% que não tinham emprego, apenas uma pequena fração procurava trabalho. Como se derrotados pelas indignidades de um mercado de trabalho indiferente para suas habilidades, a maioria simplesmente desistiu. O abandono do trabalho era severo principalmente entre quem não fez faculdade. Entre estadunidenses cuja mais alta qualificação era diploma de ensino médio, apenas 68% estavam empregados em 2017.[6]

## MORTES POR DESESPERO

Mas desistir do trabalho não era a expressão mais atroz do dano moral causado em estadunidenses da classe trabalhadora. Vários estavam desistindo da própria vida. A mais trágica indicação disso é o aumento de "mortes por desespero". O termo foi cunhado por Anne Case e Angus Deaton, dois economistas de Princeton que recentemente fizeram uma inquietante descoberta. Ao longo do século XX, à medida que a medicina moderna afastava doenças, a expectativa de vida aumentava constantemente. Mas de 2014 a 2017 ela estacionou e até mesmo caiu. Pela primeira vez em um século a expectativa de vida nos Estados Unidos decresceu durante três anos seguidos.[7]

Isso não foi porque as ciências médicas pararam de descobrir novas curas e tratamentos para doenças. Taxas de mortalidade estavam subindo, segundo Case e Deaton, devido a uma epidemia de mortes causadas por suicídios, overdose de drogas e doenças hepáticas relacionadas ao alcoolismo. Eles as denominaram "mortes por desespero", porque eram, de variadas maneiras, autoinfligidas.[8]

Essas mortes, que se acumulavam ao longo de mais de uma década, eram frequentes, sobretudo, entre adultos brancos de meia-idade. Entre homens e mulheres de 45 a 54 anos, as mortes por desespero triplicaram de 1990 a 2017.[9] Em 2014, pela primeira vez, mais pessoas nesse grupo morriam em decorrência do uso de drogas, de álcool e do suicídio do que por doenças cardíacas.[10]

Entre as pessoas que vivem a alguma distância de comunidades da classe trabalhadora, a crise, a princípio, quase não foi notada, e a dimensão da perda foi suplantada pela falta de atenção pública. No entanto, até 2016, morreram mais estadunidenses a cada ano por overdose de droga do que durante toda a guerra do Vietnã.[11] Nicholas Kristof, colunista do jornal *The New York Times,* oferece outra comparação forte: hoje, morrem mais estadunidenses por desespero *a cada duas semanas* do que morreram durante 18 anos de guerra no Afeganistão e no Iraque.[12]

Qual será a causa dessa epidemia sombria? Uma pista reveladora pode ser encontrada no contexto educacional de quem é mais vulnerável a ela. Case e Deaton descobriram que "o aumento das mortes por desespero estava quase todo concentrado entre as pessoas que não têm diploma universitário. Quem tem curso superior de quatro anos está, na maioria, livre disso; quem não tem diploma corre mais risco".[13]

A taxa de mortalidade geral para homens brancos e mulheres brancas de meia-idade (entre 45 e 54 anos) não mudou muito ao longo das duas últimas décadas. Mas a mortalidade varia muito conforme a formação educacional. Desde os anos 1990, a taxa de mortalidade para pessoas formadas em uma faculdade caiu 40%. Para quem não tem diploma universitário, aumentou 25%. Eis aqui outra vantagem dos bem credenciados. Se você tem bacharelado, seu risco de morrer na meia-idade é apenas um quarto do risco que as pessoas sem diploma de curso superior encaram.[14]

Mortes por desespero são responsáveis por grande parte dessa diferença. Pessoas com um menor nível de formação educacional há muito tempo estão mais expostas ao risco de morrer em decorrência do uso de álcool ou de drogas, ou por suicídio do que quem tem diploma universitário. Mas essa divisão por diploma em casos de morte tem se agravado cada vez mais. Até 2017, homens sem diploma universitário tinham três vezes mais probabilidade de morrer em decorrência de mortes por desespero do que pessoas que se formaram na faculdade.[15]

Pode-se pensar que a causa subjacente é infelicidade decorrente de pobreza, e que diferenças em formação educacional existem apenas porque quem tem menos formação educacional provavelmente é pobre. Case e Deaton levam em consideração essa possibilidade, mas pensam que não é convincente. O aumento dramático no número de mortes por desespero entre 1999 e 2017 não corresponde a um aumento geral da pobreza. Os dois também investigaram estado por estado e não encontraram qualquer relação convincente entre mortes por suicídio, overdose de drogas e álcool e o aumento nos níveis de pobreza.

Algo mais do que a privação material estava incitando o desespero, algo distinto da difícil condição de pessoas lutando para sobreviver na sociedade meritocrática sem as credenciais que ela honra e recompensa. As mortes por desespero, Case e Deaton concluíram, "refletem a perda de um modo de vida para a classe trabalhadora branca e com menos formação educacional, em longo prazo, e que se desdobrou lentamente".[16]

> O aumento da distância entre pessoas com e sem diploma não se manifesta apenas na morte, mas também na qualidade de vida; quem não tem diploma está percebendo o aumento em seu nível de dor, problemas de saúde e sérios distúrbios mentais, além do

> declínio na habilidade para trabalhar e para se socializar. A distância está também aumentando em relação à renda, à estabilidade familiar e à comunidade. A formação em um curso universitário de quatro anos tornou-se *a* marca-chave de status social, como se houvesse uma exigência, para quem não tem diploma, de usar um crachá vermelho redondo com a sigla BA [de bacharelado] cortada por uma linha vermelha diagonal.[17]

Essa condição, infelizmente, sustenta a observação de Michael Young de que "em uma sociedade que valoriza tanto o mérito" é difícil "ser julgado por não ter nenhum. Nenhuma classe inferior jamais foi moralmente desnudada assim".[18]

É também uma assustadora reminiscência do argumento de John Gardner a favor da "excelência" e triagem educacional no início da década de 1960. Ao reconhecer o lado negativo da meritocracia, ele foi mais presciente do que imaginava. Quem "enxergava a beleza de um sistema em que todas as pessoas jovens poderiam chegar até onde suas habilidades e sua ambição os levassem" facilmente ignorava "a dor envolvida para quem não tinha a habilidade necessária", Gardner escreveu. "Ainda assim, dor há e deve haver".[19]

Duas gerações depois, quando a oxicodona se tornou a droga que anestesiava a dor, a crescente onda de mortes revelou uma consequência sombria da triagem meritocrática: um mundo do trabalho que concede pouca dignidade às pessoas que não foram selecionadas.

## FONTES DE RESSENTIMENTO

Durante as prévias do Partido Republicano em 2016, Donald Trump, então um candidato insurgente concorrendo contra a ordem social estabelecida, foi mais bem-sucedido em lugares onde a taxa de mortalidade por desespero era mais alta. Uma análise eleitoral por condado concluiu que, mesmo levando renda em consideração, o índice de mortes entre pessoas brancas de meia-idade estava fortemente relacionado ao apoio a Trump. Assim como a falta de um diploma universitário.[20]

Um dos motivos para especialistas e políticos líderes ficarem chocados e perplexos com a eleição de Trump é o fato de que estavam desatentos à cultura da condescendência que estava sendo construída havia um tempo (e em alguns casos foram cúmplices dela). Essa cultura surgiu, em grande parte, do projeto de triagem meritocrática e da desigualdade resultante da globalização favorável ao mercado. Mas é expressa por toda a vida estadunidense. Os personagens de *sitcoms* que são pais da classe trabalhadora, por exemplo Archie Bunker em *Tudo em família* e Homer Simpson em *Os Simpsons*, são, sobretudo, bufões. Acadêmicos da comunicação concluíram que os pais trabalhadores de uniforme são retratados como idiotas ineficientes, alvos de piadas, com frequência dominados pela esposa, que é mais competente e sensível. Pais da classe média alta e com formação profissional são retratados de maneira mais positiva.[21]

A depreciação da classe trabalhadora pela elite pode ser ouvida em conversas comuns. Joan Williams, um professor na faculdade de direito Hastings College of Law em São Francisco, criticou progressistas pela "falta de noção de classe".[22]

> Com demasiada frequência, dentro da classe média e da classe alta, de forma inconsciente, elites (progressistas incluídos, de modo enfático) menosprezam os brancos da classe trabalhadora. Ouvimos falar da "ralé dos trailers" com "cofrinho de encanador" dos "estados esquecidos" – insultos de classe escancarados, que passam por piadas. Essa condescendência afeta campanhas políticas, como o comentário de Hillary Clinton sobre "os deploráveis" e o de Barack Obama sobre pessoas que "se apegam a armas ou religião".[23]

Williams reconhece que "o ressentimento econômico alimentou a ansiedade racial que, em alguns apoiadores de Trump (e no próprio Trump), sangra em racismo explícito. Mas eliminar a raiva da classe trabalhadora branca como se não fosse nada além de racismo é um modo intelectual de buscar consolo, e é perigoso".[24]

Barbara Ehrenreich, uma jornalista que escreve sobre trabalho e classe, faz uma observação semelhante. Ela cita a escrita de W. E. B. Du Bois, em 1935: "Deve-se lembrar que o grupo de trabalhadores brancos, enquanto recebiam um salário baixo, eram em parte compensados por um tipo de remuneração pública e psicológica." Diferentemente dos afro-estadunidenses, cidadãos brancos da classe trabalhadora eram "aceitos sem reservas junto a todas as classes de pessoas brancas para funções públicas, parques públicos e para as melhores escolas públicas".[25] Essa "remuneração pública e psicológica" é o que hoje se conhece pelo nome de "privilégio branco".

Depois do movimento pelos direitos civis, Ehrenreich sugere, a segregação racial que endossou esse perverso subsídio salarial psicológico acabou deixando pessoas brancas e pobres sem "o conforto de saber que alguém estava em pior situação e mais desprezados do que elas eram". As elites liberais que "se sentem corretas em sua repugnância ao racismo branco da classe baixa" estão certas em condenar o racismo.[26] Mas eles não conseguem enxergar como é irritante atribuir "privilégio branco" para homens e mulheres brancos da classe trabalhadora que perderam poder; isso ignora a luta deles para ganhar honra e reconhecimento em uma ordem meritocrática que tem pouca consideração pelas habilidades que eles têm a oferecer.

Katherine J. Cramer, cientista política na Universidade de Wisconsin-Madison, passou cinco anos entrevistando pessoas em comunidades rurais em Wisconsin e chegou a um relato marcado pela política do ressentimento.[27] Residentes de comunidades rurais acreditavam que muito dinheiro de impostos e muita atenção do governo eram direcionados a pessoas que não os mereciam. "Pessoas que não mereciam incluía minorias raciais inscritas em políticas de bem-estar social", Cramer escreveu, "mas também incluía profissionais urbanos preguiçosos que, como eu, trabalham em escritório e produzem nada mais do que ideias". Racismo é parte do ressentimento dessas pessoas, ela explicou, mas está emaranhado com o receio mais básico "de que pessoas como elas, em lugares como os delas, eram ignoradas e desrespeitadas".[28]

Em uma das crônicas mais tocantes sobre o descontentamento da classe trabalhadora, Arlie Russell Hochschild, socióloga na Universidade da Califórnia, em Berkeley, embrenhou-se nos pântanos do interior da Luisiana. Em conversas à mesa da cozinha com trabalhadores de posição conservadora no Sul, ela buscou compreender por que as pessoas que desesperadamente precisavam de ajuda do governo – principalmente para lutar contra as empresas de combustível e produtos químicos que causaram desastres ambientais nas comunidades – ainda assim menosprezavam e desconfiavam do governo federal. Ela organizou uma história, uma reconstrução a partir de sua interpretação daquilo que aprendeu, descrevendo "a esperança, os medos, o orgulho, a vergonha, o ressentimento e a ansiedade na vida das pessoas com quem [ela] conversou".[29]

Sua história era um conto que costurava privação econômica com deslocamento cultural. O progresso econômico tornara-se mais difícil quando "restrito a uma elite pequena". Para os 90% da base, a máquina do Sonho Americano "parou devido à automação, à deslocalização industrial e ao crescente poder de multinacionais *vis-à-vis* sua força de trabalho. Ao mesmo tempo, para esses 90% a competição entre homens brancos e todas as outras pessoas havia aumentado – por empregos, reconhecimento e financiamento do governo".[30] Para piorar as coisas, quem acreditava ter esperado pacientemente por sua chance no Sonho Americano descobriu outras pessoas furando a fila: pessoas negras, mulheres, imigrantes, refugiados. Guardavam ressentimento dessas pessoas que enxergavam como quem furava fila (beneficiadas por ações afirmativas, por exemplo) e sentiam raiva de líderes políticos que permitiam a elas se dar bem.[31]

Quando quem estava esperando a vez reclamou de quem estava furando fila, as elites os chamaram de racistas, "capiais", "lixo branco", e outros xingamentos. Hochschild ofereceu esse relato empático sobre a dura situação que desafiava seus anfitriões trabalhadores assediados:

> Você é um estranho em sua própria terra. Você não se reconhece na forma como os demais o enxergam. É uma luta para se sentir

> visto e honrado. E, para se sentir honrado, você precisa sentir que está indo em frente – e sentir que é visto assim. Mas não por culpa sua, e de formas não reveladas, você está escorregando para trás.[32]

Qualquer resposta séria às frustrações da classe trabalhadora deve combater a condescendência e o preconceito credencialista da elite, que se tornaram corrente na cultura pública. Também deve colocar a dignidade do trabalho no centro dos interesses políticos. Isso não é tão fácil quanto pode parecer. Pessoas de convicções ideológicas variadas manterão noções que rivalizam o sentido de, em uma sociedade, respeitar a dignidade do trabalho, sobretudo, quando globalização e tecnologia, com sua tendência aparentemente inevitável, ameaçam enfraquecer isso. Mas o modo como uma sociedade honra e recompensa o trabalho é importante para a maneira como ela define o bem comum. Refletir sobre o sentido de trabalho nos forçaria a confrontar questões morais e políticas que, ao contrário, evitamos, mas que ficam à espreita, intocadas, abaixo da superfície do nosso atual descontentamento: o que conta como contribuição valiosa para o bem comum e o que devemos, uns aos outros, como cidadãos?

## A RENOVAÇÃO DA DIGNIDADE DO TRABALHO

À medida que a desigualdade aumentou nos últimos anos e que o ressentimento da classe trabalhadora reuniu forças, alguns políticos reagiram com discursos sobre a dignidade do trabalho. Bill Clinton usou o termo mais do que qualquer presidente anterior a ele e Donald Trump se refere a isso com frequência.[33] Tornou-se gesto retórico popular para políticos em todo o âmbito da política, mas sobretudo, em posições políticas informais.[34]

Algumas pessoas conservadoras argumentam que o corte nas políticas de bem-estar social honra a dignidade do trabalho, tornando a vida mais difícil para quem é ocioso e cortando a relação de dependência entre essas pessoas e o governo. O secretário da agricultura de Trump afirmou que reduzir o acesso a vale-refeição "restaura a dignidade do trabalho a um segmento considerável de nossa população". Quando, em 2017, defendeu um projeto de lei que propunha isenção de impostos para corporações e, principalmente, beneficiava ricos, Trump afirmou que o objetivo dele era "que todos os estadunidenses conhecessem a dignidade do trabalho, o orgulho de um contracheque".[35]

Da parte deles, liberais algumas vezes apelam para a dignidade do trabalho, na tentativa de fortalecer a rede de segurança e impulsionar o poder de compra de pessoas trabalhadoras – aumentando o salário mínimo, oferecendo políticas de saúde, licença família e cuidados infantis, além de proporcionar incentivo fiscal para famílias de baixa renda. Mas essa retórica, apoiada por essas propostas políticas substanciais, não conseguiu aplacar a raiva e o ressentimento que levou à vitória de Trump em 2016. Muitos liberais acharam isso intrigante. Como poderia tanta gente que se beneficiava economicamente dessas medidas votar em um candidato contra elas?

Uma resposta comum é que eleitores brancos da classe trabalhadora, levados pelo medo do deslocamento cultural, ignoraram ou foram além de seus interesses econômicos para "votar com o dedo do meio", como alguns comentaristas afirmaram. Mas essa explicação é muito precipitada. Faz uma distinção muito radical entre interesse econômico e status cultural. Preocupações econômicas não são apenas relacionadas a dinheiro dentro do bolso de alguém; são também relacionadas a como o papel de alguém na economia afeta o posicionamento dessa pessoa na sociedade. Quem foi deixado para trás durante quatro décadas de globalização e de desigualdade crescente sofria não apenas com a estagnação do salário, vivenciava o que temia ser crescente obsolescência. A sociedade na qual se vivia já não parecia precisar das habilidades que tinha a oferecer.

Robert F. Kennedy, em busca da nomeação de seu partido para a presidência em 1968, compreendeu isso. A dor do desemprego não era simplesmente porque os desempregados não tinham renda, mas porque eles estavam privados da oportunidade de contribuir com o bem comum. "Desemprego significa nada ter para fazer – o que significa nada ter a ver com o restante de nós", ele explicou. "Estar sem trabalho, não ter utilidade para os demais cidadãos significa, na verdade, ser o homem invisível do qual escreveu Ralph Ellison".[36]

Isso que Kennedy vislumbrou acerca do descontentamento em seu tempo é o que os liberais contemporâneos não percebem em relação ao nosso. Eles têm oferecido a eleitores da classe trabalhadora e da classe média uma medida ainda maior de justiça distributiva – acesso mais justo e mais amplo aos frutos do crescimento econômico. Mas o que esses eleitores querem ainda mais é uma medida ainda maior de justiça comutativa – oportunidade de ganhar reconhecimento social e estima que acompanha a produção do que os demais necessitam e valorizam.

A ênfase liberal em justiça distributiva com razão oferece um contrapeso para o foco concentrado em maximizar o PIB. Isso surgiu da convicção de que uma sociedade justa não está focada em apenas aumentar o nível de prosperidade geral; ela também busca uma distribuição justa de renda e riqueza. De acordo com esse raciocínio, políticas destinadas a aumentar o PIB (tais como acordos de livre-comércio ou políticas que incentivam empresas a adotar a terceirização da mão de obra para países onde o salário é mais baixo) podem ser defendidas apenas se os vencedores compensarem os perdedores. Por exemplo, o aumento do lucro de empresas e de indivíduos que ganham com a globalização poderia ser taxado para fortalecer a rede de segurança social e proporcionar apoio à renda ou treinamento de reciclagem para trabalhadores fora do mercado.

Essa abordagem construiu o pensamento de partidos líderes de centro-esquerda (e alguns de centro-direita) nos Estados Unidos e na Europa, desde os anos 1980: acolher a globalização e o aumento da prosperidade que ela traz, mas usar os ganhos para equilibrar a perda que trabalhadores locais sofrem. O protesto populista resulta na renúncia desse projeto. Ao olhar para os destroços deixados para trás, podemos ver por que esse projeto falhou.

Em primeiro lugar, nunca foi realmente implementado. O crescimento econômico ocorreu, mas os vencedores não compensaram os perdedores. Em vez disso, a globalização neoliberal resultou em um aumento inabalável da desigualdade. Quase todas as conquistas advindas do crescimento econômico foram para as pessoas do topo, e a maioria daquelas na classe trabalhadora viu pouco ou nenhum desenvolvimento, mesmo depois dos impostos. O aspecto redistributivo do projeto foi interrompido devido, em parte, ao crescente poder do dinheiro na política, o que algumas pessoas chamam de "clientelismo" das instituições democráticas.

Mas havia um outro problema. O foco em maximizar o PIB, ainda que acompanhado de ajuda para quem foi deixado para trás, enfatiza o consumo em vez da produção. E nos convida a pensar em nós mesmos mais como consumidores do que como produtores. Na prática, obviamente somos os dois. Como consumidores, queremos obter o máximo com nosso dinheiro, comprar bens e contratar serviços o mais barato possível, independentemente de serem feitos por trabalhadores com o salário baixo em outros países ou por trabalhadores estadunidenses bem remunerados.

Passa a ser responsabilidade da política conciliar nossa identidade de consumidor com a de produtor. No entanto, o projeto de globalização buscou maximizar o crescimento econômico e, portanto, a prosperidade de consumidores, com pouca atenção aos efeitos da terceirização, da imigração e da financeirização no bem-estar dos produtores. As elites que presidiram a globalização, além de não abordar a desigualdade gerada, não reconheceram seus efeitos corrosivos para a dignidade do trabalho.

## TRABALHO COMO RECONHECIMENTO

As propostas de políticas para compensar a desigualdade por meio de aumento do poder de compra de famílias das classes trabalhadora e média, ou para fortalecer a rede de segurança, terão pouco resultado na abordagem da raiva e do ressentimento que hoje estão fortes demais. Isso porque a raiva é decorrente da falta de reconhecimento e de estima. Ainda que a diminuição do poder de compra seja obviamente importante, a ferida que mais provoca o ressentimento de pessoas trabalhadoras é no seu status como produtoras. Essa ferida é efeito da combinação da triagem meritocrática com a globalização favorável ao mercado.

Somente um programa político que reconhece essa ferida e que busca renovar a dignidade de trabalho pode dialogar com mais eficácia com o descontentamento que agita nossa política. Um programa assim deve atender à justiça comutativa, bem como à distributiva.[37] Isso porque a raiva por todo o território é uma crise de reconhecimento, pelo menos em parte. E é nosso papel como produtores, não consumidores, contribuir para o bem comum e receber reconhecimento por isso.

O contraste entre a identidade de consumidor e a de produtor indica duas maneiras diferentes de compreender o bem comum. Uma abordagem, familiar entre legisladores da economia, define o bem comum como soma das preferências e interesses de todo mundo. De acordo com esse relato, alcançamos o bem comum ao maximizarmos a prosperidade consumidora, o que, em geral, ocorre com a maximização do crescimento econômico. Se o bem comum for apenas uma questão de satisfazer as preferências do consumidor, os salários de mercado serão, portanto, uma boa medida para quem contribuiu com o quê. Quem recebe mais dinheiro, presume-se, fez mais contribuições valiosas para o bem comum, ao produzirem os bens e oferecerem os serviços que consumidores querem.

Uma segunda abordagem rejeita essa noção consumista do bem comum a favor do que pode ser chamado de uma concepção cívica. Conforme a ideia cívica, o bem comum não é simplesmente uma questão de somar preferências ou maximizar o bem-estar do consumidor. É uma questão de refletir de forma crítica sobre nossas preferências – o ideal é que seja para elevar e melhorá-las –, de tal maneira que possamos viver uma vida digna e próspera. Não é possível alcançar isso através de atividades econômicas apenas. Exige deliberar com nossos companheiros cidadãos acerca de como fazer uma sociedade justa e boa funcionar, uma que cultive a virtude cívica e nos possibilite raciocinar juntos sobre os propósitos dignos de nossa comunidade política.[38]

A concepção cívica do bem comum requer, portanto, certo tipo de política, tal que proporcione local e ocasião para deliberação pública. Mas também sugere certa maneira de pensar sobre o trabalho. Do ponto de vista da concepção cívica, o papel mais importante que temos na economia não é como consumidores, mas como produtores. Porque é como produtores que desenvolvemos e utilizamos nossas habilidades para proporcionar bens e serviços que atendem às necessidades de nossos companheiros cidadãos e que conquistam estima social. O verdadeiro valor de nossa contribuição não pode ser medido pelo salário que recebemos, porque os salários dependem, conforme o filósofo economista Frank Knight destacou (veja no capítulo 5), de contingências de oferta e procura. O valor de nossa contribuição depende, em vez disso, da importância moral e cívica dos fins aos quais nossos esforços servem. Isso envolve um julgamento moral independente que o mercado de trabalho, não importa quão eficiente, não consegue proporcionar.

A noção de que a política econômica é, no fim, para o bem do consumo hoje é tão familiar que é difícil pensar diferente disso. "O consumo é o único objetivo e propósito de toda a produção", Adam Smith declarou em *A riqueza das nações*, "ao passo que o interesse do produtor deve ser atendido somente na medida em que possa ser necessário para promover o interesse do consumidor".[39] John Maynard Keynes reverberou Smith e afirmou que o consumo "é o único fim e objetivo da atividade econômica",[40] e a maioria dos economistas contemporâneos concorda. Mas uma tradição mais antiga de pensamento moral e político defendeu outra ideia. Aristóteles argumentava que a prosperidade humana depende de conhecer nossa natureza, cultivando e praticando nossas habilidades. A tradição republicana nos Estados Unidos ensinou que determinadas ocupações – primeiro na agricultura, depois no artesanato e então o trabalho livre, de modo geral – cultivam as virtudes que proporcionam autonomia aos cidadãos.[41]

No século XX, a ética do produtor, de tradição republicana, gradualmente deu espaço para noções consumistas de liberdade e para uma política econômica de crescimento econômico.[42] Mas a ideia de que, mesmo em uma sociedade complexa, o trabalho reúne cidadãos em um esquema de contribuição e reconhecimento mútuo não desapareceu por completo. Algumas vezes, encontrou expressão inspiradora. Em um discurso para garis, em Memphis, Tennessee, pouco tempo antes de ser assassinado, o reverendo Martin Luther King, Jr. relacionou a dignidade dos trabalhadores que atuam na limpeza da cidade com a contribuição deles para o bem comum.

> Um dia nossa sociedade respeitará os trabalhadores que atuam na limpeza, se ela sobreviver; porque a pessoa que coleta nosso lixo é, em última análise, tão significante quanto o médico, porque se ele não fizesse seu trabalho, doenças estariam desenfreadas.[43]

Em uma carta encíclica de 1981, "Sobre o trabalho humano" [*Laborem Exercens*], o papa João Paulo II afirmou que, mediante o trabalho, o homem "se realiza a si mesmo como homem e até, em certo sentido, 'se torna mais homem'". Ele também enxergava que o trabalho estava ligado à comunidade. "Tudo isto faz com que o homem ligue a sua identidade humana mais profunda ao fato de pertencer a uma nação, e encare o seu trabalho também como algo que irá aumentar o bem comum procurado juntamente com os seus compatriotas."[44]

Alguns anos depois, a Conferência Nacional dos Bispos Católicos publicou uma carta pastoral detalhando um ensinamento social católico sobre economia, oferecendo uma definição explícita para justiça "comutativa". Todas as pessoas "têm obrigação de ser participante ativo e produtivo na vida da sociedade", e o governo tem "obrigação de organizar instituições econômicas e sociais para que pessoas possam contribuir com a sociedade de forma que respeite sua liberdade e a dignidade de seu trabalho".[45]

Alguns filósofos seculares expressaram perspectivas semelhantes. O teórico socialista alemão Axel Honneth argumentou que conflitos contemporâneos acerca da distribuição de renda e riqueza podem ser mais bem compreendidos como conflitos sobre reconhecimento e estima.[46] Apesar de ele fazer uma conexão entre essa ideia e a filosofia de Hegel, um pensador notoriamente difícil, ela é intuitivamente plausível para qualquer fã de esportes que acompanhou as controvérsias sobre salário que envolviam atletas muito bem pagos. Quando fãs reclamam de um jogador que já recebe milhões, mas ainda assim exige mais, o atleta invariavelmente responde: "não tem a ver com dinheiro; tem a ver com respeito".

Isso é o que Hegel quer dizer com luta por reconhecimento. Mais do que um sistema voltado para satisfazer com eficiência as necessidades, o mercado do trabalho, de acordo com Hegel, é um sistema de reconhecimento. Ele não só remunera o trabalho com salário, mas reconhece publicamente o trabalho de cada pessoa como contribuição para o bem comum. Os mercados, por si só, não proporcionam aos trabalhadores habilidades nem conferem reconhecimento; portanto, Hegel propôs uma instituição similar às associações ou grêmios comerciais, para garantir que as habilidades dos trabalhadores fossem adequadas para fazer contribuições vistas como dignas de estima pública. Em suma, Hegel argumentou que a organização capitalista do trabalho que surgia em seu tempo poderia ser justificada eticamente apenas sob duas condições, que foram descritas sucintamente por Honneth: "Primeiro, deve oferecer um salário mínimo; segundo, deve dar a todas as atividades trabalhistas um formato que as revele como contribuição para o bem comum."[47]

Oitenta anos depois, o teórico sociólogo francês Émile Durkheim se fundamentou no relato de Hegel sobre trabalho, argumentando que a divisão do trabalho pode ser fonte de solidariedade social, desde que a contribuição de todo mundo seja remunerada de acordo com seu real valor para a comunidade.[48] Diferente de Smith, de Keynes e de vários economistas da atualidade, Hegel e Durkheim não enxergavam o trabalho principalmente como meio para o fim de consumo. Em vez disso, eles argumentavam que trabalho, na melhor das hipóteses, é uma atividade de integração social, uma arena de reconhecimento, uma forma de honrar nossa obrigação de contribuir para o bem comum.

## JUSTIÇA COMUTATIVA

Em nossa época profundamente polarizada, quando uma quantidade grande de trabalhadores se sente ignorada e não reconhecida, quando precisamos, desesperadamente, de fontes de coesão social e solidariedade, pode parecer que essas noções mais robustas da dignidade do trabalho estariam presentes no argumento político dominante. Mas não é o caso. Por que não? Por que os interesses políticos reinantes são resistentes ao aspecto contributivo da justiça e à ética focada no produtor subjacente a ela?

A resposta talvez seja simplesmente para permanecer em nosso amor pelo consumo, junto com a crença de que o crescimento econômico traz bens. Mas algo mais profundo está em jogo. Além dos benefícios materiais que promete, fazer do crescimento econômico o objetivo principal da política pública tem um apelo especial em sociedades pluralistas como a nossa, que têm uma abundância de divergências. Parece nos poupar da necessidade de debates contenciosos sobre questões moralmente polêmicas.

As pessoas têm pontos de vista variados sobre o que é importante na vida. Discordamos sobre o que significa prosperidade do ser humano. Como consumidores, somos diferentes em nossas preferências e nossos desejos. Diante dessas diferenças, maximizar o bem-estar do consumidor parece objetivo de valor neutro para a política econômica. Se o bem-estar do consumidor for o objetivo, não obstante nossas preferências díspares, mais será melhor do que menos. Discordâncias inevitavelmente surgem sobre como distribuir os frutos do crescimento econômico, daí a necessidade de debater a justiça distributiva. Mas todo mundo pode concordar, ou assim parece, que "aumentar o bolo econômico" é melhor do que diminuí-lo.

A justiça comutativa, ao contrário, não é neutra em relação à prosperidade do ser humano nem ao melhor modo de viver. De Aristóteles à tradição republicana estadunidense, de Hegel à Doutrina Social da Igreja, teorias sobre justiça comutativa nos ensinam que somos seres humanos mais completos quando contribuímos para o bem comum e conquistamos a estima de nossos companheiros cidadãos pelas contribuições que fazemos. De acordo com essa tradição, a necessidade humana fundamental é ser necessário para as pessoas com quem compartilhamos uma vida em comum. A dignidade do trabalho consiste em usar nossas habilidades para atender a essas necessidades. Se isso for o significado de viver uma vida boa, será então um erro conceber consumo como "o único fim e objetivo da atividade econômica".

Uma economia política preocupada somente com o tamanho e a distribuição do PIB diminui a dignidade do trabalho e empobrece a vida cívica. Robert F. Kennedy compreendeu isso: "Parceria, comunidade, patriotismo compartilhado: esses valores essenciais de nossa civilização não resultam de apenas comprar e consumir bens ao mesmo tempo." Resultam, sim, de um "emprego digno com remuneração decente, o tipo de trabalho que permite a um homem dizer para sua comunidade, para sua família, para seu país e, mais importante, para si mesmo: 'Eu ajudei a construir este país; sou participante de seus grandiosos empreendimentos.'"[49]

Poucos políticos falam assim hoje em dia. Nas décadas que se seguiram a RFK, os progressistas abandonaram massivamente as políticas de comunidade, patriotismo e a dignidade do trabalho, e ofereceram, em vez disso, a retórica da ascensão. Para quem se preocupou com salários estagnados, terceirização, desigualdade e o medo de que imigrantes e robôs estivessem chegando para pegar os empregos, as elites governantes ofereceram um conselho animador: faça faculdade. Prepare-se para competir e vencer na economia global. O que você vai conquistar depende do que você consegue aprender. Você consegue, se tentar.

Esse foi um idealismo pertinente a uma era global, meritocrática, favorável ao mercado. Isso honrou vencedores e insultou perdedores. Em 2016, acabou esse tempo. A chegada do Brexit e de Trump, além da ascensão de partidos hipernacionalistas e anti-imigrantes na Europa, anunciaram o fracasso do projeto. A pergunta agora é qual seria a característica de um projeto político alternativo.

## DEBATE SOBRE A DIGNIDADE DO TRABALHO

A dignidade do trabalho é um bom ponto de partida. Superficialmente, não parece ser um ideal polêmico. Nenhum político se opõe a ela. No entanto, interesses políticos que levam o trabalho a sério, que o tratam como espaço para reconhecimento, levantariam questões constrangedoras para os liberais dominantes, assim como para os conservadores. Isso porque questionaria a premissa compartilhada amplamente por proponentes da globalização favorável ao mercado: que os resultados do mercado refletem o valor social verdadeiro das contribuições que pessoas fazem ao bem comum.

Por falar em remuneração, a maioria das pessoas concordaria que o que se recebe por este ou aquele emprego em geral exagera ou subestima o valor social real do trabalho que é feito. Somente um libertário ardente insistiria na ideia de que a contribuição de um magnata do cassino para a sociedade é mil vezes mais valiosa do que a de um pediatra. Em uma sociedade de mercado, no entanto, é difícil não cair na tendência de confundir o dinheiro que recebemos com o valor de nossa contribuição para o bem comum.

Essa confusão não é meramente resultado de um pensamento descuidado. Não foi deixada de lado por argumentos filosóficos que revelam suas falhas. Reflete a tentação da esperança meritocrática de que o mundo seja organizado de tal maneira a alinhar o que recebemos com o que nos é de direito. Essa é a esperança que tem alimentado o pensamento providencialista desde o discurso do Antigo Testamento ao de hoje sobre estar "do lado certo da história".

Em sociedades favoráveis ao mercado, interpretar o sucesso material como sinal de mérito moral é uma tentação persistente, que de modo contínuo precisamos resistir. Uma forma de fazer isso é debater e decretar medidas que nos façam refletir, deliberada e democraticamente, sobre o que são contribuições verdadeiramente valiosas para o bem comum e onde o veredito do mercado está sendo impreciso.

Esperar que tal debate resulte em acordo não seria realista; o bem comum é inevitavelmente contestável. Mas um debate renovado sobre a dignidade do trabalho interromperia nossa complacência partidária, revigoraria moralmente nosso discurso público e nos levaria para além das políticas polarizadas, legado das quatro décadas de fé no mercado e arrogância meritocrática.

Como exemplos, pense em duas versões de projetos políticos concentrados na dignidade do trabalho e na necessidade de questionar os resultados do mercado para afirmá-lo. Uma tem origem conservadora e a outra, progressista.

## A ARROGÂNCIA DA "AGENDA ABERTA"

A primeira vem de um pensador jovem e conservador que certa vez trabalhou como conselheiro político para o candidato à presidência pelo Partido Republicano Mitt Romney. Em um livro sagaz, *The Once And Future Worker* [Para sempre trabalhador], Oren Cass oferece uma série de propostas que abordam as queixas que Trump mencionou, mas não solucionou. Cass argumenta que a renovação do trabalho nos Estados Unidos exige que os republicanos abram mão de sua forma ortodoxa de abraçar o mercado. Em vez de forçar o corte de impostos corporativos e o livre-comércio sem restrições na esperança de impulsionar o PIB, republicanos deveriam se concentrar em políticas que possibilitem aos trabalhadores encontrar um emprego que remunere bem, o suficiente para sustentar uma família e uma comunidade que sejam fortes. Cass defende que isso é mais importante para uma boa sociedade do que o crescimento econômico.[50]

Uma das políticas que ele propõe para alcançar esse objetivo é a de subsídio salarial para trabalhadores de baixa renda – o que dificilmente seria um feito padrão dos republicanos. A ideia é que o governo proporcionasse um pagamento suplementar para cada hora trabalhada por um empregado de baixa renda, com base em um salário-hora preestabelecido. O subsídio salarial é, de certo modo, o contrário do imposto sobre folha de pagamento. Em vez de deduzir certa quantidade da remuneração de cada trabalhador, o governo contribuiria com uma determinada quantia, na esperança de permitir a trabalhadores de baixa renda viver de forma decente, ainda que não tenham a qualificação para receber um salário de mercado substancial.[51]

Uma versão radical da proposta de subsídio salarial foi aprovada por alguns países europeus quando em 2020 a pandemia do Coronavírus parou a economia deles. Em vez de oferecer auxílio-desemprego a trabalhadores que foram demitidos durante a pandemia, como fez o governo dos Estados Unidos, a Grã-Bretanha, a Dinamarca e a Holanda cobriram de 75% a 90% dos salários para empresas que não demitiram seus funcionários. A vantagem do subsídio salarial é que permite a empregadores manter empregados na folha de pagamento durante a emergência, em vez de dispensá-los e fazer com que dependam de seguro-desemprego. A abordagem dos Estados Unidos, no entanto, atenua os efeitos da perda do salário dos trabalhadores, mas não afirma a dignidade do trabalho, garantindo que manterão o emprego.[52]

Outras propostas que Cass oferece têm mais probabilidade de agradar aos conservadores, tais como diminuir exigências ambientais que custam empregos na indústria manufatureira e na mineração.[53] Sobre o tenso assunto da imigração e do livre-comércio, Cass recomenda que os analisemos do ponto de vista dos trabalhadores, não dos consumidores. Se nosso objetivo for o menor preço possível para o consumidor, ele observa, então o livre-comércio, a terceirização e as políticas de imigração relativamente abertas são desejáveis. Mas se a nossa preocupação principal for criar um mercado de trabalho que possibilite aos trabalhadores estadunidenses pouco qualificados ou com um nível mediano de habilidades ter uma vida decente, sustentar a família e construir uma comunidade, então algumas restrições no mercado, na terceirização e na imigração são justificáveis.[54]

Seja qual for o mérito da proposta específica de Cass, o que é interessante no projeto dele é que ele lida com as implicações da mudança de nosso foco de maximizar o PIB para criar um mercado de trabalho propício à dignidade do trabalho e à coesão social. Ao fazer isso, ele oferece uma crítica contundente aos proponentes da globalização, que insistem desde os anos 1990 na ideia de que a divisão política principal não é mais entre esquerda e direita, mas sim entre "aberto e fechado". Cass ressalta, com razão, que essa maneira de enquadrar o debate sobre a globalização determina que os "'vencedores' da economia moderna altamente qualificados, com formação universitária" têm mente aberta e seus críticos, mente fechada, como se questionar o fluxo livre de bens, de capital e de pessoas além das fronteiras nacionais fosse uma espécie de preconceito. É difícil imaginar um jeito mais condescendente de defender a globalização neoliberal para as pessoas que ela deixa para trás.[55]

Os proponentes da "agenda aberta" insistem na ideia de que a solução para quem não prospera é uma formação educacional melhor.

"A visão deveria ser inspiradora, na qual pessoas são levantadas para alcançar oportunidades melhores", Cass escreveu. "Suas implicações reais são menos exaltadas; se a economia não funcionar mais para o trabalhador mediano, é ele quem precisa se transformar em algo de que ela goste mais". Ele conclui que "a agenda aberta não é sustentável em uma democracia onde a maioria se vê deixada para trás; seus argumentos estão perdendo força". Citando o perigo do "populismo irresponsável", Cass afirma que "a questão não é se a agenda aberta vai perder, mas sim perder para o quê".[56]

## FINANÇA, ESPECULAÇÃO E BEM COMUM

Uma segunda abordagem à renovação da dignidade do trabalho, com mais probabilidade de repercutir entre os políticos progressistas, destacaria um aspecto do projeto de globalização que, com frequência, é ignorado por políticos dominantes: o crescente papel das finanças. A indústria financeira chamou a atenção do público de forma extrema durante a crise financeira de 2008. O debate que provocou era, principalmente, sobre os termos do resgate de contribuintes e como reformar Wall Street para reduzir o risco de crises futuras.

Muito menos atenção foi dada pelo público ao modo como as finanças refizeram a economia em décadas recentes e transformaram de maneira sutil o significado de mérito e sucesso. Essa transformação tem influência profunda na dignidade do trabalho. Mercado e imigração estão presentes de forma mais visível na reação populista contra a globalização do que as finanças; seus impactos no emprego e no status de pessoas da classe trabalhadora são palpáveis e viscerais. Mas a financeirização da economia pode ser mais destrutiva para a dignidade do trabalho e mais desmoralizante. Isso porque oferece talvez o mais elucidativo exemplo, em uma economia moderna, da distância entre o que o mercado recompensa e o que realmente contribui para o bem comum.

A indústria financeira hoje em dia tem grande destaque em economias avançadas, tendo crescido radicalmente durante muitas décadas. Nos

Estados Unidos, sua porção do PIB quase triplicou desde os anos 1950, e em 2008 foi responsável por mais de 30% do lucro corporativo. Seus empregados recebem 70% a mais do que trabalhadores com qualificação similar em outras indústrias.[57]

Isso não seria problema se toda essa atividade financeira fosse produtiva, se aumentasse a capacidade da economia de produzir bens e serviços de valor. Mas esse não é o caso. Mesmo em seu melhor contexto, as finanças, por si só, não são produtivas. Seu papel é facilitar a atividade econômica alocando capital em propósitos úteis para a sociedade: novos negócios, fábricas, estradas, aeroportos, escolas, hospitais e residências. Mas quando as finanças explodiram como porção da economia estadunidense nas últimas décadas, cada vez menos envolveu investimento na economia real. Cada vez mais envolveu engenharia financeira complexa que resulta em grandes lucros para pessoas envolvidas, mas que não fazem qualquer coisa para tornar a economia mais produtiva.[58]

Conforme Adair Turner, presidente da Autoridade de Serviços Financeiros da Grã-Bretanha, explicou, "não há evidências de que o crescimento em escala e em complexidade do sistema financeiro no mundo desenvolvido e rico ao longo dos últimos 20 a 30 anos resultou em maior crescimento ou estabilidade, e é possível que a atividade financeira busque renda [vantagens não justificadas] na economia real, em vez de agregar valor econômico".[59]

Esse julgamento deliberado é um veredito arrasador sobre a sabedoria popular que levou o governo Clinton e colegas do Reino Unido a desregular a indústria financeira em 1990. O que isso significa, em termos simples, é que os derivativos complexos e outros instrumentos financeiros criados por Wall Street nas últimas décadas na verdade prejudicaram a economia mais do que a ajudaram.

Pense em um exemplo concreto: em seu livro *Flash boys: revolta em Wall Street*, Michael Lewis conta a história de uma empresa que instalou um cabo de fibra ótica conectando negociantes de futuros em Chicago às bolsas de valores de Nova York. O cabo aumentou a velocidade do mercado de futuros de barriga de porco e de outras apostas especulativas em poucos milissegundos. Essa margem minúscula valia centenas de milhões de dólares para os operadores de alta frequência.[60] Mas é difícil argumentar que aumentar a velocidade dessas transações de um piscar de olhos para algo ainda mais rápido contribua com alguma coisa de valor para a economia.

A negociação de alta frequência não é a única inovação financeira de valor econômico dúbio; é difícil diferenciar dos jogos de cassinos os *swaps* de inadimplência de crédito que permitem que especuladores apostem em preços futuros sem investir em nenhuma atividade produtiva. Alguém ganha e os demais perdem, o dinheiro muda de mãos, mas nenhum investimento acontece no meio do caminho. Quando empresas utilizam os lucros para comprar de volta ações, em vez de investir em pesquisa e desenvolvimento, ou em novos equipamentos, os acionistas ganham, mas a capacidade produtiva da empresa não.

Em 1984, enquanto a financeirização começava a decolar, James Tobin, o renomado economista de Yale, ofereceu um presciente aviso sobre a "característica de cassino do nosso mercado financeiro". Ele se preocupou "com o fato de estarmos, cada vez mais, jogando nossos recursos, inclusive o melhor da nossa juventude, em atividades financeiras distantes da produção de bens e serviços, em atividades que geram recompensas particulares altas desproporcionais à sua produtividade social".[61]

É difícil saber exatamente quais atividades financeiras melhoram a capacidade produtiva da economia real e quais geram ganhos improdutivos para a indústria financeira, propriamente dita. Mas Adair Turner, uma autoridade confiável, estimou que em economias avançadas, tais como nos Estados Unidos e no Reino Unido, apenas 15% do fluxo financeiro segue para novas empresas produtivas, e não para especulação sobre ativos existentes ou derivativos sofisticados.[62] Ainda que isso subestime pela metade o aspecto produtivo das finanças, é um número preocupante. Suas implicações não são apenas econômicas, mas também morais e políticas.

Economicamente, sugere que muitas atividades financeiras dificultam, em vez de promover, o crescimento econômico. Moral e politicamente, revela uma grande discrepância entre as recompensas que o mercado concede às finanças e o valor de sua contribuição para o bem comum. Essa discrepância, juntamente com o prestígio desproporcional concedido aos envolvidos em ações especulativas, zomba da dignidade daqueles que ganham a vida produzindo bens e serviços úteis na economia real.

Aqueles que se preocupam com os efeitos econômicos adversos das finanças modernas propuseram vários modos de reformá-las. Minha preocupação, no entanto, é com suas implicações morais e políticas. Um projeto político que reconheça a dignidade do trabalho usaria o sistema tributário para reconfigurar a economia da estima, desencorajando a especulação e honrando o trabalho produtivo.

De modo geral, isso significaria transferir a carga tributária do trabalho para o consumo e para a especulação. Uma forma radical de fazer isso seria reduzir, ou até mesmo eliminar, o imposto de renda pessoal e os impostos sobre folha de pagamento e, por outro lado, aumentar a receita, tributando o consumo, a riqueza e as transações financeiras. Um passo modesto nessa direção seria reduzir os impostos sobre folha de pagamento (que torna o trabalho caro tanto para empregadores quanto para funcionários) e compensar a receita perdida com um imposto sobre transações financeiras no comércio de alta frequência, que contribui pouco para a economia real.

Essas e outras medidas para transferir o ônus da tributação do trabalho para o consumo e para a especulação podem ser tomadas de maneira a tornar o sistema tributário mais eficiente e menos regressivo do que é hoje. Mas essas considerações, ainda que importantes, não são as únicas que importam. Também deveríamos levar em consideração o significado expressivo da tributação. Com isso quero dizer os comportamentos em relação ao sucesso e ao fracasso, honra e reconhecimento, incorporados na maneira como financiamos nossa vida pública. Tributação não é apenas uma forma de aumentar a receita; é também um modo de expressar o julgamento de uma sociedade sobre o que conta como contribuição valiosa para o bem comum.

## FORMADORES E TOMADORES

Em certo nível, o aspecto moral da política tributária nos é familiar. É comum conversarmos sobre a justiça da tributação – se este ou aquele imposto será mais pesado para o rico ou para o pobre. Mas a dimensão expressiva da tributação vai além de debates sobre justiça, até os julgamentos morais que sociedades fazem sobre quais atividades são dignas de honra e reconhecimento, e quais deveriam ser desencorajadas. Algumas vezes, esses julgamentos são explícitos. Impostos sobre tabaco, álcool e cassinos são chamados "impostos do pecado", porque a intenção deles é desincentivar atividades consideradas prejudiciais ou indesejáveis (fumar, beber e apostar). Esses impostos expressam que a sociedade reprova essas atividades ao aumentarem o custo para se engajar nelas. As propostas para taxar refrigerantes açucarados (para combater a obesidade) ou emissão de carbono (para abordar a questão das mudanças climáticas) da mesma forma têm intenção de mudar normas e moldar comportamentos.

Nem todos os impostos têm esse objetivo. Não taxamos renda para expressar que reprovamos o emprego remunerado nem para desincentivar as pessoas a se engajarem neles. Igualmente, impostos gerais sobre venda não pretendem dissuadir a compra de coisas. Esses são simplesmente modos de criar renda.

No entanto, com frequência, julgamentos morais estão implícitos em políticas de valores aparentemente neutros. Isso é verdade, sobretudo, quando impostos tocam no trabalho, e nas várias maneiras pelas quais as pessoas ganham dinheiro. Por exemplo, por que o imposto sobre a renda resultante de ganho de capital deveria ser menor do que o imposto sobre renda resultante de trabalho? Warren Buffett levantou essa questão quando disse que ele, um investidor bilionário, pagava menos imposto do que sua secretária.[63]

Algumas pessoas argumentam que taxar investimentos com impostos mais suaves do que os sobre renda incentiva o investimento e, portanto, promove o crescimento econômico. Em certo nível, esse argumento é puramente pragmático ou utilitário – trata-se da intenção de aumentar o PIB, não de honrar investidores ricos que colhem ganho de capital. No entanto, do ponto de vista político, essa afirmação aparentemente pragmática tira parte de sua força persuasiva de um pressuposto moral, de um argumento acerca do mérito, que está escondido, à espreita. Trata-se do pressuposto de que investidores são "criadores de empregos" que deveriam ser recompensados com impostos mais baixos.

Uma versão dura desse argumento foi apresentada pelo congressista republicano Paul Ryan, ex-líder da Câmara dos Representantes dos EUA e devoto da escritora libertária Ayn Rand. Ryan, crítico do Estado de bem-estar social, diferenciou "formadores" (aqueles que mais contribuem para a economia) e "tomadores" (aqueles que recebem mais em benefícios do governo do que pagam impostos). Ele temia que, à medida que o Estado de bem-estar social crescesse, os chamados "tomadores" superassem os "formadores" em quantidade.[64]

Algumas pessoas se opuseram ao modo altamente moralizante de Ryan para falar sobre contribuição econômica. Outras aceitaram sua diferenciação entre formadores e tomadores, mas argumentaram que Ryan os identificou mal. Rana Foroohar, colunista de negócios do *Financial Times* e da CNN, oferece um exemplo potente do segundo ponto de vista, em um livro perspicaz intitulado *Makers and Takers: The Rise of Finance and the Fall of American Business* [Formadores e tomadores: a ascensão das finanças e a queda dos negócios estadunidenses]. Ao citar Adair Turner, Warren Buffett e outros críticos da financeirização improdutiva, Foroohar argumenta que os principais "tomadores" na economia de hoje são as pessoas na indústria financeira que se envolvem com atividades especulativas que colhem enormes lucros inesperados sem contribuir para a economia real:

> Toda essa finança não nos tornou mais prósperos. Ao contrário, aumentou a desigualdade e resultou em mais crise financeira, o que destrói quantidades enormes de valor econômico cada vez que acontece. Longe de ser uma ajuda para nossa economia, as finanças se tornaram obstáculo. Mais finança não está acelerando nosso crescimento econômico, está desacelerando-o.[65]

Foroohar conclui que os supostos "formadores" são aqueles "fazendo a maior parte do papel de tomadores na sociedade: pagam os menores impostos como porcentagem da renda, agarram uma fatia desproporcional do bolo econômico e incrementam modelos de negócios que, com frequência, correm em sentido contrário ao crescimento". Os verdadeiros "formadores", ela argumenta, são as pessoas que trabalham na economia real para proporcionar bens e serviços úteis e quem investe nessa atividade produtiva.[66]

O debate acerca de quem é formador na economia de hoje e quem é tomador é, no fim, um argumento sobre justiça comutativa, sobre quais papéis econômicos são dignos de honra e reconhecimento. Pensar sobre isso exige um debate público sobre o que conta como contribuição valiosa para o bem comum. Minha proposta de substituir alguns ou todos os impostos sobre folha de pagamento por um imposto sobre transação financeira – um "imposto do pecado", efetivamente, sobre especulações semelhantes a cassinos, que não ajudam a economia real – pretende ser uma forma de enquadrar esse debate. Sem dúvida, há outras. Meu argumento mais amplo é que para renovar a dignidade do trabalho é necessário abordar as questões morais subjacentes aos nossos arranjos econômicos, questões que a política tecnocrática das últimas décadas obscureceu.

Uma dessas questões é quais tipos de trabalho são dignos de reconhecimento e estima. Outra é o que devemos uns aos outros como cidadãos. Essas questões estão conectadas. Porque não é possível determinarmos o que conta como contribuição que vale a pena ser afirmada sem refletirmos juntos sobre os propósitos e os fins da vida em comum da qual compartilhamos. E não é possível deliberarmos sobre propósitos e fins comuns sem um senso de pertencimento, sem nos enxergarmos como membros de uma comunidade à qual devemos gratidão. Apenas enquanto dependemos dos outros e reconhecemos nossa dependência teremos motivos para reconhecer a contribuição do outro ao nosso bem-estar coletivo. Isso exige senso de comunidade suficientemente robusto para possibilitar que cidadãos digam, e acreditem, que "estamos todos juntos nisso" – não como um ritual mágico em momentos de crise, mas como descrição plausível de nossa vida diária.

Ao longo das últimas quatro décadas, a globalização favorável ao mercado e o conceito meritocrático de sucesso, juntos, desembaraçaram esses nós morais. As cadeias de suprimentos globais, os fluxos de capital e as identidades cosmopolitas que eles nutriram nos tornaram menos dependentes de nossos companheiros cidadãos, menos gratos pelo trabalho que realizam e menos abertos às reivindicações de solidariedade. A triagem meritocrática nos ensinou que nosso sucesso é resultado de nossas próprias ações; portanto, corroeu nosso senso de gratidão. Agora estamos no meio do turbilhão raivoso que esse desembaraçar produziu. Para renovar a dignidade do trabalho, precisamos recuperar os laços sociais que a era do mérito desfez.

## Notas

1. Anne Case e Angus Deaton, *Deaths of Despair and the Future of Capitalism* [Morte por desespero e o futuro do capitalismo]. Princeton: Princeton University Press, 2020, p. 51. Veja também Sawhill, *The Forgotten Americans*, p. 60; Oren Cass, *The Once and Future Worker* [Para sempre trabalhador]. Nova York: Encounter Books, 2018, p. 103–4.
2. Case e Deaton, *Deaths of Despair and the Future of Capitalism*, p. 161; Sawhill, *The Forgotten Americans*, p. 86.
3. Sawhill, *The Forgotten Americans*, p. 140–41; Case e Deaton, *Deaths of Despair and the Future of Capitalism*, p. 152.
4. Sawhill, *The Forgotten Americans*, p. 141.
5. Case e Deaton, *Deaths of Despair and the Future of Capitalism*, p. 7; Sawhill, *The Forgotten Americans*, p. 19.
6. Sawhill, *The Forgotten Americans*, p. 18; Case e Deaton, *Deaths of Despair and the Future of Capitalism*, p. 51. Veja também Nicholas Eberstadt, *Men Without Work: America's Invisible Crisis* [Homens sem trabalho: a crise invisível dos Estados Unidos]. West Conshohocken, PA: Templeton Press, 2016.
7. Case e Deaton, *Deaths of Despair and the Future of Capitalism*, p. 2, 37–46; Associated Press, "For 1st Time in 4 Years, U.S. Life Expectancy Rises – a Little"

[Pela primeira vez em 4 anos a expectativa de vida nos EUA aumenta – um pouco], *The New York Times*, 30 de janeiro, 2020. <nytimes.com/aponline/2020/01/30/health/ap-us-med-us-life-expectancy-1st-ld-writethru.html>. Nicholas D. Kristof e Sheryl WuDunn, *Tightrope: Americans Reaching for Hope* [Corda bamba: estadunidenses buscando esperança]. Nova York: Alfred A. Knopf, 2020.

8. Case e Deaton, *Deaths of Despair and the Future of Capitalism*.
9. *Ibid.*, p. 40, 45.
10. *Ibid.*, p. 143.
11. Em 2016, 64 mil estadunidenses morreram em decorrência de overdose, de acordo com o centro nacional de estatísticas relacionadas à saúde do centro de controle e prevenção de doenças: <cdc.gov/nchs/nvss/vsrr/drug-overdose-data.htm>. 58.220 estadunidenses perderam a vida na guerra do Vietnã: “Vietnam War U.S. Military Fatal Casualty Statistics, National Archives” [Estatística sobre fatalidades no exército dos EUA durante a guerra do Vietnã, arquivos nacionais]: <archives.gov/research/military/vietnam-war/casualty-statistics>.
12. Nicholas Kristof, “The Hidden Depression Trump Isn’t Helping” [A depressão escondida que Trump não ajuda] *The New York Times*, 8 de fevereiro, 2020. <nytimes.com/2020/02/08/opinion/sunday/trump-economy.html>. Veja também Kristof e WuDunn, *Tightrope*, p. 10.
13. Case e Deaton, *Deaths of Despair and the Future of Capitalism*, p. 3.
14. *Ibid.*, p. 57.
15. *Ibid.*, p. 57–58.
16. *Ibid.*, p. 133, 146.
17. *Ibid.*, p. 3.
18. Michael Young, “Down with Meritocracy” [Abaixo a meritocracia], *The Guardian*, 28 de junho, 2001. <theguardian.com/politics/2001/jun/29/comment>.
19. John W. Gardner, *Excellence: Can We Be Equal and Excellent Too?*, p. 66.
20. Jeff Guo, “Death Predicts Whether People Vote for Donald Trump” [A morte indica se as pessoas são eleitoras de Donald Trump], *The Washington Post*, 4 de março, 2016. <washingtonpost.com/news/wonk/wp/2016/03/04/death-predicts-whether-people-vote-for-donald-trump/>.
21. Richard Butsch, “Ralph, Fred, Archie and Homer: Why Television Keeps Re-creating the White Male Working Class Buffoon” [Ralph, Fred, Archie e Homer: por que a televisão continua a recriar o branco bufão da classe trabalhadora]. In: Gail Dines e Jean Humez (org.), *Gender, Race and Class in Media: A Text-Reader* [Gênero, raça e classe na mídia: um leitor de texto]. Nova York: Sage, 2003, p. 575–85. Jessica Troilo, “Stay Tuned: Portrayals of Fatherhood to Come” [Fique ligado: retratos da paternidade por vir], *Psychology of Popular Media Culture* 6, nº 1 (2017), p. 82–94; Erica Scharrer, “From Wise to Foolish: The Portrayal of

the Sitcom Father 1950s–1990s" [De sábio a tolo: retrato do pai em *sitcoms* das décadas de 1950 a 1990], *Journal of Broadcasting & Electronic Media* 45, nº 1 (2001), p. 23–40.

22. Joan C. Williams, *White Working Class: Overcoming Class Cluelessness in America* [Classe trabalhadora branca: a superação da falta de noção de classe nos Estados Unidos]. Boston: Harvard Business Review Press, 2017.
23. Joan C. Williams, "The Dumb Politics of Elite Condescension" [A estúpida política de condescendência da elite], *The New York Times*, 27 de maio, 2017. <nytimes.com/2017/05/27/opinion/sunday/the-dumb-politics-of-elite-condescension.html>.
24. Joan C. Williams, "What So Many People Don't Get About the U.S. Working Class" [O que tantas pessoas não entendem sobre a classe trabalhadora dos EUA], *Harvard Business Review*, 10 de novembro, 2016. <hbr.org/2016/11/what-so-many-people-dont-get-about-the-u-s-working-class>.
25. Barbara Ehrenreich, "Dead, White, and Blue" [Morto, branco e azul], *TomDispatch.com*, 1º de dezembro, 2015. <tomdispatch.com/post/176075/tomgram:_barbara_ehrenreich,_america_to_working_class_whites:_drop_dead!/>. A citação de W. E. B. Du Bois foi retirada de *Black Reconstruction in America* [Reconstrução negra nos Estados Unidos] (1935).
26. *Ibid.*
27. Katherine J. Cramer, *The Politics of Resentment: Rural Consciousness in Wisconsin and the Rise of Scott Walker* [A política do ressentimento: consciência rural em Wisconsin e a ascensão de Scott Walker]. Chicago: The University of Chicago Press, 2016.
28. Katherine J. Cramer, "For Years, I've Been Watching Anti-Elite Fury Build in Wisconsin. Then Came Trump" [Durante anos assisti à fúria contra as elites crescer em Wisconsin. Então veio o Trump], *Vox*, 16 de novembro, 2016. <vox.com/the-big-idea/2016/11/16/13645116/rural-resentment-elites-trump>.
29. Arlie Russell Hochschild, *Strangers in Their Own Land: Anger and Mourning on the American Right* [Estranhos na própria terra: raiva e melancolia na direita estadunidense]. Nova York: The New Press, 2016. p. 135.
30. *Ibid.*, p. 141.
31. *Ibid.*, p. 136–40.
32. *Ibid.*, p. 144.
33. Pesquisa do autor por "*dignity of labor*" [dignidade do trabalho] em arquivo on-line do *The American Presidency Project*. <presidency.ucsb.edu/advanced-search>.
34. Jenna Johnson, "The Trailer: Why Democrats Are Preaching About 'the Dignity of Work" [O trailer: por que os Democratas estão pregando "dignidade do trabalho"], *The Washington Post*, 21 de fevereiro, 2019. <washingtonpost.com/politics/paloma/the-trailer/2019/02/21/the-trailer-why-democrats-are-preaching-

about-the-dignity-of-work/5c6ed0181b326b71858c6bff/>. Sarah Jones, "Joe Biden Should Retire the Phrase 'Dignity of Work'" [Joe Biden deveria aposentar a expressão "dignidade do trabalho"], *New York*, 1º de maio, 2019. <nymag.com/intelligencer/2019/05/joe-biden-should-retire-the-phrase-dignity-of-work.html>. Marco Rubio, "America Needs to Restore the Dignity of Work" [Os Estados Unidos precisam restaurar a dignidade do trabalho], *The Atlantic*, 13 de dezembro, 2018. <theatlantic.com/ideas/archive/2018/12/help-working-class-voters-us-must-value-work/578032/>. Sherrod Brown, "When Work Loses Its Dignity" [Quando o trabalho perde a dignidade], *The New York Times*, 17 de novembro, 2016. <nytimes.com/2016/11/17/opinion/when-work-loses-its-dignity.html>. Arthur Delaney e Maxwell Strachan, "Sherrod Brown Wants to Reclaim 'The Dignity of Work' from Republicans" [Sherrod Brown quer resgatar "A dignidade do trabalho" dos republicanos], *Huffington Post*, 27 de fevereiro, 2019. <dignityofwork.com/news/in-the-news/huffpost-sherrod-brown-wants-to-reclaim-the-dignity-of-work-from-republicans/>. Tal Axelrod, "Brown, Rubio Trade Barbs over 'Dignity of Work' as Brown Mulls Presidential Bid" [Brown e Rubio trocam farpas sobre "dignidade do trabalho" enquanto Brown pondera sobre campanha presidencial], *The Hill*, 22 de fevereiro, 2019. <thehill.com/homenews/campaign/431152-brown-and-rubio-trade-barbs-over-dignity-of-work-as-brown-mulls>.

35. Secretário da agricultura Sonny Perdue citado em Johnson, "Why Democrats Are Preaching about 'The Dignity of Work". Donald J. Trump, "Remarks on Tax Reform Legislation" [Comentários sobre legislação de reforma tributária], 13 de dezembro, 2017, *The American Presidency Project*. <presidency.ucsb.edu/node/331762>. Sobre efeito distributivo do corte de impostos veja Danielle Kurtzleben, "Charts: See How Much of GOP Tax Cuts Will Go to the Middle Class" [Gráficos: Veja quanto dos cortes de impostos do Partido Republicano vai para a classe média], *NPR*, 19 de dezembro, 2017. <npr.org/2017/12/19/571754894/charts-see-how-much-of-gop-tax-cuts-will-go-to-the-middle-class>.
36. Robert F. Kennedy, Press Release, Los Angeles, 19 de maio, 1968. In: Edwin O. Guthman e C. Richard Allen (org.), *RFK: Collected Speeches* [RFK: coletânea de discursos]. Nova York: Viking, 1993, p. 385.
37. Para discussões acerca de "justiça comutativa" veja Paul Gomberg, "Why Distributive Justice Is Impossible but Contributive Justice Would Work" [Por que a justiça distributiva é impossível, mas a justiça comutativa funcionaria], *Science & Society* 80, nº 1 (janeiro 2016), p. 31–55. Andrew Sayer, "Contributive Justice and Meaningful Work" [Justiça comutativa e trabalho significativo], *Res Publica* 15, 2009, p. 1–16. Cristian Timmermann, "Contributive Justice: An Exploration of a Wider Provision of Meaningful Work" [Justiça comutativa: uma exploração de uma oferta mais ampla de trabalho significativo], *Social Justice Research* 31, nº 1,

p. 85–111. Conferência dos Bispos Católicos dos Estados Unidos, "Economic Justice for All: Pastoral Letter on Catholic Social Teaching and the U.S. Economy" [Justiça econômica para todos: carta pastoral sobre o ensino social católico e a economia dos EUA], 1986, p. 17. <usccb.org/upload/economic_justice_for_all.pdf>.

38. Para obter um relato mais detalhado sobre o contraste entre a concepção cívica de política e a consumista, veja Sandel, *Democracy's Discontent*, p. 4–7, 124–67, 201–49; Sandel, *Justice: What's the Right Thing to Do?* Nova York: Farrar, Straus and Giroux, 2009, p. 192–99. [Ed. bras. *Justiça: o que é fazer a coisa certa?* Tradução de Maria Alice Máximo. Rio de Janeiro: Civilização Brasileira, 2015.]
39. Adam Smith, *The Wealth of Nations*, livro IV, capítulo 8, 1776; reedição, Nova York: Modern Library, 1994. p. 715. [Ed. bras. *A riqueza das nações*. Tradução de Luiz João Baraúna. São Paulo: Abril Cultural, 1983. p. 146.]
40. John Maynard Keynes, *The General Theory of Employment, Interest, and Money*, 1936; reedição, Londres: Macmillan, St. Martin's Press, 1973. p. 104. [Ed. bras. *A teoria geral do emprego, do juro e da moeda*. Tradução Mário R. da Cruz. São Paulo: Nova Cultural, 1996. p. 124.]
41. Veja Sandel, *Democracy's Discontent*, p. 124–200.
42. Descrevo essa mudança em *ibid.*, p. 250–315.
43. Martin Luther King, Jr., março 18, 1968, Memphis, Tennessee, <kinginstitute.stanford.edu/king-papers/publications/autobiography-martin-luther-king-jr-contents/chapter-31-poor-peoples>.
44. João Paulo II, *Sobre o trabalho humano (Carta Encíclica Laborem Exercens)*, 14 de setembro, 1981. <http://www.vatican.va/content/john-paul-ii/pt/encyclicals/documents/hf_jp-ii_enc_14091981_laborem-exercens.html>, sessões 9 e 10.
45. Conferência dos Bispos Católicos dos Estados Unidos, "Economic Justice for All: Pastoral Letter on Catholic Social Teaching and the U.S. Economy", 1986, p. 17. <usccb.org/upload/economic_justice_for_all.pdf>.
46. Axel Honneth, "Recognition or Redistribution? Changing Perspectives on the Moral Order of Society" [Reconhecimento ou redistribuição? Mudança de perspectiva sobre a ordem moral da sociedade], *Theory, Culture & Society* 18, issue 2–3, 2001, p. 43–55.
47. Axel Honneth, "Work and Recognition: A Redefinition" [Trabalho e reconhecimento: uma redefinição], in: Hans-Christoph Schmidt am Busch e Christopher F. Zurn (org.), *The Philosophy of Recognition: Historical and Contemporary Perspectives* [A filosofia do reconhecimento: perspectivas históricas e contemporâneas], Lanham: Lexington Books, 2010. p. 229–33. Para ler as partes relevantes em Hegel, veja G. W. F. Hegel, *Elements of the Philosophy of Right*, Allen W. Wood (org.), Cambridge: Cambridge University Press, 1991, parágrafos 199–201, 207, 235–56. Trad. H. B. Nisbet (edição Wood, p. 233–34, 238–39, 261–74) [Ed. bra.: *Princípios*

*da filosofia do direito*. Tradução de Orlando Vitorino. São Paulo: Martins Fontes, 1997]. Veja também Nicholas H. Smith e Jean-Philippe Deranty (org.). *New Philosophies of Labour: Work and the Social Bond* [Novas filosofias do trabalho: trabalho e o vínculo social]. Leiden: Brill, 2012; e Adam Adatto Sandel, "Putting Work in Its Place" [Colocando o trabalho em seu devido lugar], *American Affairs* 1, nº 1 (primavera 2017), p. 152–62. <americanaffairsjournal.org/2017/02/putting-work-place/>. Devo minha compreensão da concepção de trabalho de Hegel aos debates com Adam Sandel.

48. Axel Honneth, "Work and Recognition," p. 234–36. Veja Émile Durkheim, *The Division of Labor in Society* (1902), Steven Lukes (org.), Nova York: Free Press, 2014. Tradução W. D. Halls. [Ed. bras. *Da divisão do trabalho social*. Tradução Eduardo Brandão. São Paulo: Martins Fontes, 1999.]
49. Robert F. Kennedy, Press Release, Los Angeles, 19 de maio, 1968. In: Guthman e Allen, (org.), *RFK: Collected Speeches* [RFK: coletânea de discursos], p. 385–86.
50. Oren Cass, *The Once and Future Worker: A Vision for the Renewal of Work in America*. [Para sempre trabalhador: uma visão para a renovação do trabalho nos Estados Unidos]. Nova York: Encounter Books, 2018.
51. *Ibid.*, p. 161–74.
52. Peter S. Goodman, "The Nordic Way to Economic Rescue" [O caminho nórdico para o resgate econômico], *The New York Times*, 28 de março, 2020. <nytimes.com/2020/03/28/business/nordic-way-economic-rescue-virus.html?searchResultPosition=1>. Richard Partington, "UK government to pay 80% of wages for those not working in coronavirus crisis" [Governo do Reino Unido vai pagar 80% do salário para quem não está trabalhando devido à crise do Coronavírus], *The Guardian*, 20 de março, 2020. <theguardian.com/uk-news/2020/mar/20/government-pay-wages-jobs-coronavirus-rishi-sunak>. Emmanuel Saez e Gabriel Zucman, "Enough With the Baby Steps on Coronavirus" [Chega de "um passo de cada vez" no que se refere ao Coronavírus], *The New York Times*, 30 de março, 2020. <nytimes.com/2020/03/30/opinion/coronavirus-economy-saez-zucman.html>.
53. *Ibid.*, p. 79–99.
54. *Ibid.*, p. 115–39.
55. *Ibid.*, p. 25–28, 210–12.
56. *Ibid.*, p. 26, 211–12.
57. Robin Greenwood e David Scharfstein, "The Growth of Finance" [O crescimento da finança] *Journal of Economic Perspectives* 27, nº 2 (primavera 2013), p. 3–5. <pubs.aeaweb.org/doi/pdfplus/10.1257/jep.27.2 .3>. Citando Thomas Philippon e Ariell Reshef, "Wages and Human Capital in the U.S. Financial Industry: 1909–2006" [Salários e o capital humano na indústria financeira estadunidense], *NBER Working*

*Paper* 14644, 2009, sobre remuneração de serviços financeiros. Adair Turner, *Between Debt and the Devil: Money, Credit, and Fixing Global Finance* [Entre o débito e o diabo: dinheiro, crédito e correção de finanças globais]. Princeton: Princeton University Press, 2016. p. 1, 7, 19–21. Veja também Greta R. Krippner, *Capitalizing on Crisis: The Political Origins of the Rise of Finance* [Capitalizando na crise: as origens políticas da ascensão das finanças]. Cambridge, MA: Harvard University Press, 2011, p. 28.

58. Rana Foroohar, *Makers and Takers: The Rise of Finance and the Fall of American Business* [Formadores e tomadores: a ascensão das finanças e a queda dos negócios estadunidenses]. Nova York: Crown Business, 2016. Adair Turner, *Economics After the Crisis: Objectives and Means* [Economia após a crise: objetivos e meios]. Cambridge, MA: MIT Press, 2012. p. 35–55. J. Bradford Delong, "Starving the Squid" [Deixando a lula morrer de fome], *Project Syndicate*, 28 de junho, 2013. <project-syndicate.org/commentary/time-to-bypass-modern-finance-by-j-bradford-delong>.
59. Adair Turner, "What Do Banks Do? Why Do Credit Booms and Busts Occur and What Can Public Policy Do About It?" [O que os bancos fazem? Por que ocorrem o crescimento e o encolhimento do crédito e o que as políticas públicas podem fazer a respeito?]. In: *The Future of Finance: The LSE Report*, London School of Economics (2010). <harr123et.wordpress.com/download-version>.
60. Michael Lewis. *Flash Boys: A Wall Street Revolt*. Nova York: W. W. Norton & Company, 2015, p. 7–22. [Ed. bras. *Flash Boys: revolta em Wall Street*. Rio de Janeiro: Intrínseca, 2014.]
61. James Tobin, "On the Efficiency of the Financial System" [Sobre a eficiência do sistema financeiro], *Lloyds Bank Review*, julho de 1984, p. 14. Citado em Foroohar, *Makers and Takers*, p. 53–54.
62. Foroohar, *Makers and Takers*, p. 7.
63. Warren E. Buffet, "Stop Coddling the Super-Rich" [Pare de mimar os super-ricos], *The New York Times*, 14 de agosto, 2011. <nytimes.com/2011/08/15/opinion/stop-coddling-the-super-rich.html>.
64. Ryan depois moderou sua afirmação. Veja em Paul Ryan, "A Better Way Up From Poverty" [Um melhor caminho para sair da pobreza], *The Wall Street Journal*, 15 de agosto, 2014. <wsj.com/articles/paul-ryan-a-better-way-up-from-poverty-1408141154?mod=article_inline>. Greg Sargent, "Paul Ryan Regrets That 'Makers and Takers' Stuff. Sort of, Anyway" [Paul Ryan lamenta aquela coisa de "formadores e tomadores". Mais ou menos], *The Washington Post*, 23 de março, 2016. <washingtonpost.com/blogs/plum-line/wp/2016/03/23/paul-ryan-regrets-that-makers-and-takers-stuff-sort-of-anyway>.
65. Rona Foroohar, *Makers and Takers*, p. 13.
66. *Ibid.*, p. 277.

# Conclusão O mérito e o bem comum

Henry Aaron, um dos melhores jogadores de baseball, cresceu no Sul segregado. Seu biógrafo, Howard Bryant, contou que, quando criança, "Henry assistia ao pai ser forçado a ceder o lugar na fila do armazém para qualquer pessoa branca que entrasse". Quando Jackie Robinson rompeu a barreira da cor no esporte, Henry, então com 13 anos, foi inspirado a acreditar que também poderia um dia jogar na *Major League*. Sem ter bastão nem bola, ele praticava com o que tinha, usava uma vara para rebater tampas de garrafa arremessadas por seu irmão. Ele chegou a bater o recorde de *home runs* registrado por Babe Ruth.[1]

Em uma observação pungente, Bryant escreveu: "Rebater, seria possível argumentar, representou a primeira meritocracia na vida de Henry."[2]

É difícil ler essa frase sem amar a meritocracia, sem enxergá-la como uma irrevogável resposta à injustiça – uma vindicação do talento acima do preconceito, do racismo e das oportunidades desiguais. E a partir desse pensamento, é um passo pequeno até a conclusão de que uma sociedade justa é meritocrática, onde todo mundo tem uma chance igual de ascender até onde seu talento e seu trabalho árduo os levarem.

Mas isso é um erro. A moral da história de Henry Aaron não é que deveríamos amar a meritocracia, mas que deveríamos detestar um sistema de injustiça racial do qual consegue-se escapar somente rebatendo, em *home runs*. Igualdade de oportunidade é uma correção moralmente necessária da injustiça. No entanto, é um princípio reparador, não um ideal adequado para uma boa sociedade.

## ALÉM DA IGUALDADE DE OPORTUNIDADE

Não é fácil sustentar essa distinção. Inspirados pela ascensão heroica de algumas pessoas, questionamos como outras podem ser capacitadas para escapar das condições que as desvaloriza. Em vez de corrigir as condições das quais as pessoas querem sair, construímos políticas que tornam a mobilidade resposta para a desigualdade.

Quebrar barreiras é uma coisa boa. Ninguém deveria ser impedido pela pobreza ou pelo preconceito. Mas uma sociedade boa não pode ser fundamentada somente na promessa de liberdade.

Focar somente, ou principalmente, em ascensão faz pouca coisa pelo cultivo dos laços sociais e do apego cívico que a democracia exige. Até mesmo uma sociedade mais bem-sucedida do que a nossa em proporcionar mobilidade ascendente precisaria encontrar modos de possibilitar que as pessoas que não ascendem prosperem no lugar onde estão e se enxerguem como membros de um projeto em comum. Quando não fazemos isso, dificultamos a vida das pessoas que não têm credenciais meritocráticas e as fazemos duvidar de seu pertencimento.

Com frequência, presume-se que a única alternativa para a igualdade de oportunidade é uma igualdade de resultados estéril, opressiva. Entretanto, há outra alternativa: uma ampla igualdade de condição que permite àqueles que não alcançam grandes riquezas ou posições de prestígio vivam com decência e dignidade, desenvolvendo e exercitando suas habilidades em trabalhos que rendem estima social, compartilhando de uma cultura do aprendizado que seja amplamente difusa, e deliberando junto a concidadãos sobre questões públicas.

Dois dos melhores relatos sobre igualdade de condições apareceram em meio à Grande Depressão. Em um livro intitulado *Equality* [Igualdade] (1931), R. H. Tawney, historiador economista e crítico social britânico, argumentou que igualdade de oportunidade é, na melhor das hipóteses, um ideal parcial. "Oportunidades de 'ascender'", ele escreveu, "não substituem uma medida robusta de igualdade pragmática, nem tornam imaterial a existência de diferenças acentuadas de renda e de condição social".[3]

> Bem-estar social [...] depende de coesão e solidariedade. Implica a existência não apenas de oportunidades de ascensão, mas de um alto nível de cultura geral e de um senso forte de interesse em comum [...]. A felicidade individual não exige apenas que homens sejam livres para ascender a novas posições de conforto e de distinção; exige também que sejam capazes de ter uma vida de dignidade e cultura, independentemente de ascenderem ou não.[4]

No mesmo ano, do outro lado do Atlântico, um escritor chamado James Truslow Adams escreveu um tributo para seu país intitulado *A epopeia americana*. Poucas pessoas se lembram do livro, mas todo mundo conhece a expressão que ele cunhou nas últimas páginas: "o Sonho Americano". Olhando para trás, a partir do nosso tempo, seria fácil comparar o relato dele sobre o Sonho Americano com a nossa retórica da ascensão. O "distinto e incomparável presente para a humanidade" dado pelos Estados Unidos, Adams escreveu, foi o sonho "de uma terra na qual a vida seria melhor e mais rica e mais próspera para todos os homens, com oportunidade para cada um de acordo com sua habilidade ou conquista".[5]

> Não se trata de um sonho meramente sobre carros motorizados e salários altos, mas um sonho sobre uma ordem social na qual cada homem e cada mulher deverá ser capaz de alcançar a mais alta estatura social da qual são naturalmente capazes de alcançar e ser reconhecido ou reconhecida por outras pessoas por aquilo que são, independentemente das circunstâncias fortuitas de nascimento ou posição social.[6]

No entanto, uma leitura mais aprofundada revela que o sonho descrito por Adams não era apenas sobre ascender, mas sim sobre alcançar uma igualdade de condições mais ampla e democrática. Como exemplo concreto, ele indicou a Biblioteca do Congresso dos EUA como "símbolo do que a democracia consegue alcançar para o seu próprio bem", um lugar de aprendizado público que atraiu estadunidenses de todos os níveis sociais e estilos de vida:

> Quando alguém olha para a sala de leitura geral, que sozinha tem 10 mil volumes que podem ser lidos sem precisar de solicitação, vê todos os lugares ocupados por leitores silenciosos, velhos e jovens, ricos e pobres, brancos e negros, o executivo e o trabalhador, o geral e o particular, o acadêmico reconhecido e o garoto de escola, todo mundo lendo em sua própria biblioteca proporcionada por sua própria democracia.[7]

Adams considerou essa cena "um sucesso perfeito, um exemplo concreto do Sonho Americano – meios proporcionados pelos recursos acumulados das pessoas mesmo, [e] um público inteligente o suficiente para usá-los". Se esse exemplo pudesse ser "usado em todos os departamentos de nossa vida nacional", Adams escreveu, o Sonho Americano se tornaria "uma realidade permanente".[8]

## DEMOCRACIA E HUMILDADE

Não temos muita igualdade de condição hoje. São poucos os espaços públicos que reúnem pessoas de todas as classes, raças, etnias e crenças. Quatro décadas de globalização favorável ao mercado resultou em desigualdades de renda e riqueza tão pronunciadas que nos levam a modos de vida separados. Pessoas abastadas e as de meios modestos raramente se encontram ao longo do dia. Vivemos e trabalhamos e fazemos compras e nos divertimos em lugares diferentes; nossos filhos e filhas frequentam escolas diferentes. E, quando a máquina de triagem meritocrática faz o seu trabalho, quem está no alto acha difícil resistir ao pensamento de que merece o sucesso que tem e quem está na base também merece o lugar onde está. Isso alimenta uma política tão venenosa e um partidarismo tão intenso que muitas pessoas hoje em dia consideram o casamento "interpartidário" mais difícil do que o casamento com uma pessoa fora da sua religião. É pouco surpreendente que tenhamos perdido a habilidade de refletir juntos sobre questões públicas amplas ou até mesmo escutar um ao outro.

O mérito começou sua carreira como a ideia poderosa de que conseguimos, por meio do trabalho e da fé, fazer com que a graça do Senhor se multiplique em nosso favor. A versão secular dessa ideia resultou em uma promessa animadora de liberdade individual: nosso destino está em nossas mãos. Nós conseguiremos, se tentarmos.

Mas essa visão de liberdade nos afasta das obrigações de um projeto democrático compartilhado. Lembre-se das duas concepções de bem comum que levamos em consideração no capítulo 7, a consumista e a cívica. Se o bem comum consistir em simplesmente maximizar o bem-estar dos consumidores, alcançar igualdade de condições, no fim, não importa. Se a democracia simplesmente for economia por outros meios, uma questão de somar nossos interesses e preferências pessoais, seu destino não depende dos laços morais dos cidadãos. Uma noção consumista da democracia consegue fazer seu trabalho limitado, independentemente de compartilharmos uma animada vida em comum ou de habitarmos territórios privados na companhia de pessoas como nós.

Mas se o bem comum pode ser alcançado apenas por meio da deliberação com nossos concidadãos sobre os propósitos e os fins dignos de nossa comunidade política, a democracia não pode ser indiferente ao caráter da vida em comum. Ela não exige igualdade perfeita. No entanto, exige que cidadãos de diferentes níveis sociais e estilos de vida se encontrem em espaços compartilhados e lugares públicos. Porque é assim que aprendemos a negociar e a acatar nossas diferenças. E é assim que passamos a nos importar com o bem comum.[9]

A convicção meritocrática de que pessoas merecem quaisquer que forem as riquezas que o mercado concede a partir de seus talentos faz a solidariedade ser um projeto quase impossível. Por que as pessoas bem-sucedidas devem algo aos membros com menos vantagens na sociedade? A resposta para essa pergunta depende de reconhecer que, para todos os nossos esforços, não vencemos por conta própria nem somos autossuficientes; estar em uma sociedade que recompensa nossos talentos é sorte, não é obrigação. Uma sensação viva do contingente de nosso destino pode inspirar certa humildade: "Aí vou eu, mas pela graça de Deus ou por acidente de nascimento, ou ainda, por mistério do destino." Essa humildade é o começo do caminho de volta da dura ética do sucesso que nos divide. Aponta para além da tirania do mérito na direção de uma vida pública menos rancorosa e mais generosa.

## Notas

1. Howard Bryant, *The Last Hero: A Life of Henry Aaron* [O último herói: a vida de Henry Aaron]. Nova York: Pantheon Books, 2010. p. 23–27.
2. *Ibid.*, p. 25.
3. R. H. Tawney, *Equality*. Nova York: HarperCollins Publishers, 1964.
4. *Ibid.*
5. James Truslow Adams, *The Epic of America*. Garden City, NY: Blue Ribbon Books, 1931, p. 404. [Ed. bras. *A epopeia americana*. São Paulo: Companhia Editora Nacional, 1940.]
6. *Ibid.*
7. *Ibid.*, p. 414–15.
8. *Ibid.*, p. 415.
9. Esse parágrafo a partir de: Michael J. Sandel, *What Money Can't Buy: The Moral Limits of Markets*. Nova York: Farrar, Straus and Giroux, 2009, p. 203. [Ed. bras. *O que o dinheiro não compra: os limites morais do mercado*. Rio de Janeiro: Civilização Brasileira, 2016.]

## Agradecimentos

Sou grato por ter tido a oportunidade de testar alguns dos temas deste livro com meus colegas em várias ocasiões: no colóquio de teoria política do Departamento de Estudos Governamentais da Universidade de Harvard, onde fui beneficiado com o comentário crítico minucioso de Jonathan Gould; no workshop de verão para o corpo docente da faculdade de direito de Harvard, que promoveu reações questionadoras e uma sequência de trocas com Richard Fallon, Terry Fisher, Yochai Benkler e Ben Sachs; e no seminário para o corpo docente Arte, Cultura Popular e Vida Cívica, que copresidi com minha esposa, Kiku Adatto, no centro para estudos da humanidade em Harvard, *Mahindra Humanities Center.*

Durante o semestre do outono de 2019, lecionei um seminário sobre meritocracia e suas críticas com um dos mais animados e intelectualmente engajados grupos de graduandos que jamais encontrei. Sou grato a todos eles por terem aprofundado meu conhecimento sobre os temas deste livro. Daniel Markovits da faculdade de direito de Yale, cujo livro sobre meritocracia recentemente publicado lemos no seminário, juntou-se a nós em uma ocasião para um debate memorável, durante o qual os estudantes e eu aprendemos muito.

Tive sorte de apresentar partes do livro em palestras seguidas de debates em vários ambientes acadêmicos com públicos estimulantes:

a palestra sobre filosofia política *Niemeyer Lectures* na Universidade de Notre Dame; a palestra *Garmendia Memorial Lecture*, na Universidade de Deusto, em Bilbao, Espanha; e *Airbus Lecture* na Academia Americana, em Berlim, Alemanha; na RSA (Sociedade Real de Incentivo às Artes, Manufaturas e Comércio) em Londres; no Instituto de Ciências Humanas, em Viena, Áustria; em seminários da Reset Dialogues on Civilization na Fundação Giorgio Cini, em Veneza, Itália; no Instituto Marshall, na Escola de Economia e Ciência Política de Londres (LSE), em Londres; a conferência Agendas Democráticas, na Universidade Northwestern; e o primeiro Dia da França na Universidade de Harvard. Sou grato ao público e aos debatedores nessas ocasiões por sua envolvente participação.

Eu gostaria de agradecer a Elizabeth Anderson, Moshe Halbertal, Peter Hall, Daniel Markovits, Cullen Murphy e Samuel Scheffler pelas úteis conversas ou trocas de e-mail sobre aspectos do livro, Charles Petersen por compartilhar capítulos de sua tese de doutorado sobre meritocracia e processo de seleção, Aravind “Vinny” Byju por uma excelente assistência em pesquisa e Deborah Ghim da Farrar, Straus e Giroux por seu dedicado apoio editorial. Devo agradecimento a minha agente, a formidável Esther Newberg, da ICM Partners, em Nova York, e Karolina Sutton, Helen Manders e Sarah Harvey da Curtis Brown, em Londres.

Escrever um livro com a FSG, agora pela terceira vez, é uma alegria, graças ao generoso intelecto e à sensibilidade literária de Jonathan Galassi, Mitzi Angel e Jeff Seroy. Devo agradecimentos especiais a Eric Chinski, um editor brilhante que compreendeu o que eu esperava alcançar com este livro antes de escrevê-lo, e que ofereceu sábios conselhos em todos os pontos ao longo do caminho. Também sou profundamente grato a Stuart Proffitt, o merecidamente honrado editor da Allen Lane/Penguin, minha editora britânica, que, assim como Eric, fez uma leitura crítica detalhada de cada capítulo. Receber tanto cuidado editorial de ambos os lados do Atlântico me deixou com pouca desculpa para quaisquer falhas que possam ter permanecido.

Finalmente, e acima de todos, sou grato aos membros da "casa dos escritores". Esse é o nome que minha esposa, Kiku Adatto, nossos filhos, Adam Adatto Sandel e Aaron Adatto Sandel, e eu demos à nossa prática de leitura de rascunhos e capítulos em voz alta para membros da família reunidos, pedindo e compartilhando comentários críticos em nossos respectivos projetos. A atenção, o conselho e o amor deles fizeram este livro.

# Índice

*O texto deste livro foi composto em Sabon, desenho tipográfico de Jan Tschichold de 1964 baseado nos estudos de Claude Garamond e Jacques Sabon no século XVI, em corpo 11/15. Para títulos e destaques, foi utilizada a tipografia Frutiger, desenhada por Adrian Frutiger em 1975.*

*A impressão se deu sobre papel off-white 80g/m² na Gráfica Geográfica.*